Б. К. СЕДОВ

ЗНАХАРЬ
МЕСТЬ ВОРА

Роман

Санкт-Петербург
«Издательский Дом „Нева"»
2003

ББК 84. (2Рос-Рус) 6
С28

Седов Б. К.

С28   Знахарь. Месть вора: Роман. — СПб.: «Издательский Дом ,,Нева"»; 2003. — 383 с.
ISBN 5-7654-1896-1
Когда за плечами четыреста верст тайги... Когда ты во всероссийском розыске... Тогда цель только одна: успеть. Успеть отомстить так, чтобы умирая они поняли — за что!

ББК 84.(2Рос-Рус)6

ISBN 5-7654-1896-1

Было совсем темно, когда мужчина лет двадцати пяти — тридцати, обладатель темных длинных волос и пронзительного настороженного взгляда из-под густых, почти сросшихся над переносицей бровей, повернул ключ в замке зажигания и, заглушив движок, расслабленно откинулся на спинку сиденья. Менее чем за семь часов он сумел оставить позади себя шестьсот километров шоссе, под завязку забитого неповоротливыми дальнобойными фурами и тихоходными крестьянскими грузовичками, груженными капустой или навозом. Наконец добрался до места и вот теперь, уткнувшись радиатором в массивные железные ворота, терпеливо дожидался, когда небольшая калитка рядом с воротами распахнется и из нее вразвалочку выплывет здоровенный детина в униформе охранника и с плоской дубинкой-металлоискателем у правого бока.

Мужчина представил, как детина влезет в правую переднюю дверцу, бухнется на пассажирское кресло и первым делом потребует предъявить документы. На то, чтобы тщательно сверить фотографии на паспорте и правах с физиономией водителя, ему потребуется не меньше минуты, после чего он удовлетворенно хрюкнет, вернет ксиву мужчине и, неуклюже выбираясь из салона наружу, небрежно бросит через плечо: «Идите за мной. Я провожу. Ключи зажигания оставьте в замке, мы сами поставим машину». И, не оглядываясь, точно зная, что гость дисциплинированно плетется следом за ним, потопает обратно к калитке, за которой в тесной сторожке их будут поджидать еще как минимум двое крепких парней в пятнистом камуфляже и высоких армейских ботинках. Они безразлично поздороваются с посетителем — если удосужатся поздороваться вообще, — спросят: «Оружие? Диктофон? Микрофоны?», и, получив правдивый ответ: «Нет ничего», примутся тщательно исследовать содержимое карманов гостя и ощупывать складки его одежды. Потом, строго соблюдая инструкции, пошарят сканером и металлоискателем вокруг «подозреваемого». И, конечно же, ничего достойного внимания не обнаружат. Ни «жучков», ни волыны, ни даже какого-нибудь безобидного брелока в виде миниатюрного перочинного ножичка на связке ключей от квартиры. Ничего-ничего. По той простой причине, что ничего подобного у него нет. Надо быть законченным идиотом, чтобы, отправляясь в гости к страдающему манией преследования Хопину, пытаться пронести с собой что-то, что может вызвать у его бдительных церберов малейшее подозрение.

Мужчина за рулем иномарки чуть приподнял левый рукав черного демисезонного пальто, посмотрел на часы и проявил первые признаки нетерпения. Он уже пять минут торчал напротив дурацких красных ворот, а никаких признаков жизни возле калитки так и не наблюдалось. Хотя не было никакого сомнения в том, что его прибытие охрана прозевать не могла. Не одна — это уж точно — камера внешнего наблюдения была сейчас нацелена на его машину, и оператор, дежуривший у мониторов в специально отведенной для этого комнате, имел удовольствие разглядывать светлую иномарку сразу в нескольких ракурсах.

«Распроклятье, — подумал мужчина и бросил еще один взгляд на часы. Минуло уже восемь минут с того момента, как он заглушил движок, но и калитка, и металлические ворота по-прежнему были наглухо заперты. — Не слишком-то они здесь расторопны. Или все это делается спецом, чтобы посетитель сразу прочухал ничтожность своего положения по сравнению даже со стражей, не говоря уж о владельце. Незамысловатый, но зато проверенный временем ход... Или они все-таки ждут, когда я сам вылезу из машины и подойду к этой дурацкой калитке? Да нет. Сегодня днем, когда договаривался с Хопиным о визите к нему домой, он русским языком сказал: „Как подъедешь, вставай напротив ворот и сиди в своей тачке, жди кого-нибудь из охраны". Вот только о том, сколько следует ждать, не было сказано ни единого слова. А ведь действительно, сколько? Пятнадцать минут? Час? До завтрашнего утра? До второго потопа?»

Темноволосый мужчина процедил сквозь зубы ругательство и раздраженно стукнул кулаком по рулевой колонке. Иномарка коротко, но достаточно громко вякнула, бесцеремонно разрезав пронзительным острым сигналом вязкую, словно клюквенное желе, тишину, заполнившую поселок. Еще удар кулаком — еще нетерпеливый сигнал. И почти сразу же калитка распахнулась, и из нее нарисовался один из охранников. Как и ожидалось, в камуфляже и армейских ботинках. Как и ожидалось, с дубинкой на правом боку. Как и ожидалось, он ленивой походочкой потопал к иномарке. Единственным, что водитель не сумел спрогнозировать точно, было то, что охранник оказался вовсе не здоровенным детиной с пудовыми кулаками, а невзрачным парнишкой с рожицей десятиклассника и телосложением жокея.

Зато с повышенным самомнением.

— Ну и хрен ли ты тут разгуделся? — совершенно бесцветным голосом сонно промямлил он, залезая в машину и устраиваясь на пассажирском сиденье. Водителю в нос сразу же шибанула терпкая смесь запахов мятной жвачки и дешевой туалетной воды. — Документы, — глядя куда-то в сторону, протянул маленькую чистую ладошку охранник, и когда темноволосый мужчина вложил в нее паспорт и водительские права, небрежно сунул их во внутренний карман своей куртки. — И в следующий раз не шуми. Не слепые здесь собрались. Видим отлично корыто твое. Не выходим встречать — значит, заняты. А ты сиди, отдыхай и не нервничай. И будь уверен в том, — ухмыльнулся охранник, — что про тебя не забыли. От тачки ключи. — Он опять протянул ладошку. — Ее отгонят туда, куда следует. А ты пока двигай за мной. Оружия нет никакого? Если есть, то оставь в своей лайбе.

Войдя в калитку, они оказались в узкой длинной проходной, какие обычно оборудуют во второразрядных тюрьмах и на режимных предприятиях. Там посетителя, как тот и предполагал, тщательно обыскал другой, тоже совсем молоденький парень в униформе охранника. С автоматизмом машины охлопал карманы, ощупал одежду и, словно поп кадилом, помахал вокруг небольшим, размером со столовую ложку сканером, совсем не проявив той дотошности, что свойственна профи, прошедшим школу ФСО или УИНа. И, конечно же, не удостоил никакого внимания массивные наручные часы «Оптайм» на тонком запястье мужчины.

Это были часики с секретом. Их циферблат, стоило привести в действие механизм скрытой пружины, откидывался в сторону, открывая небольшую полость, заполненную сероватым порошком, коего бы с избытком хватило на то, чтобы отправить на тот свет целый взвод здоровяков-десантников, не говоря уж об одном-единственном шестидесятилетнем старике — Аркадии Андреевиче Хопине...

«Сразу от этой отравы он не загнется, — еще в Твери объяснял темноволосому мужчине один из местных бандитов, показывая, куда следует нажимать, чтобы циферблат откинулся в сторону. — Сам я этой штуковиной, правда, ни разу не пользовался, но в инструкции как-то читал, что человек, которому она попадает внутрь, лишь часов через шесть начинает ощущать легкое недомогание. Потом появляется тошнота, резь в желудке, слабость, потливость. Потом судороги. Потом паралич. Ну а потом пациент мечтает уже не о том, чтобы выжить, а о том, чтобы сдохнуть. И поскорее. Не знаю, скоро или не очень, но это ему гарантировано наверняка. Еще не было никого, кто сумел бы сожрать эту гадость и не отправиться к праотцам». — «Шесть часов... Итак, у меня будет полным-полно времени на то, чтобы свалить». — «И не только на это, — заметил тверчанин, осторожно кладя часы-убийцу на стол. — Чем хороша эта отрава, так это тем, что обнаружить ее в крови мертвяка невозможно. Я не спец и не знаю, что в трупешнике происходит, но этот яд то ли распадается на какие-то безобидные составляющие, то ли вообще выводится из организма. Короче, ни у одного трупореза, сколько пядей во лбу он бы ни был и какой бы аппаратурой ни располагал, нет ни единого шанса на то, чтобы что-то понять. В своем заключении он, чтоб не лажаться, объявит причиной смерти что-нибудь вроде обширного инсульта или отравления пищевыми продуктами. А ты в результате будешь чист, как Папа Римский. А если у кого в голове и забрезжат какие-то смутные подозрения, то никаких конкретных предъяв тебе все равно никто подогнать не сумеет». — «Хм, недурственно. — Мужчина взял со стола часы и аккуратно застегнул тонкий кожаный ремешок у себя на запястье. — Мечта террориста или маньяка. Насколько я знаю, подобные штучки держат в неприступных хранилищах за сотней замков, и какой-нибудь Усама бен Ладен готов отдать за них половину своего состояния». Тверчанин еле сдержался, чтобы не рассмеяться. «Да с какого ты дерева слез? Отстал лет на пятнадцать от жизни! Сейчас такие часы может купить по дешевке любой лох на любой барахолке. И это ничуть не сложнее, чем добыть чек героина. Были б хрусты, и тебе за них найдут хоть обогащенный плутоний...»

— Аркадий Андреевич? — тот охранник, который минуту назад священнодействовал около посетителя со сканером, сейчас разговаривал по телефону, стоя при этом разве что не по стойке «смирно». — Гость у нас... Да, все нормально, все проверили. Куда проводить?.. Ясно, в библиотеку... Через десять минут... Есть, будем на месте... Есть... Хорошо, передам. — Он положил трубку, обернулся к темноволосому мужчине: — Идемте со мной. Вас уже ждут. — И бесхитростно поделился служебным секретом: — В библиотеке. Там батяня принимает лишь самых важных гостей и самых добрых знакомых.

— Ты хочешь знать, к какой категории отношусь я? К лицам VIP или добрым знакомым? — безразлично спросил посетитель, следом за охранником выходя из проходной в тесный, мощенный тротуарной плиткой внутренний дворик. — Что же, удовлетворю твое любопытство. Не отношусь ни к тем, ни к другим. А еще дам добрый бесплатный совет: при незнакомых никогда не называй своего хозяина так панибратски — «батяня». Не всем это может понравиться, и ты лишишься хорошей работы... Сюда? — Он дождался, когда болтливый паренек в камуфляже распахнет перед ним массивную дверь черного хода, и прошел в полутемное помещение с длинной вешалкой для верхней одежды и крутой деревянной лестницей, ведущей наверх.

— Здесь раздевайтесь, пожалуйста, — сказал охранник и, опершись спиной об оклеенную дешевыми обоями стену, принялся с интересом наблюдать за тем, как гость не спеша снимает с себя дорогое шерстяное пальто и аккуратно надевает его на простенькие деревянные плечики; оставшись в черных, тщательно отутюженных брюках и теплом свитере, набрасывает сверху пальто длинный мохеровый шарф.

— Куда дальше? — Посетитель бросил вопросительный взгляд на своего сопровождающего.

Тот торопливо отлип от стены.

— Идемте за мной. — И принялся подниматься по лестнице.

Мужчина заскрипел ступеньками следом за ним... ...на третий этаж. В библиотеку... На эшафот.

В качестве палача? Или в незавидной роли приговоренного к смерти?

Затем, чтобы привести в исполнение давным-давно вынесенный приговор? Или неожиданно оказаться в мрачной пыточной камере?

При мысли о пыточной камере мужчина, внешне совершенно спокойный еще минуту назад, отчетливо ощутил, как от лодыжек до самой макушки по всему телу пронеслась леденящая волна страха. Как задрожали кончики пальцев. Как в голову пробралось смутное предчувствие чего-то непоправимого, что неминуемо должно произойти нынешним вечером. Неудержимое желание развернуться и бежать сломя голову из этого проклятого замка на доли секунды сковало все его мышцы, и он замер на полушаге посреди лестничного пролета. И почти сразу заставил себя идти дальше. Отступать некуда. Слишком уж глубоко он влез во все это болото и выбраться из него, не увязнув в трясине, можно было лишь в одном месте. Шанс на спасение операции был только там. На третьем этаже. В библиотеке. На эшафоте...

...где его сейчас поджидал Хопин.

Палач? Или приговоренный к смерти?

* * *

Он полулежал, утонув в низком глубоком диване, установленном в дальнем углу просторной комнаты, три стены которой были закрыты до самого потолка книжными стеллажами. Паркетный пол в центре комнаты был покрыт большим овальным ковром. Посередине ковра стояли невысокий журнальный столик со стеклянной столешницей и четыре массивных, обитых светло-коричневой кожей кресла. Если не принимать в расчет невысокой стремянки, с которой удобно добираться до верхнего яруса стеллажей, и нескольких торшеров, расставленных по разным углам библиотеки, вот, пожалуй, и вся мебель, заполнявшая комнату. Правда, в простенке между двумя закругленными кверху окнами еще было сооружено нечто вроде буфета, выставившего напоказ короткую культю барной стойки, больше напоминающей гладильную доску.

Когда гость зашел в библиотеку и остановился у входа, тщательно притворив за собой дверь, Хопин поднял на него взгляд, но уже через секунду вновь погрузился в изучение массивного фолианта, раскрытого на коленях.

— Если я вдруг не вовремя, Аркадий Андреевич, вы только скажите, и я подожду снаружи, — негромко и внешне спокойно произнес посетитель, но, вслушавшись повнимательнее, в его голосе можно было бы уловить легкий налет раздражения.

Хопин вновь оторвался от книги и удостоил гостя еще одного, более пристального взгляда.

— Да нет, — прокряхтел он и устроился на диване немного повыше. — Зачем же снаружи? Проходи и располагайся, где посчитаешь удобным. Вон там у окна есть маленький бар, можешь смешать себе что-нибудь выпить. На подоконнике где-то была коробка с сигарами. Одним словом, любезный, даже и не думай стесняться. И извиняй, что я сам по-хозяйски не берусь за тобой поухаживать. Старик. Какой с меня может быть спрос?

Посетитель в ответ чуть заметно кивнул и, неслышно ступая по пушистому ковру, направился к стойке бара, на которой были предупредительно выставлены в рядок несколько высоких бокалов и блестящий серебряный шейкер.

— Вам что-нибудь приготовить, Аркадий Андреевич? — как можно более безразлично поинтересовался он, через стеклянную дверцу разглядывая бутылки с напитками, заполнявшими бар.

И сразу же с неприязнью подумал, что вышло это не совсем натурально — голос чуть дрогнул, а вопрос прозвучал немного натянуто, с совсем неестественной подобострастностью. Для наблюдательного, а к тому же еще и мнительного человека вроде Хопина это могло послужить сигналом, чтобы отметить, что посетитель, возможно, что-то замышляет. И сразу насторожиться. Вот уж совсем не ко времени.

Но хозяин лишь по-старчески чмокнул губами и проскрипел:

— Что ж, приготовь, если нетрудно. Того же, что и себе. Я, знаешь ли, как-то не особый ценитель спиртного и не могу похвастаться тем, что в нем разбираюсь. Так, если только сделать пару глотков за компанию. А что буду при этом пить, так мне все равно.

— Хорошо, — с трудом выдавил из себя темноволосый мужчина и поспешил отвернуться, чтобы скрыть от Хопина торжествующую улыбку.

Замечательно! Он и не мечтал, что это будет так легко!

Заведомо настраивал себя на то, что впереди поджидают целые россыпи подводных камней! И пышные грозди неприятных сюрпризов вроде того, что, к примеру, не удастся ненавязчиво соблазнить Аркадия Андреевича даже бокалом минеральной воды или отвлечь его внимание от этой воды, чтобы успеть незаметно всыпать туда щепотку отравы. А все оказалось настолько элементарно, что с этим справился бы и детсадовец. «Приготовь, чего-нибудь, что и себе», — вот так вот все просто!

«Приготовлю, Аркадий Андреевич. Сейчас приготовлю — не переставал возбужденно повторять про себя посетитель, слегка подрагивающими руками наливая в шейкер водку, „Чинзано“ и яблочный сок. — Обязательно приготовлю. Как можно не приготовить? Вот только сделать себе то же самое, что и вам, никак не получится. В вашем коктейле будет присутствовать один специфический ингредиент, которого я, сопляк, еще недостоин по причине как своего малолетства, так и той ничтожнейшей роли, что играю в этом свихнувшемся мире. Для того чтобы заслужить почетное право быть накормленным таким порошочком, который подсыплю сейчас в ваш бокал, надо ой как постараться! Надо суметь нагромоздить такие горы дерьма, на которые не сумеет взобраться ни один самый опытный скалолаз. Надо наворовать миллионы и миллиарды. Надо суметь сжить со свету десятки людей, а еще сотни и тысячи пустить по миру с протянутой для подаяния дланью. И вот тогда-то я наконец и окажусь удостоен высокой чести быть выдвинутым на соискание премии в номинации „негодяй года“, которая присуждается в виде маленькой порции такого вот серого порошка, добавляемого в коктейль. Хотя, — цинично подумал мужчина, разливая из шейкера по бокалам золотистый напиток, — не такой уж я жлоб, как порой могу показаться. И всегда готов отказаться от этой почетной награды в пользу несчастных. Скажем, сгорающих от несовместимого с жизнью похмелья бомжей. Берите, ребята. Кушайте на здоровье, и все ваши проблемы уже менее чем через сутки как рукой навсегда снимет волшебное зелье, сотворенное в секретных лабораториях».

Тонкие, почти бесцветные губы гостя опять растянулись в улыбке — на этот раз уже не торжествующей, а настолько зловещей, что она могла бы легко вызвать у истеричных девиц и малолетних детей кратковременный приступ мандража и нервных мурашек. Указательный палец правой руки с небольшим усилием надавил на колесико подзаводки часов. Циферблат послушно откинулся в сторону, встав приблизительно под прямым углом к своему первоначальному положению. Путь на волю серому порошку был открыт. Смерть, проведшая в заточении больше десяти лет, наконец обретала свободу.

Левая рука с дрожащими от нервного напряжения кончиками пальцев и с «Оптаймом» с откинутым циферблатом, чуть повернулась над одним из бокалов. Ноготь мизинца правой руки слегка щелкнул по блестящему корпусу часов и из него вниз — в коктейль из яблочного

16

сока, «Чинзано» и водки, — словно молотый перец из перечницы обрушилась вниз примерно треть его содержимого. Дозняк более чем достаточный старику для отправки на свиданку с прапращурами.

С едва слышным щелчком циферблат снова встал на привычное место. Темноволосый мужчина с трудом перевел дыхание и машинально отметил, что за считанные секунды лоб и спина покрылись испариной. Рукавом свитера он стер с лица пот и, сконцентрировав все внимание, внимательно осмотрел бокал с особым коктейлем для Хопина Аркадия Андреевича, кандидата в покойники. Ничего подозрительного. Буквально за считанные секунды яд растворился в напитке бесследно. То безобидное, что гость сделал сейчас для себя, от того смертоносного, что предназначалось хозяину, можно было отличить лишь по количеству разлитого по бокалам коктейля. Хопину была приготовлена чуть-чуть меньшая доза.

«А то и действительно, разбанковал бы по одинаковой порции, а потом бы взял и перепутал бокалы, — с легкой усмешкой подумал мужчина. — Вот бы вышло веселье. Сам себя отравил. Хопин очень долго веселился бы».

Он добавил в бокалы по кубику льда и обернулся к хозяину. Тот беспечно продолжал листать фолиант и был полностью поглощен этим нуднейшим занятием. Да, в общем-то, если бы и не был поглощен, а внимательно наблюдал за тем, что там химичит возле бара его посетитель, все равно ничего не заметил бы. Гость удачно расположился около бара так, что хозяин мог лицезреть разве что его спину, обтянутую недорогим черным свитером, но никак ни бокалы, руки или часы на левом запястье.

— Аркадий Андреич, пожалуйста. — Мужчина подошел к дивану и протянул Хопину приготовленный для него напиток.

— Это что? — Старик отложил в сторону книгу и взял бокал.

— Мартини с водкой и соком. Не так, чтобы крепко. Но и не так, чтобы слабенько. И вкусно. Не сомневаюсь, что вам понравится. — Гость приподнял свой бокал и отсалютовал им хозяину. — Аркадий Андреич, ваше здоровье. И за удачу. — Он сделал большой глоток и бросил выжидательный взгляд на Хопина.

Но тот, к разочарованию посетителя, даже и не подумал хотя бы смочить губы коктейлем.

— Да сядь ты в кресло. Не торчи над душой, — вместо этого пробурчал он и, не выпуская из левой руки запотевший бокал, правой извлек из кармана халата миниатюрную рацию и произнес в нее: — Алексей? Заходите.

Мужчина, только что занявший одно из кресел возле журнального столика... мужчина, уже отчетливо ощущавший запах победы в этом экстремальном турнире... мужчина, считанные секунды назад уверенный в том, что выполнил все настолько чисто и четко, что его не расколет ни один Шерлок Холмс или Эркюль Пуаре... Мужчина, как и десять минут назад на лестнице, вновь ощутил всеми клетками, всеми нервными окончаниями, всеми своими трясущимися поджилками леденящую волну страха, медленно наполнявшего его сразу ставшее каким-то безвольным и податливым тело. Чувство опасности, четкое ощущение того, что все происходит не так, как хотелось бы — совершенно не так, как хотелось бы! — опять пробралось в его подсознание и уверенно устраивалось там надолго, даже не помышляя о том, что в ближайшее время придется отказываться от этого уютного обиталища.

«Что происходит? Зачем этому старому выродку потребовался какой-то там Алексей? — метались в панике мысли. — И с кем он сейчас должен зайти в библиотеку? Сколько их будет? Что они собираются делать?.. И почему Хопин так и не отпил ни глотка из бокала? Предвидит, что там может оказаться отрава? Или знает об этом наверняка? Откуда? Утечка?! Подстава?!! Подстава!!!»

Он не расслышал, скорее, почувствовал по легкому сквознячку, как за спиной отворилась дверь. Потом до него донеслась уже знакомая смесь из запахов мятной жвачки и дешевой туалетной воды. Скрип паркета под чьей-то тяжелой поступью...

Гость смог заставить себя не обернуться. Невероятным усилием придал лицу безразличное выражение. Стер рукавом выступившие на лбу капельки пота. С огромным трудом сдерживая дрожь в руках, отхлебнул еще один глоток из бокала и бросил взгляд на хозяина.

Тот уже поставил смертоносный напиток на пол возле дивана и теперь с интересом наблюдал за своим не способным скрыть мандраж посетителем. Маленькие, заплывшие жиром глазки азартно блестели. На губах играла людоедская улыбка. Хопин потирал пухлые, рыжие от обильных веснушек ладошки и не пытался скрыть наслаждения, предвкушая представление, которое вскоре будет дано для него в этих стенах...

Или где-то в мрачном подвале. В пыточной камере.

В этот момент гость понял все. И то, что чувство опасности, столь назойливо копошившееся у него в голове последнее время, не обмануло. И то, что если удастся прожить еще сутки, то это будет невероятным чудом. И то, что умирать сегодня придется долго и тяжело.

Дрожащей рукой он поднес к губам свой бокал, залпом опрокинул в себя остатки коктейля, покатал зачем-то по донышку успевший уже подтаять кусочек льда и, чуть повернув голову вбок, скосил глаза влево. Рядом с креслом, держа в руке дубинку с электрошокером, маячил высокий детина — не тот полуребенок, которому он сегодня отдавал свои документы. И не тот, что провожал его до библиотеки. Совсем незнакомый мордоворот.

Взгляд направо — еще один незнакомый охранник. С хищной улыбочкой на губах. И с парой блестящих наручников, прицепленных к поясу.

Мужчина обернулся назад. У него за спиной стоял третий — на этот раз уже знакомый — мальчишка, любитель «Стиморола» и едкой туалетной воды.

Итак, их было трое. И у них на руках были все козыри. В то время как он был один. Он был никто. Он был покойником. И он это знал. В этом больше не оставалось сомнений.

— Вы что-то хотите, ребята? — Мужчина даже сам удивился, насколько спокойно и ровно прозвучал его голос. И тут же отметил, что дрожь в руках совершенно прошла. А леденящий страх уступил место в душе безразличию фаталиста. — Аркадий Андреевич, что-то произошло? У этих бойцов ко мне есть вопросы?

Старик в ответ только чмокнул губами, не спуская с гостя жадного взгляда. И тот вдруг почувствовал, как у него пересохло во рту. И подумал: «Неплохо бы выпить. Не „Мартини“, не водки. Просто чистого сока. Холодного сока.

Интересно, что может случиться, если я попробую встать?»

Сделать это ему не позволили. Тяжелая рука легла на плечо, едва он начал подниматься из кресла.

— Сиди-и-и, Разин! — пробасил стоявший слева охранник.

Мужчина вздрогнул.

— Я всего лишь хотел налить себе выпить, — пробормотал он. — Что вам надо, ребята?

— Сиди-и-и! — Охранник подошел к дивану, на котором в приступе маниакального восторга замер хозяин, и, наклонившись, поднял с пола бокал с золотистым напитком. — Позволите, Аркадий Андреевич? А то господин Разин желают попить.

Хопин в ответ лишь молча кивнул, не сводя взгляда с побледневшего посетителя, у которого в этот момент всплыли из памяти на поверхность слова тверского бандита: «Человек, которому она попадает внутрь, лишь часов через шесть начинает ощущать легкое недомогание. Потом появляется тошнота, резь в желудке, слабость, потливость. Потом судороги. Потом паралич. Ну а потом пациент мечтает уже не о том, чтобы выжить, а о том, чтобы сдохнуть. И поскорее. Не знаю, скоро или не очень, но это ему гарантировано наверняка».

— Пожалуйста, Разин. — Охранник протянул мужчине бокал. — Пейте и не стесняйтесь. — У него на губах играла издевательская улыбка. — И будьте добры, снимите часы, как только напьетесь. Сдайте нам на хранение, а то как-то их упустили из виду во время досмотра при входе. Вот, в общем, и все, что нам от вас надо. Выпейте этот коктейль и отдайте нам часики. И не беспокойтесь за них. Они никуда не пропадут.

С безразличием камикадзе гость взял у охранника запотевший бокал. Повертел его в руке. Зачем-то понюхал такой безобидный с виду напиток. Прикинул, а не выплеснуть ли его в самодовольную рожу охранника. И отогнал подальше эту бредовую мысль обреченного человека.

«Бесполезняк, — подумал он, не сводя глаз с бокала. — Это будет смотреться смешно, и не более. Это будет выглядеть как предсмертная судорога. К тому же от меня сейчас ждут чего-то подобного. Вот только хрен им! Не дождутся. Не стану совершать безумных поступков. И не встану ни перед кем на колени. И не доставлю никому удовольствия поглазеть на мечущегося в предсмертной агонии свихнувшегося зверька... Если нет ни единого выхода, хотя бы подохну достойно».

— Хотя бы подохну достойно. — Он сам не заметил, как произнес это вслух.

— Правильно, Разин, — вдруг подал голос с дивана хозяин. — Подыхать надо достойно. И проигрывать надо уметь.

— Достойно... — широко улыбнулся темно-волосый мужчина и, зажмурив глаза, залпом осушил до дна бокал с холодным коктейлем — четверть водки, четверть «Чинзано», половина сока и щепотка отравы, разработанной где-то в секретных лабораториях.

— И правда достойно, — пробормотал Хопин, наблюдая за тем, как посетитель ставит на стекло журнального столика порожний бокал. — Ты умеешь проигрывать, Разин. Поверь, мне даже жаль, что все так обернулось. Но иначе ведь быть не могло. Согласен со мной? — Он задрал рукав халата и бросил взгляд на часы. — Так что? Говорят, первые признаки отравления наступают примерно через шесть часов. А, Разин? Шесть часов — это же уйма времени. Не желаешь поужинать? Или еще чего-нибудь выпить? А может, пригласить тебе шлюху? Выдашь ей за щеку. Последний раз в жизни. Так что же? Ты не стесняйся. Если чего, говори.

— Иди ты в жопу, юродивый, — безразлично процедил сквозь зубы мужчина. Поудобнее откинулся на спинку кресла и смерил пронзительным взглядом хозяина. — Впрочем, если так жаждешь исполнить мое последнее желание, пообещай, что найдешь Ангелину. И братца. Убьешь их. И сделаешь это не сразу. Сначала им надо помучиться. Так, как сейчас предстоит мучиться мне.

24

— Хорошо, я найду их и заставлю молить о смерти, — ни мгновения не раздумывая, торжественно отчеканил хозяин.

— Отвечаешь?

— Я не базарная баба. И не мальчишка.

— Что ж. Я тебе верю. — Мужчина прикрыл глаза. — И надеюсь на тебя, Аркадий Андреевич. А сейчас не мешай. Попробую хоть ненадолго уснуть. Устал. Понимаешь? Сегодня был непростой день. — Он вздохнул. — Да что один день? Вся эта жизнь — непростая, вздорная штука. Как это здорово, что скоро я с ней буду в полном расчете... И как это здорово, что у меня не останется ни врагов, ни проблем.

Пролог

У меня было все, кроме зеркала и свободы передвижений. Из палаты меня не выпускали и, хотя я дал слово ее не покидать, все равно дверь держали запертой на ключ. Про зеркало каждый раз, стоило мне напомнить о нем, говорили: «Да-да, принесем». И, конечно же, ничего не приносили. В результате, я плюнул и просить перестал. Всяко скоро увижу свою новую физиономию. Днем раньше, днем позже — не все ли равно. Почему бы не потерпеть? Да к тому же и смотреть пока было не на что — меня избавили только от части повязок и пластырей. Их снимали постепенно, по одной в день. Сначала освободили мне лоб; потом уши и губы; наконец, брови. Но скулы и нос по-прежнему оставались в плотном коконе из бинтов. Так же, как шрам — или бывший шрам? — на животе и те места, где раньше были наколки.

Кожа в тех местах, над которыми потрудились врачи, ужасно зудела, и целые дни я проводил в изобретении всевозможных способов и ухищрений, чтобы как-то пробраться под бинты и... всласть начесаться — как же это по кайфу! Кроме этого из развлечений у меня были телевизор и визиты медсестер и лечащего врача Александра Соломоновича. Правда, по телевизору постоянно гнали какую-нибудь бодягу, оказывать какие-то знаки внимания сестрам было бесполезняк, а Соломоныч никогда не имел свободного времени на то, чтобы хоть ненадолго задержаться у меня в палате после осмотра и поболтать за жизнь.

Один раз заглянул навестить меня Евгений Валерьевич, притащил дачку из фруктов и соков, которых и без того было предостаточно в этом больничном раю, посидел у меня пятнадцать минут и свалил. Я попытался позадавать ему вопросы («а когда? а что дальше? а как же я выгляжу?»), но он буквально отмахнулся от меня как от мухи («выглядишь превосходно!») и начал рассказывать что-то нейтральное.

Короче, создавалось впечатление, что никому я на хрен не сдался, и возится со мной медперсонал — кормит, поит и проводит осмотры — лишь потому, что, замутив всю эту бодягу с переделкой меня из Разина Константина в Сельцова Дениса, обидно бросать все на середине пути, и дело надо довести до конца.

А тем временем с живота тоже сняли бинты, и я наконец смог оценить результаты врачебной деятельности Соломоныча — уж для того, чтобы взглянуть на свой живот, зеркала не требовалось.

Шрама не было! Ни следочка! Только розовая, словно обожженная, кожа на том самом месте. И все! Я, сам врач, был поражен — даже не представлял, что можно сотворить нечто подобное!

— Покраснение кожи на животе пройдет приблизительно через месяц, — заверил меня Соломоныч. — Впрочем, так же, как и там, откуда мы удалили наколки. И вообще ничего не будет заметно. Вот только позагорать тебе, молодой человек, никогда больше не доведется. При загаре те места, над которыми мне довелось потрудиться, сразу проявятся, как на фотобумаге. Так что этого удовольствия в жизни ты, к сожалению, лишился.

«„К сожалению", — мысленно передразнил я своего врача. — Нашел, о чем сожалеть! Не велика потеря на фоне всех приобретений».

А тем временем мне содрали пластыри с носа. Соломоныч долго разглядывал его разве что не через лупу и довольно чмокал губами.

— Одна из моих лучших работ, — в конце концов похвастался он, чем несказанно меня порадовал.

Значит, со мной все нормалек! Значит, все удалось, и я все-таки стал Денисом Сельцовым!

— Да дайте вы зеркало, наконец! — взмолился я, но Соломоныч сделал этакий жест пухлой ручонкой: мол, терпение, молодой человек.

— Послезавтра, Денис. Послезавтра. Подождать осталось недолго.

Это «недолго» растянулось у меня в голове настолько же, что и четыре недели, которые я уже провел в этой лечебнице. Я метался, словно тигр по клетке, по своей палате из угла в угол. Телевизор был забыт, книги отброшены в сторону, у меня даже пропал аппетит. И постоянно свербела в мозгу мысль: «Скорей бы, скорей! Как же все это меня достало!» Я устал от бездействия, я жаждал активной деятельности. За последнее время я настолько привык к войне, беготне по лесам и болотам и прочим головнякам, что жизни без них (головняков) просто не представлял. Я жаждал их, как алкаш алкоголя, курильщик курева, а наркоман наркотиков.

А еще я устал бороться с самим собой. С полнейшим одиночеством. С чувством, что ты никому на фиг не нужен. С депрессняком, который донимал меня все тридцать дней, что я здесь уже провалялся. И главное — главное!!! — с чувством вины за гибель Настасьи. Как ни пытался избавиться от этого чувства, как ни пробовал убедить себя в том, что я совершенно здесь не при чем — что это судьба, это кысмет, — ничего из этого не получалось. И я уже начинал опасаться, что если пробуду еще хоть несколько дней под гнетом хандры, которая плющила меня в лепешку, то просто-напросто могу повредиться рассудком. И, не приведи

Господь, изобрести какой-нибудь изощренный и красивый способ самоубийства...

Но все в этой паскудной жизни имеет начало. И всему когда-нибудь наступает конец. Вот и здесь... наконец-то свершилось!!!

В кабинет торжественно вплыл Соломоныч в компании медсестры и другой врачихи, Эльвиры Васильевны, и торжественно объявил:

— Ну-с, молодой человек. Последний шаг в нашей, так сказать, бурной деятельности, и твоя фотография будет проявлена полностью. Тамарочка, приступай.

И медсестра подступила ко мне с большими блестящими ножницами.

А уже через минуту Соломоныч и Эльвира Васильевна, держа в руках фотографию Дениса Сельцова и переводя взгляд с нее на меня и обратно — и опять на меня, — оценивали результаты своей работы, качали головами, причмокивали губами и что-то шептали друг другу на ухо. А я сидел перед ними на стуле в свете яркой стоваттной лампочки и очень старался не состроить ненароком какой-нибудь ненужной гримасы, сохранить у себя на лице — на новом лице! — нейтральное выражение. Все равно как в фотоателье перед объективом большой деревянной камеры в ожидании, когда тебя снимут на какой-нибудь документ.

Но вот консилиум закончен, Эльвира Васильевна удовлетворенно кивает и расслаб-

ленно улыбается, а Соломоныч подходит ко мне, по-приятельски хлопает по плечу и с пафосом объявляет:

— Один к одному. Уверен, что любой, кто знал Сельцова, увидев тебя, не раздумывая скажет: «Да это ж Денис». Так что могу поздравить со стопроцентным успехом, молодой человек. Целый месяц ты здесь промучался не зря. Пятерка тебе по пятибалльной системе за твое долготерпение. Ну а нам за наши старания и наше умение конечно же пятерка с плюсом...

— Да дайте же, наконец, вы мне зеркало!!!

— Эльвира Васильевна, — повернулся Соломоныч к врачихе. — Будь так добра. Принеси из сортира.

На то, чтобы принести из сортира круглое настенное зеркало, потребовалось десять минут, и все это время я был готов лезть на стенку от нетерпения. Но вот, наконец...

Я пялился в зеркало на Дениса Сельцова и мучительно скрежетал мозговыми извилинами, пытаясь определить, нравится мне эта физиономия или нет. Конечно, и раньше я видел ее на фотографиях, но тогда это была всего лишь мертвая картинка. А теперь из зеркала на меня глядел живой человек, который и хмурился, и улыбался, и даже, сморщившись, шмыгал прямым тонким носом. Денис Сельцов также имел в наличии: высокий лоб, волевой, чуть тяжеловатый подбо-

родок, высокие скулы, низкие густые брови и капризный тонкогубый рот, который придавал лицу надменное выражение. На вид новой физиономии было лет двадцать пять — двадцать восемь, что полностью соответствовало паспортным данным Сельцова.

— А не получится так, что я вдруг начну стремительно стареть, как человек, вышедший из летаргического сна? — спросил я терпеливо дожидавшегося моей оценки Соломоныча.

Тот сразу возбужденно замахал руками так, будто я обвинил его в том, что он обманом подсунул мне некачественный залежалый товар.

— Что ты, что ты, Денис! У меня все проверено десятком лет работы и несколькими десятками клиентов. Отображение процесса старения на лице идет постепенно, и точкой отсчета теперь будет тот возраст, на который ты выглядишь. Если бы было иначе, а именно так, как ты предположил, то операции по омоложению лица, которые сейчас проводятся сотнями тысяч в год по всему миру, потеряли бы смысл. У тебя еще есть вопросы?

— Нет.

— А скажи, тебе нравится? — вкрадчиво спросил Соломоныч.

Как же ему хотелось услышать от меня положительную оценку! Как же он ждал, когда я его похвалю! Словно маленький ребенок, который нарисовал картинку и принес ее по-

казать дедушке. Дедушка надевает очки и долго вертит в руках нарисованное, поворачивая его и так, и этак, безуспешно пытаясь определить, что же это такое изображено. А малыш все это время стоит у него над душой, дожидаясь, когда же деда наконец скажет: «Супер!» И в результате от нетерпения даже мочит штаны.

Как бы не намочил штаны и мой доктор. Поэтому я поспешил ответить:

— Супер! — и поднял вверх большой палец.

Если по-честному, я нисколько не покривил душой. Картинка действительно была нарисована на пять с плюсом, и ее не надо было вертеть и так, и этак, чтобы разобраться, что же такое на ней изображено.

— Тебе действительно нравится? — переспросил Соломоныч, несколько разочарованный лаконичностью моего ответа. Он рассчитывал на длинную хвалебную речь. Что ж, получи!

— Мне действительно нравится, Александр Соломонович, — напыщенно произнес я. — Я сам, как вы знаете, врач, и мне отлично известно, что подобные операции по изменению внешности проводятся уже давно. Но я даже представить не мог, что возможны такие великолепные результаты. Вы не врач, вы просто волшебник, и я преклоняюсь перед вашим мастерством пластического хирурга. Разрешите пожать вам вашу золотую руку.

Короче, из моей палаты Соломоныч выпорхнул буквально на крылышках, оставив мне зеркало, чтобы я, как красна девица, постоянно смотрелся в него и привыкал к своему новому облику. Чем я и занимался часа два до тех пор, пока ко мне в гости не нагрянул Евгений Валерьевич, — сидел на кровати и гримасничал перед зеркалом, словно полинезийский дикарь после захода к нему в бухту европейского корабля. В конце концов от этого увлекательного занятия меня оторвали.

— К вам посетитель, — заглянула ко мне медсестра Тамара, и следом за ней в палату вальяжно вплыл Евгений Валерьевич.

Поставил на стол бутылку «Гастон де Лагранжа», достал из кармана кожаного плаща шоколадку и лишь после этого подошел ко мне и, прищурившись, уставился на мою новую рожу. Я стоял перед ним, не шелохнувшись, словно молодой актер перед маститым режиссером на кинопробах крупнобюджетного фильма.

— А ведь не узнать, — вдоволь на меня насмотревшись, констатировал мой гость. — Пытался найти хоть что-нибудь общее с Костоправом и в результате решил, что это лишь лоб. И ничего более. Короче, здорово. Наш эскулап на этот раз расстарался. Придется выписывать премию... Ладно, садись, выпьем да поговорим о делах. Впрочем, их не так чтобы много.

Их и правда оказалось немного. Во-первых, я получил свои новые документы — паспорт, водительские права и трудовую книжку. Во-вторых, — билет на поезд до Петербурга (купейный вагон, верхняя полка, отправление уже сегодняшним вечером). А в-третьих... А «в-третьих», в общем, и не было. Мы посидели полчасика, поболтали о чем-то пустом, выпили по две рюмки «Лагранжа», и Евгений Валерьевич засобирался, заспешил.

— Пора бежать, дел выше крыши. А ты тоже давай собирай пожитки и отсюда проваливай. До поезда лучше погуляй по городу. Лишнее время здесь не засиживайся. Деньги-то есть?

— Пятьсот рублей, — признался я.

— Мало. — Евгений извлек из кармана забандероленную пачку сторублевых бумажек и протянул мне. — На, купишь продуктов в дорогу. — Он пожал мне на прощание руку, несколькими скупыми словами пожелал удачи и пошел к выходу. Но уже в дверях остановился, обернулся и сообщил: — Кстати, запамятовал сказать. Тут питерская братва просила тебе передать... Раз Константин Разин ушел из мира сего, то, чтобы ментов не дразнить, Костоправ тоже больше не существует. Это ты понимаешь?

Я молча кивнул, совершенно ничего не понимая. К чему весь этот базар?

— Те, кто знает, — продолжил Евгений, — кем ты был раньше, решили дать тебе другое погоняло. Короче, Костоправ умер. Ты теперь Знахарь. — Он улыбнулся. — Ничего звучит, правда? Знахарь. Поздравляю.

Евгений Валерьевич махнул мне рукой на прощание и вышел из палаты, а я остался стоять, опершись задом на стол с недопитой бутылкой «Лагранжа» и недоеденной шоколадкой.

Знахарь.

Новая физиономия. Новая жизнь. И даже новое погоняло.

Знахарь.

Я усмехнулся. И подумал: «Неплохо. Мой новый портрет мне нравится. Новое погоняло... хм, Знахарь... звучит хорошо. Новая жизнь начинается с приятных эмоций».

Дай мне Господь, чтобы так было и далее.

Я отлип от стола и пошел собираться в дорогу. В славный город Санкт-Петербург, где кое-кто уже заждался моего появления. А именно, пять человек.

Муха, Живицкий, Хопин, брат Леонид и бывшая женушка Ангелина.

Часть первая
«УЗНАЛИ?»

Глава 1
ГОРОД РОДНОЙ НАД НЕВОЙ

Питер, естественно, встретил меня по-питерски. Я имею в виду погоду: дождь со снегом, порывы ветра с залива и невообразимая слякоть на перроне Московского вокзала.

Я вышел из вагона в летних кроссовочках и куртке-«танкере», которую получил в подарок, будучи в гостях у Гоги Абхаза, и которая на поверку оказалась никаким не «танкером», а обычным китайским дерьмом, не выдерживающим даже нулевой температуры. А если еще и пронизывающий северо-западный ветер!.. Я сразу же съежился от холода, проклиная себя за то, что не удосужился в Перми купить пальто, и поискал глазами место, куда бы спрятаться от этой чертовой непогоды. Но куда можно деться на открытой платформе, если твой поезд стоит от тебя с подветренной стороны? А вот с наветренной — фигу чего. Как назло! Как обычно! И ведь никуда не отойти от вагона. Меня должны встречать. А встречающие куда-то запропастились...

— Извините, — ко мне вразвалочку подошел крепкий бритоголовый детина в добротной кожаной куртке, спортивных штанах и белых зимних кроссовках, — вы не Денис Аркадьевич Сельцов?

Я смерил детину взглядом. Экая обезьяна!

— Да. Я.

— Позвольте поглядеть у вас какой-нибудь документик. Сами понимаете... Еще раз извините. — Чувствовалось, что этот орангутанг совершенно не умеет извиняться, и потому неумение, то бишь качество, пытается компенсировать количеством.

Я достал из кармана карточку водительских прав и протянул ему. Он повертел ее в толстых, украшенных наколотыми перстнями пальцах, тщательно изучил со всех сторон, разве что не обнюхал, и, удовлетворенный, протянул мне лапу.

— Володя, — представился он. — Встречаю я тут тебя. Пошли к тачке скорее, а то, блин, дубак. И как ты тока в таком клифте? — Он пощупал мою неполноценную курточку. Бросил презрительный взгляд на кроссовки. — Словно с Сочей прикатил. В Перми че, теплее?..

По подземному переходу мы вышли к автостоянке, где нас дожидался массивный, покрытый грязью «лэндкрузер».

— И куда мы поедем? — спросил я у Володи.

— В Сестрорецк. Точнее, в Курорт, — проинформировал он меня, устраиваясь за рулем. — Там тебя уже ждут. Братва собралась, толковище какое-то намечается. Ты пойми, я не в курсах. Я только водила.

Притормозив на светофоре перед площадью Восстания, толстомясый водила достал из кармана пачку «Парламента» и протянул мне. Когда я отказался, пожал саженными плечами — мол, не хочешь, как хочешь, — и закурил сам. А я в это время не мог оторвать взгляд от окна.

Питер. Впервые за четыре с небольшим года я вновь ехал по его забитым машинами улицам. А он встречал меня обшарпанными фасадами домов, размножившимися за это время рекламными вывесками и стендами, съежившимися от холода фигурками нищих и бомжей. И, конечно же, родной непогодой.

Питер. Я не был здесь всего четыре с небольшим года, а казалось, что минула целая вечность. И эта вечность повернула все в моей жизни настолько круто, словно сначала я умер, потом за грехи был помещен в преисподнюю, а потом удачно бежал оттуда обратно на землю. Обваренный в котле и озлобленный до предела. Как будто вновь родился...

Удачно миновав несколько небольших пробок, мы выехали за пределы города, и Володя погнал по столь знакомому мне шоссе.

Слева — залив, справа — полотно железной дороги, по которой в свое время мне довелось столько поездить на электричке в Лисий Нос на свою дачу. Впрочем, сам Лисий Нос мы должны были проехать уже километров через десять. Интересно: по воле судьбы в первые же часы возвращения в Питер после долгой отлучки я ехал именно в то место, откуда более четырех лет назад началось мое малоприятное путешествие в неволю. В то место, с которым столько связано в моей жизни. Круг замыкался.

«А не попросить ли своего водилу завернуть хоть на десять минут к даче, — подумал я. — Взглянуть, в каком она состоянии. А может, даже увидеть гадину Ангелину и братца. Интересно, как они устроили свое любовное гнездышко. Все еще вместе или уже давно разбежались? Скорее, первое. Никуда им, связанным такой страшной тайной, как умышленное убийство, друг от друга не деться. Хотя черт их знает. Пути Господни неисповедимы, а их — тем более».

Но я решил не торопить события. Слишком многое было поставлено на карту, чтобы спешить.

Успею. И попозже произведу разведку как можно более аккуратно. А пока надо в первую очередь посетить толковище, перетереть с братвой кое-какие вопросы. Выяснить, чего же конкретно от меня хотят. И какую помощь готовы мне предложить. Во-первых, в вопросе возвратки Хопину и компании. Во-вторых, в обустройстве, так сказать, личной жизни на первое время. Для начала мне нужен (даже не квартира, даже не комната) хоть бы какой-нибудь угол... И достаточно. Деньги пока есть. Месяца на три скромной жизни хватит, а там как-нибудь сумею устроиться...

Но помощь оказалась таких размеров, на какие я и не расчитывал. Правда, и требования ко мне предъявили немалые. Вернее, лишь одно требование — организовать ликвидацию Хопина. Но, по правде сказать, и этого одного было более чем достаточно!

Впрочем, обо всем по порядку.

В Сестрорецке в огромном коттедже, больше похожем на загородный царский дворец, проживал не кто иной, как смотрящий за Питером, законник из старых воров. И меня доставили прямиком к нему. Как говорится, с корабля на бал.

Охранник возле мощных железных ворот, ведущих на окруженный трехметровой кирпичной оградой участок, тщательно проверил мои документы. Потом по асфальтированной дорожке мы подъехали к крыльцу — высокому, с невесть где добытыми старыми гранитными ступеньками. Должно быть, загородному дворцу и положено иметь такое «загородное» крыльцо.

Именно с него и спустился мне навстречу гостеприимный хозяин — высокий худощавый мужчина лет сорока пяти — пятидесяти, облаченный в длинный махровый халат. Смерил меня с головы до ног бесцеремонным оценивающим взглядом; долго всматривался в мое лицо.

Я терпеливо ждал.

— Ну здравствуй, Знахарь. — Хозяин «дворца» наконец насмотрелся и протянул мне руку. — А ведь в натуре Сельцов Денис вылитый, если по фотке судить. Пересылала мне ее братва из Перми. Я Артем Стилет. — Смотрящий уже поднимался по протертым «дворцовым» ступенькам крыльца, кивком пригласив меня следовать за ним. — Заходь давай.

Мы вошли в дом и оказались в просторной прихожей, отделанной богато, но совершенно безвкусно. Дизайнер у Стилета никуда не годился. Дорогой наборный паркет для прихожей — еще куда ни шло. Но огромная искусственная пальма в кадушке в одном углу и копия (явно из пластика) Афродиты Милосской на мраморном постаменте в другом — это уж слишком! Зеркало в стиле ампир с облупившейся амальгамой и облезлой рамой, должно быть, конфискованное братвой в одной из квартир или какой-нибудь антикварной лавке. Добавьте к этому толстые чугунные решетки на двух узких островерхих окнах и самую обычную длинную вешалку с кучей дорогого тряпья, под которой примостилась простенькая стойка для обуви, заставленная до упора. Вот вам и вся прихожая. Мечта идиота. Я едко, но беззвучно ухмыльнулся, снимая у вешалки свою дешевую китайскую курточку. А Стилет, наверное, в этот момент тоже ухмылялся, стоя у меня за спиной и разглядывая спортивный костюмчик, подаренный мне братвой еще в Сыктывкаре. Он не знал, что по сравнению с тем, что на мне было надето до Сыктывкара, это ощетинившееся нитками «чудо» китайской промышленности было действительно чудом.

Стилет словно прочитал мои мысли.

— Ништяк, братишка, держи масть, — хлопнул он меня по плечу, когда мы поднялись на третий этаж и оказались в небольшом круглом зале с четырьмя симметрично расположенными дверьми. Все они были плотно закрыты, но из-за одной доносились громкие голоса и смех. — Не менжуйся, что в спортивке в гости пришел, а не во фраке. Здесь все по-простому. Кому тебя понять, как не тем, с кем сейчас познакомлю? И не такие бродяги, откинувшись, здесь появлялись... Проходь давай. — И он легонько подтолкнул меня в спину в направлении той двери, из-за которой раздавался шум.

А у меня в этот момент в голове промелькнуло воспоминание о том, как я в августе 96-го с замиранием сердца впервые входил

43

в 426-ю хату «Крестов». И как из полумрака хаты меня встретило несколько десятков внимательных настороженных взглядов. Интересно, как там сейчас Бахва? И Леха Картина? И Пионер? И Папаша? Где чалятся? Живы ль, здоровы? Может, кто уже вышел по помиловке? Надо бы поспрашивать пацанов. Глядишь, кто знает.

Я распахнул дверь и вступил в ярко освещенную просторную залу, посреди которой была оборудована огромная, отделанная темно-зеленым кафелем ванна. Или скорее это можно было назвать небольшим бассейном. Человек восемь разместились бы в нем, не испытывая особых проблем со свободным пространством. Впрочем, сейчас там над сугробом розовой пены возвышались лишь две головы. Две прекрасных темноволосых головки. Похоже, ко всему прочему, в этом загородном царском дворце водились русалки.

Мне это понравилось, и я, сделав небольшое усилие над собой, оторвал взгляд от соблазнительного бассейна и перевел его на установленный возле большого полукруглого эркера длинный низкий стол персон этак на двадцать. Была накрыта только дальняя его часть, и там, шумно беседуя, в глубоких кожаных креслах расположилось несколько человек, облаченных, как в тоги, в белые простыни.

— Здорово, братва, — громко произнес я от двери и уверенным шагом направился к ним здороваться и знакомиться.

— И тебе здорово, — ответил мне до боли знакомый голос.

Я прищурился. После полумрака прихожей, лестницы и коридора мне было не очень хорошо видно против света, падавшего из большого окна эркера. К тому же на улице погода улучшилась, дождь прекратился и посветлело.

Ба-а!!! Я даже вздрогнул от неожиданности.

Широко раскинув руки, ко мне ленивой вальяжной походочкой направлялся Миха Ворсистый, мой сосед по больничной палате еще в те времена, когда менты пытались расколоть меня на несуществующую мокруху и для ускорения «следствия» загнали, козлы, в пресс-хату. Там мне было суждено либо выйти из несознанки, либо стать петухом, либо сдохнуть. Но я знал и четвертый путь — прямо на пороге, как только за вертухаем захлопнулась дверь, взял поудобнее зажатый между пальцами осколок бритвы и вспорол себе брюхо. Внутренности вывалились наружу, рядом с ними на бетонный пол камеры шмякнулся я, но меня никто не стал трогать. Вместо этого постучали в дверь и вызвали фельдшера. Вот так я оказался в тюремной больничке имени Газза, где познакомился с Мишкой Ворсиковым — разбитным жизнерадостным парнем, моим ровесником, который смотрел за отделением травматологии и хирургии и оказался мне не только соседом по койкам, но и добрым корешем.

— Дениса, братишка. Вот встреча! — Ворсистый обхватил меня лапами и крепко прижал к себе.— А я уже год, как откинулся. И ведь все думал, как же ты там. А ты, оказывается, неплохо. Вот осунулся только немножко. Да лицом изменился. — Он хохотнул. — Здорово изменился. И не узнал бы так с ходу, если бы не предупредили меня. Не сказали бы: «Готовься, Ворсистый. Увидишь вскорости братана своего, который Костой звался когда-то. А теперь вот стал Знахарем. И напрочь переделал себе портрет». Действительно, напрочь. — Миха отступил на шаг от меня, склонил голову набок, оценивая мою новую физиономию. И заключил: — А ведь ништяк. Ну, проходи, занимай место. Да давай с братвой познакомлю. Ты уж не серчай, что встречаем тебя в таком виде. Здесь все по-простому, — дословно повторил он сказанное только что Сциллой.

Он подвел меня к столу, где я обнаружил еще одну знакомую личность. Взмахом руки меня поприветствовал Саша Малина, авторитетный фраер, с которым мне довелось встречаться месяц назад в Сыктывкаре в гостях у Абхаза, местного положенца. Рядом с Малиной, выложив на стол синие от наколок ладони, расположился старик лет семидесяти, которого мне представили, как Митрича, при

46

этом не пояснив, кто он такой и какое место занимает в воровской иерархии. Хотя я и так догадался, что это старый авторитетный бродяга. Следом за Митричем покачивался на задних ножках стула парень лет тридцати. Он находился в сидячем положении, но было видно, что росту в нем не меньше двух метров. И косая сажень в плечах.

«Крепкий пацан, — подумал я. — А он здесь какими путями? Уж ясно, не просто так».

Но мне не спешили что-либо объяснять.

— Слава Крокодил, — представил мне здоровяка Ворсистый, и тот так пожал мне руку, что я чуть было не взвизгнул. Лучше бы меня схватил всамделишний крокодил.

Третьего из незнакомых мне звали Комаль. Так же как Крокодилу, на вид ему было лет тридцать. У него был цветущий вид спортсмена-профессионала, не злоупотребляющего ни наркотой, ни алкоголем, ни сигаретами.

— Здорово, братан, — поприветствовал он меня и, когда здоровался, встал. Чуть повыше меня, совсем немного, но зато массивнее раза в полтора. «Не меньше центнера, — прикинул я, — и при этом лишь мышцы да кости. Ни капельки жира».

— Малину ты знаешь, — произнес все это время стоявший чуть в стороне Стилет, — так что будем считать, теперь со всеми знаком. Присаживайся, Знахарь. Выбирай любое место и полезай за стол. Сейчас пошамаем, расскажешь нам о своих приключениях. А потом к делу. — Он достал из кармана миниатюрный пультик, нажал на кнопочку, и уже секунд через десять на пороге комнаты возникла горничная. Симпатичная девочка лет двадцати. В розовом фартуке с кружевными оборочками. Я, кобель, не отказался бы на нее влезть.

— Танюша, киска, — просюсюкал Стилет. — Через полчаса нам горячее. Все. — И снова обратил внимание на меня: — Ну чего сидишь как замороженный. Только не говори, что стесняешься. Накладывай салата, наливай водочки. Хотя ты, насколько я знаю, не пьешь.

И все-то он знал про меня.

— И поведай нам, как там, на Ижме. Как мусора вас спалили по первости. Как соскочил все-таки. А то Цепной и Малина пытались что-то рассказывать, но разве что-нибудь разберешь у них, у косноязычных. Да и из третьих рук... — Смотрящий перехватил растерянный взгляд, который я бросил на бассейн с наядами*, и беспечно махнул рукой. — При этих красавицах говори, не менжуйся. Если чего и услышат, ни слова все равно не поймут. Таджички они. — Я скорчил удивленную рожу, и Стилет рассмеялся. — В натуре, таджички. Самые что ни на есть мусульманки. Из какого-то кишлака сюда привезли. Всяко лучше, чем если бы с голоду сдохли или в Аф-

---

* Наяды — в античной мифологии нимфы рек и ручьев.

48

ган бы их переправили. С делами покончим, так, если захочешь, поближе с ними тебя познакомлю.

Признаться, от такого знакомства я бы не отказался. Особенно если оно состоится в бассейне. Таджички-наложницы... хм, экзотика!

— Так что же, рассказывай, Знахарь.

Рассказывать так рассказывать. Не впервой. Валяясь в больнице в Перми, сколько раз я, будучи не в состоянии хоть немного отвлечься от депрессняка, вполголоса травил в пустоту о том, как прибил возле дома двоих конвойных, как усыпил хлороформом несчастную наркоманку Кристину, как бежал через тайгу, как хоронил Трофима и провожал умирать в монастырь смертельно раненую Настасью, когда ее увозили единоверцы.

История о побеге была отточена до словечка, и рассказывал я как по-писаному больше двух часов, пока дожидались горячего, поедая салатики, пока ковырялись в этом горячем, пока пили кофе и гоняли по кругу косяк с анашой. До упора набив животы и в меру выпив хорошей водочки, все были довольны. Одному мне так и не довелось толком поесть и выпить. Мой рот был занят совсем иным. Я рассказывал самозабвенно, сам увлеченный своим повествованием:

— ...Сняли последнюю повязку и наконец-то дали мне зеркало. Вот тогда-то я впервые себя нового и увидел. А потом объявился тот деловой из Перми, сунул мне пачку стошечных, ксиву, билет на поезд. И все. Вот он я здесь.

— Кристина, Настя, Алена... — пробормотал Ворсистый. — И все ведь малолетки. Ну, ты, брат, даешь. А как там, спросить все хотел, с девкой той из больнички? Ольга, кажись?

— Ольга. Посылала мне пару раз дачки, как выписался. Да записочки через вертухаев. Типа люблю, жить без тебя, родной, не могу. Ждать буду до самой кончины. А как мне двадцатник навесили, так я сам с ней порвал. Отвечать перестал. Чего баламутить зря девку?

— А жаль. Правильная была овца. Ты, будет время свободное, поинтересуйся, как она там.

— Зачем...

— Ша, братва, — шлепнул ладонью по столу Стилет. — Хорош базарить впустую. Тут нам о делах еще тереть и тереть. Короче, слушай сюда, Денис. Все здесь об этом в курсах. Для одного для тебя рассказываю. Вкратце. Времени нету подробнее. Потом все сам уточнишь. Вон Комаль, — Стилет кивнул на улыбнувшегося здоровяка, — расскажет тебе все в деталях. Короче, мешает нам один человек. Сильно мешает. Ведет себя не по чину, не по понятиям. Правда, откуда ему, недалекому, понятия знать? Хотя и крутой, да всего лишь барыга. Хопин, сволочь. Ты его знаешь. У тебя к нему свои есть предъявы, насколько я знаю, серьезные. Так вот, эта падла всегда наглым был, по беспределу жил, но мы терпели, не связывались, пока этот козел не оборзел до упора. За последний год подмял под себя несколько тем, нами прикрученных. Мы бы за это ему предъявили, как полагается, но только крышуют его архарские и комитетчики. При этом московские комитетчики. И крышуют надежно. А это серьезно. Да и Хопин шифруется грамотно. Сидит в своей скорлупе в Александровской, носу оттуда не кажет, всем делом руководит по компьютеру. А скорлупа понадежнее крепости будет. Два раза пытались его оттуда выколупнуть. Пустое. Второй раз на пробивке потеряли двух пацанов и пока завязали. А эта падла продолжает нам пакостить. И методы-то у него все какие-то извращенные. Правда, поговаривают, что с головой он не дружит.

— Это уж точно, — заметил Ворсистый, и Стилет одернул его суровым взглядом — мол, не лезь в разговор, пока не дали слова тебе. Ворсистый смутился и принялся сосредоточенно колупаться в бисквитном пирожном.

— И вот что решили мы, Знахарь, еще прошлой осенью. Коли надумал ты делать ноги из Ижмы, так поможем тебе. Упорешь косяк какой и спалишься — так туда тебе и дорога. Потеряем немного от этого. А вот если сумеешь уйти из тех мест, из которых еще никто никогда не уходил, значит, есть в тебе что-то такое, чего не сформулировать простыми словами. Но что, быть может, поможет тебе добраться до Хопина. Уж не знаю как. Глядишь, сам сумеешь придумать. А мы, Денис, поможем тебе, чем сможем. А можем мы многое.

— Я это знаю, — сказал я, вспомнив Комяка — таежного супермена, боевой дробовик «Спас 12» и семь схронов, которые были понаделаны для нас по всему пути до Кослана.

— Вот что решила братва, Знахарь. Даем мы тебе в подмогу людей. Все проверены, в каждом можешь быть уверенным, как в себе. Все профи. Спецы, так сказать, по определенным делам. Послужные списки их перечислять не буду. Захочешь, так спроси сам, только хрен кто тебе что ответит. Вот, — на этот раз Стилет кивнул в сторону Крокодила, — Крокодил, Комаль и Ворсистый — трое из них. Комаль — старший. Старше его только ты. Все должны слушать тебя без базаров. А ты отвечаешь за Хопина передо мной. И не приведи Господь, упустишь этого урода... Так вот, Комаль познакомит тебя с группой, расскажет все, что мы сумели надыбать на Хопина. Посидите, прикиньте весь расклад. Скатаетесь в Александровскую. Только поосторожнее, не спалитесь, не покажите себя... А может, наоборот? Позвонить тебе этой твари, сообщить, что ты уже в городе? Глядишь, заменжуется, упорет косяк. Тут-то мы его... А? Как ты думаешь, Знахарь? Есть какие идеи?

— Рано пока для идей, — устало промолвил я. — Здесь заморочка такая, что если будешь спешить, то спалишься. Все надо делать последовательно и основательно. Дай мне для начала встретиться с группой, выслушать все подробности, какие есть. Съездить в Александровскую, глянуть на эту неприступную крепость. А потом и будем решать, с какой стороны кусать Хопина.

— Хорошо. Как что надумаете, пришли ко мне кого из своих, пусть расскажет.

— А мы что, собираться будем не здесь? — удивился я, хотя и так мог бы догадаться, что не нужны мы смотрящему у него дома. Ему без этого достает гостей. Не хватает еще постояльцев.

Стилет рассмеялся:

— Нет, Денис, перебьетесь. Собирайтесь, где хотите, но только не у меня. Скажем, на твоей хате. Только не засветитесь. А то найдется бдительная бабулька, насвистит мусорским, что открылась малина какая-то по соседству. Ты ведь за четыре года успел отвыкнуть от воли. Ты сейчас как крестьянин, который впервые выехал в город. Любой его разведет, а он и не заметит. Адаптироваться тебе нужно к воле скорее...

— Что за «моя» хата? — перебил я смотрящего. — Откуда?

— Ах да, — хитро улыбнулся Стилет, — совсем запамятовал. Старею... Братва тут подсуетилась, нору тебе подыскала. Ничего, жить можно. Сам смотрел... Лови. — Через стол ко мне полетела связка ключей с брелоком от автомобильной сигнализации. — И на тачку, и на квартиру документы найдешь в «бардачке».

— И машина? — поразился я.

— Собираешься разъезжать на трамваях? — рассмеялся смотрящий. — Мно-о-ого наездишь... Водить-то умеешь?

— Умею.

— И все же первые дни поаккуратнее, не побейся. Как-никак четыре с децлом года не ездил... Ну что, Денис? Все понятно? Есть вопросы?

— Есть.

— Давай.

— Сколько у меня времени?

— Чем скорее, тем лучше. Но строгих сроков тебе никто не забивает. Главное, не спеши, если чувствуешь, что можешь что-нибудь напортачить. Но и не затягивай. Каждый день из-за этого мудака мы теряем немалые фишки. Еще вопросы? — Стилет достал из кармана портсигар, вытащил из него «беломорину» и начал выдаивать из нее табак. Решил напоследок забить еще один косячок.

— У меня здесь еще кое с кем счеты. Параллельно с Хопиным я хочу заняться еще четверыми.

— Занимайся, если это не будет мешать главному делу. Может, это даже пойдет на пользу. Слышь, Комаль, братишка. — Стилет повернулся к Комалю. — Поможешь Знахарю разобраться с четырьмя негодяями. Там один мусор из прокурорских, доктор и двое лохов — его бывшая женушка и брательник. Те, что его подставили.

Я поразился. И все-то ему про меня известно! Хотя неудивительно. По «должности» положено.

Когда мы закончили с разговорами, за окном давно стемнело. Две русалки-таджички куда-то пропали, я даже не заметил, как они выскользнули из бассейна. Пушистые сугробы голубой пены съёжились, словно настоящие снежные сугробы под ярким мартовским солнышком. Малина и Митрич сменили свои римские тоги на цивильный прикид. Комаль с Крокодилом тоже потихонечку собирались домой.

— А ты-то как, Знахарь, — хитро посмотрел на меня Стилет, — тоже отчаливаешь? Смотреть свою хату? Или задержишься? Я ведь с мусульманками обещал познакомить, — напомнил он мне. — Не забыл, ты не думай. Поплещешься с ними, расслабишься. Отдохнешь, а то уж замучили тебя терками. Все Хопин да Хопин. Забыть бы скорее про это дерьмо. Так что, Денис?

— Не стесню если... — нерешительно промямлил я, и смотрящий расхохотался:

— Брось! Иди вон туда, — он кивнул на низкую дверцу, ведущую, должно быть, в предбанник, — раздевайся. Полотенца да простыни там. Банька, правда, не русская, сауна. Но, — Стилет сокрушенно развел руки, — извини, чем богаты. У других и такого нету в квартирах, — как бы оправдываясь, цинично заметил он, а я за него продолжил, правда, не вслух: «У многих нет и квартир. Многие дохнут сейчас от холода и с голодухи в грязных подвалах или на чердаках. Так повод ли для расстройства то, что у тебя дома всего лишь обычная сауна? Всего лишь с бассейном? Всего лишь с наложницами-таджичками? И куда же ушли те легендарные времена, когда настоящий матерый ворюга по закону не имел за душой ничего — ни семьи, ни имущества, — кроме неколебимого авторитета? Уже не вернутся? Увы...»

В скромненькой по размерам, но уютной сауне мне пришлось скучать одному. Правда, недолго — судя по часам, закрепленным над полком рядом с термометром, я выдержал там пять минут и выбрался наружу совершенно очумевший от жара. Мечтающий лишь об одном — поскорее добраться до бассейна с прохладной водой. И остатками голубой пены. И девочками-таджичками. Если, конечно, все разговоры о них не оказались пустой болтовней. Хотя не должны бы. Такие люди, как Стилет, отвечают за то, что обещали.

Разговоры оказались не пустой болтовней ровно наполовину. Это если считать по тому, что вместо двух наяд ко мне в бассейне присоединилась одна. Она вошла в зал, молча бросила на меня безразличный взгляд и первое, что сделала, так это подобрала и аккуратно сложила простынку, которую я перед тем, как спуститься в бассейн, небрежно скомкал и кинул на кафельный пол. Я, сидя по шею в прохладной воде, с интересом наблюдал за тем, как девочка, не обращая на меня никакого внимания, семенящей походкой перемещается по залу. Вот она подошла к столу. Налила в бокал сок. Отломила кусочек от пиццы. Чемто она напоминала мне заводную игрушку. Ну нечто вроде той куклы Суок, что из сказки о трех толстяках. Правда, в отличие от той, сказочной, на этой, реальной, было надето не платье, а нечто национальное. Сарафан — не сарафан. Халат — не халат. Под ним цветастые шальвары. Никакой обуви. Волосы заплетены в четыре косички. «Они были распущены, — припомнил я, — когда я только здесь объявился и эта красавица плескалась в бассейне. Ну и когда она снова решит там поплескаться? Честно признаться, мне уже невтерпеж».

— Эй, подружка. — Ничего более умного я придумать не смог, а потому позвал таджичку именно так. Один хрен, не понимает. — Иди ко мне.

Ноль эмоций. Она словно не слышала. Будто меня и не было. Стояла ко мне спиной и с аппетитом кушала пиццу. И запивала ее апельсиновым соком.

— Э-эй!

От пиццы ей было не оторваться. А на меня было глубоко начихать.

«Ну и чего? — раздраженно подумал я. — Вылезать из бассейна, хватать в охапку эту надменную задницу и тащить ее в воду? Словно водяной свою жертву? Но... Как-то все это не так. По-другому должно бы быть. Только...»

Посоветоваться мне было не с кем. Малина и Митрич свалили домой, а следом за ними распрощались с нами и Комаль с Крокодилом. Положенец растворился по каким-то делам в недрах своего огромного дома. Ворсистый, чтобы мне не мешать, тактично перебрался в соседнюю комнату, откуда до меня доносились приглушенные звуки работающего телевизора. Одним словом, мне, измученному месячным воздержанием, создали идеальную обстановку, сдали в аренду наложницу, а я, лопух, отвыкший в таежной глуши от человеческой жизни, щелкал хлебалом и не знал, как со всем этим богатством обращаться.

— Эй, милая, — позвал я.

И таджичка, похоже, меня наконец-то расслышала. Поставила на стол пустой бокал, вытерла салфеткой маленькие темные ладошки и, откинув назад косичку, подошла к краю бассейна. Остановилась — пятки вместе, носки врозь, руки по швам — и, не моргая, уставилась на меня.

«Наверное, в ожидании приказаний», — подумал я и, улыбнувшись как можно доброжелательнее, позвал:

— Раздевайся. Иди сюда. Не бойся. Я ласковый и пушистый.

— Не панимая, — пискнула девочка.

Это, пожалуй, было единственным, что она выучила из русского языка. Разве что еще «здравствуйте» и «спасибо».

— Иди сюда.

— Не панимая.

— Как тебя хоть зовут?

Девочка похлопала длинными черными ресницами и ангельским голоском выдала нечто, не поддающееся пониманию. Что-то на «з». Остальное я не разобрал. Возможно, она догадалась, о чем я ее спросил; возможно, послала меня по-таджикски подальше. Не все ли равно. Главное то, что, кажется, лезть в бассейн она была не намерена. А ведь я уже полностью созрел для достойной встречи этой красавицы. Во мне все бурлило — кровь, или что там бурлит в подобных случаях. Во мне все стояло. Я весь изошел слюнями, словно бульдог возле мясного прилавка.

— Послушай, мне уже надоело тебя уговаривать. Придется тащить тебя силой.

— Не панимая.

«А может, она меня так заводит? — подумал я. — Дразнит? Делает так, чтобы я сперва распалился по максимуму? Прежде чем?.. Ес-

ли это действительно так, то, признаться, таджичка добилась успеха».

— Так ты идешь ко мне или нет? Мне что,
вылезать?

— Не панимая.

Иного услышать я уже и не ожидал. Так же,
как больше уже не рассчитывал, что эта вред-
ная красавица добровольно составит мне компанию. «Что ж, — вздохнул я. — Все в этой жизни достается трудом. Даже наложницы. Хочешь
не хочешь, а вылезать все же придется».

— Ну держись! — рассмеялся я и, расплескав остатки голубой пены, сиганул из бассейна на холодный кафельный пол.

Девочка взвизгнула, шарахнулась от меня,
но мне, как ни странно, удалось ее поймать.
Она опоздала на какие-то доли секунды, не
смогла увернуться, и я успел ухватить ее за полу
халата. Подтянул к себе, обхватил за тонкую та-
лию. Почувствовал легкий запах дорогого пар-
фюма и удивился — почему-то я был уверен в
том, что от дикарских шальвар и халата и пах-
нуть должно по-дикарски. Ну скажем, старыми
тряпками или отарой овец. Девочка, однако,
оказалась приятной во всех отношениях.

Правда, пыталась вырваться. Безуспешно,
конечно. Впрочем, как мне показалось, эти
попытки были какими-то несерьезными. Ди-
карка не кусалась и не царапалась, не пыталась позвать на помощь братьев джигитов, не
метила въехать коленом мне между ног. Она,

60

прикусив от усердия пухлую губку, просто барахталась у меня в объятиях. Да и то недолго. Лишь до тех пор, пока я не затащил ее в бассейн. А там... Может, вода охладила ее воинственный пыл. А может, она решила, что игры закончены и пора заниматься делом. Одним словом, таджичка вдруг успокоилась. Замерла передо мной в своей излюбленной позе — руки по швам, пятки вместе, носки врозь. Закрыла глаза. Ее смуглое личико приобрело безмятежное выражение.

«Интересно, а каким оно будет через минуту? — подумалось мне. — Если, конечно, я постараюсь? Сам еще ни разу не пробовал, но говорят, что подобные горные козочки закипают от одного легкого прикосновения. Только дотронься, и тебе уже в пылу страсти начинают терзать ногтями спину. Мечта мазохистов. Да и не только их».

Я наклонился и поцеловал девочку в губы. Еще раз. Мне показалось, что она мне ответила. И напряглась. Веки чуть дрогнули. Я развел в стороны мокрые полы ее халата, провел ладонями по ее узким бедрам.

Девочка обреченно вздохнула — мол, как же вы меня все достали со своей озабоченностью — и покорно приникла ко мне, уткнулась личиком мне в плечо, коснулась его губами. Под халатом у нее была надета тонкая шелковая блузка. Мокрая, она плотно облепила узкую спину, небольшие девичьи грудки.

Сквозь нее проступили острые бугорки позвоночника. Я, словно на фортепьяно, сыграл на них гамму: до, ре, ми... и обратно: си, ля, соль, фа... Таджичка еще раз поцеловала меня в плечо. И провела губами мне по груди.

А я избавил ее от халата. Вышвырнул его вон из бассейна. Потянул вверх розовую блузку. Девочка опять прикусила губу и, помогая мне, покорно подняла тоненькие ручонки. Она не сопротивлялась. Но сопротивлялась ее одежда. Остатки одежды — всего лишь шальвары и блузка. Но блузка упорно не желала расставаться с хозяйкой, жадно липла к ее смуглому телу, а шальвары оказались завязанными на поясе прочной бечевкой. А у меня от возбуждения вовсю тряслись руки. Какое там справиться с хитроумным азиатским узлом! Я, наверное, не смог бы расстегнуть и обычную пуговицу. Проклятие, мне сейчас не помешал бы нож или ножницы.

— Да помоги же ты мне! — не выдержав, взмолился я, взял ее узенькие ладошки, и прижал их к ее животу — там, где расположился проклятый узел. — Мне с ним не справиться.

И она меня поняла! И безропотно помогла мне! Распутала узел, стянула вниз шальвары, грациозно переступив стройными ножками. Улыбнулась, блеснув жемчужными зубками, и замерла, ожидая, что я буду дальше с ней делать.

А что тут можно еще делать? Сценарий дальше один, и трудно представить себе идиота — если, конечно, он не импотент и не педик, — который в такой ситуации действовал бы как-то иначе.

Я целовал ее в шейку, в плечики, в грудь. Я жадно мял, наверное, до синяков ее ягодицы. Мои ладони скользили по ее гладким бедрам — до острых коленок и обратно, до плоского живота. И снова к коленкам. И назад, затем, чтобы замереть у нее между ног... Она не стонала. Она не вздыхала. Только кусала губы и крепко зажмуривала глаза. Ее ладошки крепко сжимали мне плечи. Всем своим телом она стремилась плотнее приникнуть ко мне...

Она прошептала мне что-то. Еще раз.

— Не понимаю, — машинально прошептал я.

И тогда она взяла меня за руку. И вылезла из бассейна, увлекая меня за собой. Легла на холодный кафельный пол. Широко раздвинула ноги. Раскинула в стороны руки. Снова крепко зажмурила веки. Опять прикусила губы.

Она ждала меня. Она хотела меня. И меня не надо было просить об этом дважды. Давненько я не испытывал такого желания. И ведь что самое удивительное, до этого меня довела не какая-нибудь многоопытная суперкрасавица, а совершенно неискушенная в вопросах любви азиатская девочка, не сделав при этом ничего необычного. Или сегодня у меня был особый настрой? Или восточные женщины и правда наделены чудесной способностью излучать в такие моменты какую-то особую энергию, присущую только им. Недаром же и Кама Сутра, и искусство японских гейш пришли к нам с Востока. А из Европы мир получил лишь незатейливое учение уличной проституции.

Наверное, впервые за всю свою жизнь я в этот день не стремился к тому, чтобы доставить партнерше удовольствие, о котором она не смогла бы забыть долгие годы. Мне было совсем не до этого, и я не мог отвлечься хоть на секунду от того небывалого кайфа, в который окунулся с головой в этот момент. Но мне никак не удавалось насытиться. Кончил раз... кончил второй... третий... А эрекция не прекращалась. Я словно сошел с ума. И был готов трудиться еще и еще.

И был готов сдохнуть от истощения.

Но от этой ужасной участи меня избавил Ворсистый...

— Замучил девку-то?

Я открыл глаза и бросил безумный взгляд на своего давнего кореша, который, развалившись в одном из кресел, с интересом наблюдал за тем, что творится чуть ли не у него под ногами. Когда он объявился в зале, я не заметил. Впрочем, а был ли я в состоянии хоть что-нибудь замечать?

— Какого черта?! — просипел я.

А девочка, не открывая глаз, прощебетала что-то по-азиатски.

— Денис, нам пора. — В голосе Михи Ворсистого звучало сочувствие. Он, как никто другой, понимал, каково мне сейчас видеть рядом с собой третьего лишнего. И слышать это жестокое: «Нам пора». — Стилет намекнул, что повеселились и хватит. А нам еще ехать смотреть твою хату. — Ворсистый, виновато посмотрев на меня, принялся наливать себе в рюмку коньяк.

Я обреченно вздохнул, поцеловал на прощание таджичку в смуглую щечку и послушно пополз к своей аккуратно сложенной на борту бассейна простыне. Предстояла еще нелегкая дорога до душа, стояние под ним, тяжкая процедура одевания, а после... ох, и сколько же сил отнимает этот проклятый секс! Особенно с восточными женщинами!

Мы с Ворсистым распрощались с хозяином и вышли на улицу.

— Пошли, Коста, — хлопнул меня по плечу Ворсистый. — Покажу тебе твою тачку. Чуть-чуть в стороне есть стоянка. Во-о-он там, за кустами... Ч-черт, никак не могу привыкнуть к твоему новому имени. Ничего, если буду звать тебя Костой, когда мы вдвоем?

— Даже не думай. Денис или Знахарь. Врубился? Еще раз назовешь меня Костой — наживешь геморрой.

— Хорошо. Денис или Знахарь, — безропотно согласился мой старый кореш.

— Приедешь сегодня домой, порепетируй. Ходи по дому и бубни: «Денис-Знахарь, Знахарь-Денис; Денис-Знахарь, Знахарь-Денис». Глядишь, через пару дней и привыкнешь. Но если еще хоть раз произнесешь слово «Коста»... Это что, мой?!! — Я прямо окаменел, застыл, пораженный, не в силах оторвать взгляд от серебристого 320-го «мерседеса», к которому подвел меня Ворсистый.

— Твой, — ухмыльнулся он гордо, будто это был его персональный подарок. — Нажми-ка на кнопочку.

Я надавил кнопку на брелоке сигнализации, и «мерседес» приветливо вякнул и подмигнул мне галогенками.

— Вот ведь, блин! — покачал я головой.— А я уж грешным делом подумал: ты шутишь. Ну на хрена мне «мерин»? Он же как бельмо на глазу для всех мусоров. Такую тачку запомнит любой идиот. Нельзя было простую «девятку»?

— А че ты *мне* гонишь предъявы? — притворно возмутился Ворсистый. — Не я здесь заказываю музыку. Что дали, то и пригнал сегодня сюда. Кстати, назад возвращаться мне не на чем. Подбросишь до Питера?

— Подброшу. Садись.— Я устроился в водительском кресле, разобрался с регулировками и подогнал его под себя. Ворсистый грохнулся рядом со мной.

— А если надо «девятку», так у меня есть, — сообщил он. — Беленькая, неприметная. В любой момент обращайся, подгоню, куда надо.

— Договорились. — Я повернул ключ зажигания и даже не расслышал, как заработал движок. Уж заработал ли вообще? Надавил на холостой передаче на газ. «Мерин» взвыл. Все ништяк.

— Поехали, что ли? — нетерпеливо поерзал в своем кресле Ворсистый.

— Ты куда-то торопишься?

— Да вроде бы как нет.

— Тогда по пути завернем в одно место. — Я решил все-таки заглянуть в Лисий Нос. — Посмотрим на мою бывшую дачу... И не прожги мне обивку. — Я заметил, что мой пассажир собирается закурить.

— Не прожгу. Дык поехали, что ли. Долго будем стоять?

Я включил передачу, отпустил сцепление, и «мерседес», скрежетнув резиной по асфальту, рванул с места...

— Осторожней, он очень чувствительный. Это тебе не «волгешник».

...«Мерседес» увозил меня в новую жизнь — такую, что и не снилась мне четыре с половиной года назад. Прикольную жизнь с множеством проблем и приключений. С четырехкомнатной «сталинкой», с солидными «доходами» и возможностью в любой момент схлопотать пулю или вновь отправиться по этапу. В жизнь-боевик, жизнь-авантюру, жизнь-сказку... страшную сказку со счастливым, надеюсь, концом.

Интересно, тогда — кажется, так давно, — когда я был счастлив в своем сереньком тихом мирке, явись ко мне вдруг дьявол-искуситель и предложи продать свою душу, обменять сомнительное семейное счастье и безденежную работу в «скорой» на подобную жизнь, я согласился бы? Навряд ли. Даже уверен, что нет. Но оказалось, что меня никто не собирается спрашивать, все решено за меня...

— Не спи, — пихнул я в бочину Ворсистого.— В Лисий Нос едем. Смотреть на мой дом.

И выехав на узкую улочку, начал аккуратно пробираться на второй передаче к шоссе.

Глава 2

«...ГДЕ СЧАСТЛИВ БЫЛ КОГДА-ТО»

Дома не оказалось. Его снесли!

Не выходя из машины, я ошарашенно пялился на стройку, развернутую у меня на участке — пол-этажа красной кирпичной кладки, выхваченные из темноты светом галогенок «мерса». Ворсистый рядом со мной сочувственно молчал. Потом молча выбрался из машины и решительно пошагал к стройке. Я вылез следом за ним. Жадно вдохнул влажный холодный воздух, наполненный запахом перегнивших водорослей, — до залива отсюда было не больше пятисот метров. И сразу нахлынули воспоминания. И стало тошно-претошно. Ведь были же когда-то счастливые времена, когда я был кому-то нужен. Очень нужен. Сначала матери, бабушке, дедушке. Потом Ангелине, пока она не связалась с моим негодяем-брательником. Потом — никому. Да, у меня есть друзья. Замечательные друзья, которые никогда не бросят в беде. Разделят со мной любой геморрой, поделятся последним, подставятся под пули вместо меня. Но случись такое, что все же меня подобьют, по моей кончине никто особо убиваться не станет. Конечно, устроят пышные похороны, произнесут несколько красивых речей на поминках... И все. Забудут о том, что жил-был когда-то такой Костоправ-Знахарь, их добрый дружбан. Разве что иногда наведаются на могилку, принесут букетик цветов. Но это будет не от души, не от сердца. Это будет потому, что так положено по понятиям. Теперь у меня вся жизнь по понятиям. Они не отпустят меня и после смерти. Проклятие, да как же тоскливо! От прошлого мне не оставили даже дома, в котором я провел детство. В котором я прожил самые счастливые дни своей жизни...

Назад Ворсистый вернулся минут через десять. Мы уселись в машину, и я выключил фары.

— А строечка-то заморожена, — доложил Мишка. — Не похоже, чтобы последнее время там кто-то работал. Никаких следов. Ни стройматериалов, ни лесов, ни даже козел, с которых можно класть кирпичи. Там пока еще и конь не валялся. У твоей бывшей женушки, кажись, не хватило хрустов. Временные финансовые трудности, — хмыкнул он.

— Это был дом моего детства, — тихо, почти шепотом сказал я. — Дед его получил сразу после войны. Здесь провела детство моя мать. Здесь провел детство я. Все летние каникулы от звонка до звонка. И каждые выходные. Тогда дамбу строить только еще начинали. Вода в заливе была относительно чистой. Купаться можно было без боязни подхватить какую-нибудь заразу. А еще летом мы копались на огороде, ходили в ближайшие кусты за подберезовиками и играли в пинг-понг — у нас был самый настоящий профессиональный стол. А зимой приезжали сюда кататься на лыжах. Жарко топили во всех комнатах печки, и дедушка всегда ругался, что тратим слишком много дров. Потом умерла бабушка. Через два года после нее умер дед. Еще через три года — мать. Тогда я уже познакомился с Ангелиной... С этой сучкой! Проклятие!!!

Я включил зажигание, развернулся, заехав к себе на участок (часть забора, выходящая на улицу, была снесена начисто).

— Вон, гляди. — Я указал Ворсистому на соседский дом.— Здесь и жила эта баба. Смирницкая.

— Из-за которой тебя попалили?

— Из-за которой я сломал себе жизнь. Впрочем, при чем здесь она-то? Есть другие. И я до них доберусь. Зуб даю, доберусь!

— Я тебе помогу, Коста.

— Опять Коста. О чем предупреждал? Мишка развеселился.

— Миль пардон, Знахарь. Не хотел вас обидеть. Мамой клянусь, как только приеду домой, сразу буду тренироваться, как вы учили.

Через час мы с Ворсистым были у меня дома. Чувствовалось, что к моему приезду квартиру готовили.

Я обнаружил набитый под завязку холодильник, полный бар, постельное белье во встроенном шкафу в спальне, посуду на кухне. В ванной — кусочек мыла и флакончик шампуня. Были даже маленький пылесос и набор домашних тапочек. Мебель была не из самых крутых, но и не из самых дешевых. Вся электроника — последнего поколения. В спальне — компактный тренажер-универсал. Сама квартира была в доме после капитального ремонта с охраняемой стоянкой под окнами и с консьержем в подъезде. В ней был сделан евроремонт, и я, с восхищением взирая на джакузи и блестящую хромированную сантехнику, растерянно пробормотал:

— Не верю. Объясни-ка мне, Мишка. Что, из зоны всех так встречают? «Мерседес», квартирка за сотню тысяч зеленых... Как мне придется все это отрабатывать? Или я уже продал душу дьяволу, только сам этого не заметил?

Ворсистый у меня за спиной развеселился.

— Завтра все поймешь, Знахарь. И во все поверишь. Вот соберемся, расскажем тебе, что творит этот Хопин... Он по беспределу обнес братву уже лимонов на двадцать зеленых. И продолжает, собака. Что для общака пара сот тысяч тебе на «мерс» и квартирку, если сумеешь замочить эту суку? Ведь сэкономим тогда куда больше. А уж авторитету тебе достанется столько, что и не унесешь. Ладно, хорош шариться, пошли выпьем.

Но вместо этого я отобрал у Ворсистого сотовый телефон и набрал номер телефона своей бывшей квартиры. Мне не терпелось начать действовать, но я боялся напороться на АОН и засветить свой телефонный номер. Звонки же с мобильника, насколько мне было известно, АОНом не отслеживаются.

Никаким АОНом там и не пахло. Впрочем, так же, как и моей женой. Трубку поднял какой-то дед. Проскрипел:

— Говорите, вас слушают.

И я хотел уж было извиниться, сказать, что не туда попал, и отключиться. Но в последний момент передумал.

— Извините, я разыскиваю Разину Ангелину. Она проживала в этой квартире до вас. Ведь это Софийская семьдесят три, корпус два, квартира сто десять?

— Так точно, молодой человек.

Я вздохнул. Мой бывший адрес. В этой квартире я прожил больше пятнадцати лет. Здесь умерла моя мама. Сюда после свадьбы я внес на руках Лину, даже не предполагая, что в этот момент обматываю вокруг шеи змею.

— А скажите, пожалуйста, — спросил я у деда, — вам ничего не известно о прошлых жильцах этой квартиры? Где их сейчас можно найти?

— К сожалению, ничего не могу вам сказать, молодой человек. Эту квартиру мы покупали через агентство. Так что извините.

Я пожелал деду здоровья и отключился.

Та-а-ак. Ничего хорошего. Свинья Ангелина куда-то слилась, и теперь придется ее искать. Дай Бог, где-нибудь в Питере, а не за его пределами. И не за границей — скажем, в Греции или Израиле. Хотя на хрен они с братом — истинные славяне, истинные арийцы — нужны евреям. Да и никто из них двоих не может двух слов связать на каком-нибудь иностранном языке. А как без языка жить за границей? Геморрой! Нет, искать следует в Питере. Или в его ближайших окрестностях.

В этом я был почему-то совершенно уверен. Так же как и в том, что брат и Ангелина все еще вместе, несмотря на то, что Леонид имеет привычку менять подружек в среднем два раза в месяц. Но на этот раз он связан с подружкой страшной тайной. Преступлением. Так что никуда им друг от друга не деться.

— Слышь, Мишка, — обратился я к увлеченному литровой бутылкой «Охты» Ворсистому, — у тебя случаем нет выходов на ЦАБ?

— Кого надо найти-то? — поднял он на меня уже мутный взгляд.

— Ангелину и брата. Они разменяли мою квартиру. Наверное, съехались. Поможешь?

— Давай завтра.

— Давай сегодня. — Я забрал со стола «Охту». — Вот когда увижу, что подсуетился, верну. Ну!

— Не нукай, не запрягал, — недовольно пробурчал Ворсистый. — Нужна мне твоя водяра. Гони назад телефон.

Я вернул ему трубку.

Для начала он пару раз не туда попадал, но наконец закричал так радостно, словно слышимость была почти нулевой.

— Петька, Петька! Здорово, черт! Ворсистый! Как поживаешь?.. Я тожеништяк! Тут, короче, такой головняк. Человек тока откинулся и не может сыскать свою бабу. И брательника. Поменяли прописку, пока был на кичи. Ты ведь поможешь, я знаю... Чего ты не уверен?! Ведь помогал нам уже. Чего же сейчас?.. Не-е-е, просто телефон не покатит. Ты нам главное — адрес... Ага, а с меня простава. Лады?.. Вот и ништяк. Передаю трубку корешу своему, он все тебе скажет.

Я продиктовал Петьке, обладателю глухого пропитого голоса, данные брата и Ангелины — фамилии, имена, отчества, даты рождения и, хотя этого и не требовалось, даже адреса, по которым они раньше были прописаны.

— Хорошо, — просипел Петька, когда я закончил. — Ты мне свой номер телефончика оставь. Отзвонюсь, как узнаю.

— А пес его знает, какой у меня номер телефончика, — растерянно пробормотал я.

— Что, свой номер телефона не знаешь?

— Говорят же тебе, накануне откинулся.

— А-а-а, — с пониманием протянул мой собеседник. — Так я тогда Мишке на трубу отзвонюсь. Катит?

— Ништяк. Номер знаешь?

— Конечно, — хмыкнул Петька. — Ты только гляди не нажрись. В течение ближайшего часа хотя бы.

— Не нажрусь. Отвечаю, — пообещал я, приятно удивленный тем, что, похоже, потребуется не больше часа на то, чтобы решить мою проблему.

На это потребовалось всего полчаса.

— А ведь они прописаны вместе, — удивленно пробормотал Петька.

— Все нормалек,— радостно заверил я, записал адрес — трехкомнатная квартира около метро «Купчино» — и сразу два номера домашнего телефона.

«По одному из них в сеть постоянно подключен компьютер», — предположил я и с трудом удержался, чтобы тут же не позвонить бывшей женушке и братишке. Рано. Я еще не готов к мести. Спугну — ведь зашхерятся так, что потом не найдешь и следочка.

— Дениса, братан, — подал голос из-за стола уже совершенно пьяный Мишка. — Все ништяк? Узнал адресок?

— Узнал. Спасибо, Ворсистый.

— Вот завтра на толковище и порешим, что с этими уродами делать. Щас тока не рыпайся, ничего не предпринимай. Напортачишь. Садись со мной лучше. Бухнем. Сколько не виделись! Сколько прошли! И сколько пройти еще предстоит!

Да, пройти нам предстояло немало. Если бы еще знать, в какую сторону...

Я плеснул в бокал граммов сто пятьдесят и залпом опрокинул в себя.

Итак, Леонид и Ангелина. Сладкая парочка. Номер один и номер два. Вернее, можно объединить вас под одним общим номером один потому, что подыхать вы будете вместе. Первыми из пятерых. Готовьтесь.

Готовьтесь!!!

А потом мне приснился сон. Про зайчиков и цветочки; про елочки и березки. Про зону. Хороший сон. По зоне я, дурак, как ни странно, успел немного соскучиться.

Глава 3
АЛЬТЕРНАТИВНЫЙ СПЕЦНАЗ

Группа Комаля состояла из девяти человек, считая его самого. И, как ни странно, я обнаружил в ней двух девчонок. Симпатичных — даже очень — молоденьких девушек.

— А на хрена они-то нужны? — спросил я у Комаля, когда мы вышли на кухню, и он улыбнулся мне ослепительной белозубой улыбкой.

— Знахарь, ты разве не понимаешь, что кому-то надо выполнять довольно деликатные поручения, которые мужчинам просто не по зубам в силу их физиологических особенностей. Охмурить, втереться в доверие к какому-нибудь кобелю потому, что иначе его не достать, — кто это сделает лучше, чем Катя или Светка? К тому же они отличные снайперы. Да и на татами против любой из них ты не продержишься и десяти секунд. Так что...

— Все понял, — перебил я. — Приношу извинения. Сразу, дурак, в тему не въехал. Ну что, пошли знакомиться.

— Ага, пошли.

Вся группа собралась в гостиной. Девочки и Ворсистый подсуетились насчет чая и кофе. Крокодил разрезал два вафельных тортика, принесенных с собой, и откупорил бутылку дорогого французского коньяку.

И вот наконец я объявил об открытии «заседания». Так прямо встал и сказал.

— Братишки. Сестренки. Очень рад видеть вас у себя в гостях. Надеюсь... Нет, я просто уверен, что это не в последний раз. Мы еще соберемся здесь отпразновать победу, когда Хопин будет уже по дороге в ад. Соберемся вдесятером, как и сегодня. Ни человеком меньше, все целые и невредимые...

— Типун тебе на язык, — пробормотала Света. — Чего несешь-то, подумай.

Да, с похмелюги я болтал что-то не то, поэтому поспешил закруглиться.

— Прошу прощения. Короче, заседание объявляю открытым. Начнем со знакомства. Вы друг друга знаете, я вас не знаю совсем. Поэтому, пожалуйста, по очереди каждый скажите пару слов о себе. Все, что сочтете нужным. Но главное, я хотел бы знать, кто на чем специализируется. Комаль говорил мне, что у вас в группе четкое распределение обязанностей.

— Правильно говорил, — едко заметила Света.

Мне показалось, что она невзлюбила меня с первого взгляда.

Зато с Комалем мы сразу нашли общий язык. Как и было договорено накануне, он пришел ко мне за два часа до встречи с остальной группой, в 13-00. В первую очередь для того, чтобы рассказать все, что мне не мешало бы знать про Хопина, чтобы на толковище не чувствовать себя дураком.

— Этот рехнувшийся урод отгрохал себе настоящий форт и сидит там весь на изменах, боится высунуть нос, — рассказывал Комаль, потягивая из баночки пиво, которое приволок с собой. — Слишком многие имеют на него зуб, слишком многим он успел нагадить. Как его только не пытались достать. И не только мы. Насколько я знаю, бандюки нанимали опытнейшего киллера. Он подписался, но в результате потыркался вокруг трехметровой ограды и сдался. Наши поперли прямо в лоб и на пробивке потеряли двух человек. И тоже даже не прошли за периметр. Пробовали натравить на Хопина мусорских, но там у него все схвачено намертво. Мусора его крышуют. Вкупе с московскими комитетчиками. Так что, как видишь, здесь все серьезно.

— Сколько у него денег? — спросил я.

— А черт его знает. Фишки распиханы по нескольким банкам, в том числе и по заграничным, так что отследить их невозможно. Я так полагаю: где-то около сотни лимонов зеленых. И этой сволочи все мало.

— У него есть наследники?

— Он один. Совершенно один, если не считать охранников и прислуги. Может, и есть где-то племянники, но я о них ничего не слышал.

— Я-асненько. Ему же уже за семьдесят?

— Шестьдесят два.

— И он не инвалид? Как у него со здоровьем?

— Все о'кей, если, конечно, не считать этого. — Комаль постучал пальцем себя по виску. — По-моему, у него мания преследования. Правда, за свою задницу он опасается небезосновательно.

Потом Комаль показал мне несколько фотографий хопинского «форта», сделанных с разных ракурсов, но я не уделил им большого внимания. Все равно надо ехать и смотреть самому, в натуре. Эту поездку мы запланировали на завтра.

— Сегодня поздняк, — заметил Комаль. — Закончится толковище, будет уже темно. А что разглядишь в темноте? Зато охрана тебя разглядит. У них приборы ночного видения.

— Тогда сегодня, может быть, провернем другое дельце? — поинтересовался я и рассказал о своей бывшей жене и брательнике.

— И что ты собираешься с ними делать? Мочить?

— Да. Но не сразу. Сначала поиграю, как кошка с мышкой. Пусть в штаны наложат.

— Упустишь. Свалят, зашхерятся где-нибудь. Хрен найдешь. У нас не так много народу, чтоб их пасти. Да и времени нету. Давай мочить сразу, — предложил Комаль. — У меня в группе есть спец по этим делам. Направлю сегодня по адресу, он их выпасет...

— Нет, — решительно перебил я.

Наивный мой собеседник и не предполагал, что такого человека я легко мог направить, даже не выходя из зоны. Но я должен все сделать сам. Сам!!! И при этом не сразу. Сперва я их помучаю. Дам им осознать, что пришел их смертный час, что за ними ведется охота. И охота нешуточная. И вот тогда, когда они ужаснутся, когда от страха намочат штаны... Только тогда я избавлю обоих от тягот земных. Не раньше.

— Хорошо, — сказал Комаль. — Обсудим, что здесь можно сделать, на толковище. Ставим в повестку дня. Что с остальными собираешься делать? Кажется, там еще прокуроришка и адвокат?

— Этих потом. Не надо хвататься за все сразу. Надорвешься.

— Это точняк. Но не забывай, что главное для нас — Хопин.

— Не забываю, — улыбнулся я. — Кстати, поведай мне, как так он обнес вас по беспределу. Что за прикрученные дела перебил на себя?

И больше часа, до самого прихода ребят, я выслушивал жалобы — не рассказ, а именно жалобы — на беспредельщика Хопина, выставившего питерскую братву на двадцать лимонов зеленых. И если понимал хоть половину из всего сказанного, то хорошо. К моему удивлению, Комаль с неописуемой легкостью ворочал такими экономическими терминами, которые я ни разу в жизни не слышал: индоссамент, коносамент, трансферт... Он вычерчивал в записной книжке какие-то хитрые схемы того, как можно кинуть некую фирму на серьезные фишки, а потом эти фишки отмыть через офшор. Я совершенно ни во что не врубался и лишь тупо пялился на аккуратно вычерченные квадратики и стрелочки, кивая головой, как китайский болванчик. Потом пришли Крокодил с Катей и спасли меня от этой лекции по экономике. Следом за ними начали подтягиваться и остальные. По одному, по двое — совсем как эсеры на конспиративную квартиру в славном 1905 году, хотя все это не имело никакого смысла. Внизу сидела бдительная консьержка и аккуратно заносила паспортные данные всех посетителей в толстый журнал.

Комаль отложил в сторону стрелочки и квадратики и переключил внимание на своих боевиков. А я вздохнул с облегчением...

— Ну, начнем представление, пожалуй, с меня, — пробасил Крокодил и поставил на стол чашечку с остатками чая. — Со Знахарем знакомились еще вчера, но повторюсь. Зовут

Ярославом. Проще — Слава. Крокодил. — Он ухмыльнулся. — Две ходки. Обе по 158-й*. Откинулся год назад. Вместе с Комалем собрал эту кодлу. Теперь вроде бы как его заместитель. Так ведь? — Крокодил вопросительно взглянул на Комаля, и тот согласно кивнул. — Та-а-ак. Насчет специализации... Что тут сказать? Я тут, наверное, единственный, у кого ее нет. Слесарь широкого профиля. Неплохо стреляю из всех видов оружия, но предпочитаю АК и ТТ. Умею вскрывать замки любой сложности. В драке хорошо владею ножом. Жмуры на мне уже числятся, так что этот психологический барьер пройден. Вот, пожалуй, и все. Есть вопросы, Денис?

— Вопросов нет. Спасибо, Слава.

Крокодил дурашливо мне поклонился и гаркнул так, что мои соседи, наверное, вздрогнули:

— Следующий!!!

Следующей была Катя. Симпатичная девятнадцатилетняя девочка с длинными светлыми волосами, распущенными по хрупким плечам. Когда она сказала мне, что ее специализация — рукопашный бой и холодное оружие, у меня на физиономии появилось недоверчивое выражение, которое не ускользнуло от внимания Комаля.

---

* 158-я статья УК — кража.

— В натуре, Денис, — произнес он. — Проверено.

И я поверил ему на слово.

Игорь с погонялом Электроник был профессиональным хакером. Хрупкий невысокий парень тридцати двух лет окончил в свое время ЛЭТИ, имел перспективную денежную работу в одной из крупных питерских фирм, но, как говорится, жадность фраера сгубила. Игорь попался на каких-то махинациях с кредитными картами, получил пятерик, но попал под амнистию. Кроме компьютеров Электроник, или Эл, как его покороче называли друзья, отлично разбирался во всевозможных электронных прибамбасах.

— А ты сумеешь подключиться на прослушку к телефонной линии? — поинтересовался я, и Эл без колебаний ответил:

— Легко.

— Отлично. Возможно, сегодня вечером ты мне будешь нужен.

Он в ответ несколько раз кивнул.

Света в свое время тоже сходила к «хозяину», но за что и на сколько, она не распространялась, а я ее не напрягал. На зоне она получила погоняло Конфетка. Когда Света заговорила о том, на чем специализируется, она сперва покраснела, потом рассмеялась и едким тоном произнесла:

— Комаль называет это деликатными поручениями. Только не подумай, пожалуйста, что я шлюха. Еще никто из клиентов от меня ничего не добился, кроме головняков. Не так уж просто со мной поладить. Могу избить, могу кастрировать, могу даже шлепнуть. Но ложиться под всякого... — Конфетка брезгливо сморщила носик. — Знаешь, что такое воровка на доверии? Так вот, я куда ближе к ним, чем к проституткам. Хотя еще никогда никого не обнесла.

У меня создалось впечатление, что Конфетка пытается передо мной оправдаться. Но тогда я не обратил на это внимания.

Помимо «деликатных поручений» Света выполняла обязанности снайпера. И из винтовки, и из пистолета она стреляла лучше всех в группе, и этот дар был врожденным, потому что огнестрельное оружие она впервые взяла в руки всего полгода назад. А до этого и не знала, с какой стороны подойти к обычной мелкашке.

— Эта красавица забыла тебе сообщить, — вмешался в Светин рассказ Комаль, — что она великолепно дерется ногами. У нее просто сумасшедшая растяжка и очень жесткий, отлично поставленный удар. Под такую кувалдочку попадешь — мало тебе не покажется. Прежде чем встать с ней в спарринг, я тысячу раз подумаю.

Я бросил взгляд на мило смутившуюся Конфетку. А ведь и не скажешь по ней. Впрочем, как и по Кате. Вот только та светленькая, а эта — жгучая брюнетка с волосами цвета воронова крыла. Чуть-чуть пониже своей товарки. Чуть-чуть похудее (хотя куда уж худее). И с куда более тяжелым характером...

Леха был единственным пацаном в группе, кто не имел погоняла. Правда, иногда его звали «взрывник» или «сапер», но ни то, ни другое к нему не прилипало. Просто Леха, и все.

В том, что касается взрывного дела, Леха знал все. Или почти все. Слухи о его феноменальных способностях в этой области даже каким-то образом достигли Чечни, и однажды оттуда явились два эмиссара-вербовщика, предлагали огромные деньги за контракт с одним из полевых командиров, но Леха лишь рассмеялся в ответ. Ему и в Питере жилось очень даже неплохо. Заказов хватало, оплачивались они весьма хорошо, и он, мягко сказать, не бедствовал. Кстати, Леха был единственным членом группы, кто был женат, да к тому же еще имел трехлетнюю дочку. При этом жена отлично знала, чем занимается муж, но ничего против этого не имела. Леха приносил домой приличные бабки, был замечательным семьянином, а большинству женщин большего и не надо. На все остальное они просто закрывают глаза...

Сережа Гроб считался профессиональным киллером, и на его счету числилось более десяти успешно выполненных заказов, притом о трех из них в свое время во всю глотку кричали средства массовой информации. Гроб владел, пожалуй, всеми способами умерщвления, начиная с элементарного отстрела из пистолета с глушителем и заканчивая отравлением боевыми ОВ или инсценировкой автомобильной аварии. Это был человек совершенно без нервов и без принципов. Присмотревшись к нему повнимательнее, я решил, что если бы ему заказали пятилетнего ребенка, то он выполнил бы заказ, не задумываясь. А еще мне показалось, что в группе его недолюбливают и опасаются, — никогда нельзя даже примерно определить, что у Гроба на уме. Но он выполнял огромный объем работы, с какой не справился бы никто, кроме него; он был незаменим, а потому приходилось мириться с его обществом...

Айрат с погонялом Акын был мастером спорта по скалолазанию, а кроме того, имел черный пояс по карате. В свое время он провел шесть лет на кичи по 111-й, часть 4*, был очень авторитетным фраером, приближенным к положенцу на зоне, а, откинувшись, сразу вписался в серьезную кодлу, занимавшуюся гоп-стопом на Московском шоссе. Все шло как по маслу — кодла бомбила фуры, не гнушаясь любым товаром, пока год назад РУБОП

---

* 111-я статья УК — умышленное причинение тяжкого вреда здоровью.

при поддержке ГИБДД не прижало им хвост. При этом ментовская операция была настолько стремительной, что зашифроваться никто не успел, и почти все пацаны оказались на «Лебедевке». Но Акыну на этот раз подфартило. В это время он как раз отдыхал в Таиланде, и мусора каким-то чудом упустили его из виду. Вернувшись, Акын полгода болтался без дела, дожидаясь ареста, пока не получил предложение от Комаля, с которым несколько лет назад чалился в одной зоне и даже в одном отряде. Акын без раздумий согласился, а группа заполучила в свои ряды неоценимого боевика, способного, словно японский ниндзя, тенью просочиться туда, куда, казалось бы, не проскользнет и мышь. А прокуратура, проводившая следствие по делу о разбоях на Московском шоссе, пока так и не обратила на него внимания. И было похоже, что уже и не обратит...

Мишка Ворсистый, мой старый добрый кореш, откинулся год назад по помиловке, проведя на кичи три с половиной года по 158-й статье. Месяца три отдыхал, проживая старые сбережения, а когда они закончились, удачно обнес две богатых квартирки. Но на третьей чуть не спалился. После этого с домушничеством Мишка завязал и очень охотно отозвался на предложение Комаля войти в «группу специального назначения».

Да, ее так и называли — группа специального назначения. Ведь есть же спецназ у ментов и
военных, у гэрэушников и гэбистов, так почему
бы братве не обозвать подобную структуру точно так же. Западло? Да ну! Глупости, излишняя
щепетильность. Пусть будет спецназ.

Итак, члены «группы специального назначения» вот уже два часа хлебали кофе и чай
у меня в гостиной, безуспешно пытаясь вы-
искать хотя бы одну лазейку, через которую
удалось бы подобраться поближе к Хопину.
Рассматривали вариант за вариантом, начиная с более или менее реальных и заканчивая совершенно фантастическими. И в конце концов, когда серьезные терки переросли
в пустой базар, было решено сначала провести еще одну как можно более тщательную
рекогносцировку и лишь после нее возвращаться к вопросу планирования операции.
А пока...

— Девчонки, на кухню, — распорядился
Комаль. — В холодильнике есть все, что нужно. Что приготовить, сообразите сами. Акын,
Ворсистый, в лавку за водкой. Хоть бухнем.
Все ж какая-то польза. А то день сегодня совершенно пустой. Так ничего и не надумали... Денис, ты не против?

— Да пейте. Не против, — пожал я плечами. — Вот только вечером мне, возможно, потребуется трезвый Эл. И еще кто-нибудь из
группы.

— А чего?

— Мы же собирались сегодня еще обсудить, что делать с остальными моими должниками. Брат, жена, прокуроришка, доктор...

— Ах да, — шлепнул ладонью себя по лбу Комаль. — Совсем забыл. Так сейчас сядем за стол и, пока не выпили, все решим.

— Не так, — сказал я. — Сейчас пойдем в кабинет — я, ты, Электроник и... кого бы ты порекомендовал?

— Какие требования?

— Должен отлично водить машину, отлично знать город, при необходимости незаметно проследовать за объектом.

— Это за бывшей женой и брательником? — Комаль почесал намечающуюся лысину. — Тогда либо Акын, либо кто-нибудь из девчонок. Но не думаю, чтобы Акын отлично знал город. Он в основном живет в Любане и Тосно. Тебе как Светка?

Я состроил кислую мину.

— Не очень. По-моему, я ей чем-то не нравлюсь.

Комаль хитро улыбнулся и хлопнул меня по плечу.

— А по-моему, наоборот. Просто ты еще не знаешь эту красавицу. У нее все наизнанку. Если бы она себя вела себя с тобой корректно и ровно, я смело бы заложился на то, что ей на тебя наплевать. Но уж больно много внимания она к тебе проявляет. К тому же постоянно испепеляет тебя своим огненным взором. Исподлобья. Не ощутил пока жара?

Я рассмеялся.

— Нет.

— А я вот заметил. Так решено? Берешь Конфетку? К тому же она совершенно не пьет и не расстроится, если ты сегодня оторвешь ее от стола и погонишь работать. Решено, Знахарь?

— Ладно, пусть будет Конфетка, — без особой радости согласился я. — Зови их с Электроником в кабинет...

Вчетвером мы провели в кабинете не меньше часа — обсуждали детали предстоящего наезда на Ангелину и Леонида. Все здесь вроде срасталось как нельзя лучше. У Электроника было необходимое оборудование; у Конфетки — совершенно незаметная красненькая «девятка», каких навалом по всему Питеру. Оставался один нерешенный вопрос: какая у Ангелины с Леонидом машина? И где они ее держат? В гараже? На стоянке? Около дома?

— Придется торчать возле подъезда, — вздохнула Конфетка. — Пасти. А у них вообще-то хоть есть машина?

— Да уж думаю, есть.

— Так чего терять время? — Конфетка решительно поднялась из кресла. — Поехали, встанем возле подъезда. Авось повезет, все узнаем уже сегодня.

— Поехали,— согласился я.— Эл, одевайся. Комаль, остаешься за старшего. Следи, чтобы эти не очень здесь безобразили.

А в гостиной в это время уже стоял дым коромыслом. Шесть человек расположились вокруг журнального столика — Катя на коленях у Крокодила, — и Ворсистый травил бодягу про свою очередную возлюбленную.

— ...И вот, значит, беру я эту каракатицу за жабры. Так, что и пищать даже не может, поганая...

«Сегодня, при доле везения, я возьму за жабры свою каракатицу, — подумал я. — И ее муженька. Иуду-брательника. Эх, знать бы, какая у них машина».

— Счастливо, братва, — заглянул я в гостиную. — Не шумите особо. Не беспокойте соседей. — И вышел из квартиры вслед за Электроником и Конфеткой.

Меня провожал звонкий голос Ворсистого:

— ...Всех таких сук давить надо без жалости. Не жалко ничуточки...

«Не жалко ничуточки». Ясно тебе, Ангелина?

Часть вторая
ОХОТА НАЧИНАЕТСЯ

Глава 1
СТРАСТЬ К ПЕРЕМЕНЕ МЕСТ

Два часа мы проторчали возле дома, в котором жили Ангелина и Леонид. Припарковали «девятку» в «кармане» для стоянки машин метрах в двадцати от нужного нам подъезда и изнывали от скуки под аккомпанемент «Радио Максимум».

Электроник, как только мы прибыли на место, смотался в разведку, проникнув в подъезд с кем-то из жильцов, узнал, где расположена Ангелинина квартира, проверил, как отпирается отмычкой телефонный щиток, а на обратном пути заклинил кодовый замок на входной двери парадной так, чтобы внутрь нее можно было войти без проблем.

— Четвертый этаж. Окна сюда. То, то, то и то. И балкон. Видишь? — Эл ткнул пальцем в направлении дома.

Интересно, и что я должен был там увидеть? Как выделить примерно из полусотни окон четвертого этажа — темных и светлых — то, что нам нужно?

— Определеннее можешь объяснить, где эти окна, — недовольно пробурчал я, — а не тыкать пальцем неизвестно куда?

— Короче, — Электроник поерзал на переднем пассажирском сиденье. — Водосточная труба слева от двери в подъезд...

— Так.

— ...От трубы влево второй балкон — это их. И четыре окна левее балкона.

— Понял. Вижу.

— Темные, — прошептала Конфетка. — Никого нету дома. Если, конечно, не спят.

— В такую рань? — хмыкнул я. — Окстись! Может, ты и ложишься в восемь часов, но не Ангелина и не Леонид.

Светка испепелила меня взглядом через панорамное зеркало. Нет, дружбы между нами никак не получалось.

А Эл тем временем радовался:

— Ништяк. Когда-нибудь да должны вернуться, ублюдки. Тут-то мы и отметим их тачку. Да и телефонный щиток там просто супер. Удобнее не бывает. Подключусь за минуту. И замок на двери в подъезд я заклинил. — Он достал из полиэтиленового пакета какой-то прибор размером меньше пачки сигарет и с гордостью продемонстрировал мне. — Как тебе?

— Что это?

— А-а-а... Это такая штучка, которую подключаешь в щитке к телефонной линии, и она начинает транслировать вот на это, — Электроник достал из пакета небольшую рацию, — все разговоры. А вот это, — он извлек еще некое непонятное мне приспособление, к которому зачем-то был привязан кусок пенопласта, — маяк с магнитом. Прилипнет даже к грязному днищу так, что и не отдерешь. Видишь, даже пенопласт нацепил, чтобы не присосался к чему-нибудь раньше срока. А вот это, — из пакета на свет Божий появилась миниатюрная антенна, напоминающая телевизионную, и нечто, похожее на калькулятор, — пеленгатор. Он принимает сигналы от маяка и показывает, в каком направлении тот находится. И даже расстояние до него с ошибкой не более десяти процентов. Это очень точно, Денис.

Эл весь светился от гордости. Я решил польстить его самолюбию, хотя мне, в общем-то, было на это наплевать.

— И что, ты все это сделал сам?!

— Ну-у-у... — скромно замялся Эл. — Что сделал сам — это преувеличение. Все продается в простых магазинах. И требует лишь небольшой переделки. Таких маяков я наштамповал с десяток и просидел над этим всего один день. С этим справился бы и школьник, увлекающийся радиотехникой.

— И ради этих елочных украшений мы делали такой крюк? — недовольно пробурчала Конфетка.

И была не права. Уж не такой большой крюк мы сделали, чтобы доехать до Народной улицы, где жил Эл и откуда он должен был забрать эти свои электронные прибамбасы. На все про все потратили не больше чем час.

— Светка, — как можно миролюбивее сказал я, — мы без них никак бы не обошлись. Мы были бы и слепыми, и глухими.

— А с ними вы, можно подумать, зрячие. Ха! Уже год, как не можете достать одного мудака, запершегося у себя в избе. Кру-то-та!!! Да на что вы годитесь?!!

— Свет, не забывай, что ты тоже принимаешь в этом участие. И принимаешь давно. Безуспешно. А вот я занимаюсь Хопиным всего первый день.

— Ну коне-э-эчно! Приехал супермен Знахарь — пальцы веером, богатое боевое прошлое. Теперь все срастется. Все будет ништяк... Хрен там — ништяк!!!

Злоба так и перла из нее через край, и я решил, что пора положить этому конец, объясниться, выяснить, что происходит, пока у нас есть свободное время. Море свободного времени.

— Пошли-ка выйдем, — тронул я Конфетку за хрупкое плечико.

— Пошли, — охотно согласилась она.

Уж не знаю, что у нее было сейчас на уме, но, по-моему, она решила, что я собираюсь надрать ей задницу, и уже предвкушала, как даст мне сдачи.

Дудки. Ни малейшего повода помахать ногами я ей не предоставил. Просто положил руки ей на плечи и внимательно посмотрел в глаза. И впервые обратил внимание, какие же они огромные. И бездонные, если, конечно, можно так говорить про глаза.

Наши взгляды пересеклись, она выдержала лишь несколько секунд и потупила взор.

— Свет, — как можно мягче произнес я, — объясни мне, что происходит? У меня создалось впечатление, что я тебя раздражаю. Чем? Ты можешь мне честно ответить?

— Честно? — Она неожиданно крепко прижалась ко мне. — Ни за что я тебя не ненавижу.

— Тогда в чем же дело? — прошептал я, хотя, как мне казалось, уже знал ответ на этот вопрос.

— Сообрази сам. — Конфетка закрыла глаза и приблизила свое лицо к моему. Легко коснулась губами моей щеки. Я чуть приоткрыл рот для поцелуя.

— Ми-и-илый, — с придыхом выдавила она из себя.

И вцепилась зубами в мою нижнюю губу. Зло вцепилась, так, чтобы мне было больно; так, чтобы у меня пошла кровь; так, чтобы я взвизгнул и набросился на нее с кулаками. Чтобы был повод закатать ногой мне в лобешник. Она была совершенно уверена, что именно так и случится.

И ошиблась. Я сдержался. Даже не шелохнулся, молча перетерпев непродолжительный приступ пронзительной боли. Кажется, подсознательно я был готов к чему-то подобному.

— Вот так-то вот, кобелюка, — зло отчеканила Конфетка. — Урок тем, кто решил ко мне приставать. Если вдруг решишь повторить, имей в виду: отобью яйца. Или пришибу вообще. — Она отступила от меня на пару шагов и ждала, что же будет.

Ничего не было. Я улыбнулся. С трудом, но улыбнулся, как можно шире и как можно добрее.

— Ну что, спустила пар? Или хочешь укусить еще раз?

— Перебьешься, — растерянно пробормотала Конфетка.

— Тогда отправляйся обратно в машину. — Я распахнул дверь и влез на заднее сиденье.

Губа изнутри сильно кровоточила, но снаружи, к счастью, не было даже ссадины. Хотя завтра я все равно должен был выглядеть раскрасавцем. После такого напряга губищу должно было разнести обязательно. До невероятных размеров.

— Поговорили? — сонно спросил Электроник.

— Ага. — И тут я расхохотался. — Представляешь, она меня укусила! — Как ни странно, произошедшее между мной и Конфеткой меня не раздражало, а веселило. И ни капельки злости я не испытывал к этой девчонке. Мне ее было жалко. Искренне жалко.

Она вернулась на свое место за руль лишь после того, как выкурила на улице сигарету. Сделала погромче музыку и затихла, замерла. Ни одного слова, ни единого движения. Лишь иногда мимолетные взгляды исподлобья на меня в панорамное зеркало. Я их фиксировал краем глаза, при этом внимательно наблюдая за подъездом, к которому должны были в конце концов подъехать моя бывшая супруга и брат...

Они объявились ровно в одиннадцать вечера.

К этому моменту мы ждали их уже три часа.

К этому моменту мою нижнюю губу разнесло до неприличных размеров.

* * *

Белый «фольксваген пассат» припарковался в «кармане» за две машины от нас, а примерно через минуту в поле зрения появились они. Оба в длинных черных пальто, Леонид с пухлым полиэтиленовым пакетом, набитым, должно быть, продуктами; Ангелина с маленькой сумочкой на длинном ремешке.

Они не спеша направлялись к своему подъезду.

— Эти? — проявил интуицию Эл.

— Ага. — Краем глаза я отметил в панорамном зеркале еще один пронзительный взгляд исподлобья.

— Дождусь, когда у них засветятся окна, и пойду. — Эл достал из своего пакета кусачки и пассатижи. Немного подумал и добавил к ним отвертку. Все инструменты и маленькую коробочку «жучка», который собирался подключить к телефонной линии, он распихал по двум большим накладным карманам своей кожаной куртки.

— Окна засветились, — впервые за последние два часа подала голос Конфетка.

Я бросил взгляд на фасад дома. В двух окнах — там, где балкон, и рядом — горел свет.

— Пошел, — коротко выдохнул Эл и выбрался из машины.

Я последовал за ним. Мне не очень-то хотелось оставаться наедине с Конфеткой, и я решил, что полезнее для здоровья будет прогуляться по улице. Скажем, до подъезда и обратно.

Но долго гулять мне не пришлось. Я не засекал по часам по той простой причине, что их у меня не было, но по моим прикидкам Эл провел в подъезде не больше пяти минут.

— Все нормалек, — доложил он, вернувшись. — Пошли в машину. Звонить.

— Пошли,— кивнул я.— Молодчик ты, Эл.

— Я знаю, — сказал он, скромно потупив взор.

В машине он протянул мне сотовый телефон, и я, мысленно перекрестившись, набрал первый из двух номеров телефонов. Писк, треск, скрежет, — похоже, попал на модем. Второй номер. Длинные гудки. Сначала одной тональности, потом другой. АОН. Я как в воду глядел, ожидая, что напорюсь на него. Напоролся. Вот только хрен чего они им отследят! Я ощутил, как внутри меня прокатилась ледяная волна. Захотелось немедленно отключиться, отложить все хотя бы на час. Но ведь об этом звонке я мечтал целых четыре года. Даже больше.

— Алло. — К телефону подошла Ангелина. Ничего не подозревающая, спокойная, довольная жизнью Ангелина. Так получи!

— Здравствуй, — почти прошептал я.

Молчание.

— Узнала?

Молчание. И я молчал тоже, дожидаясь, когда моя бывшая женушка хоть что-нибудь скажет. Наконец она дрогнувшим голосом спросила:

— Чего тебе надо?

— Тебя. И моего брата. Ведь он твой муж. Твой муж, я так понимаю?

— Да. Оставь нас в покое. Пожалуйста!

— Нет.

Больше ее нервы не выдержали, и она бросила трубку.

Эл показал мне выпяченный вверх большой палец.

— Отлично. Девочка на шугняках. Теперь будем ждать, что же они будут делать. Уверен, что начнут названивать Хопину?

— Не совсем, — пожал я плечами, — но очень на это рассчитываю. Ладно, поживем — увидим. Что-то эти уроды должны сейчас предпринять. И мне почему-то кажется, что они побегут куда-нибудь сломя голову.

— Надеюсь, не к мусорам, — подала голос Конфетка.

— Я в этом просто уверен, — сказал я. — У них у самих рыльце в пушку. Так что светиться перед ментами они не рискнут. Нет, это будет могущественный дяденька Хопин.

Но прошло уже пять минут, а рация в руках Электроника даже ни разу не треснула. Я сидел как на иголках, Конфетка продолжала бросать на меня пламенные взгляды в панорамное зеркало.

— Ну и хрен ли они там телятся? — наконец, не выдержав, зло прошептала она.

В ответ я молча пожал плечами.

— Восемь минут прошло после звонка, — заметил Эл, глянув на часы. — Может, никуда они и не побегут. Запрутся у себя в хате и будут трястись от страха. Чего-то ты, может, не просчитал?

Я промолчал.

И в этот момент ожила рация...

* * *

Ангелина бросила трубку и замерла в коридоре около телефона, не в силах сделать ни единого движения. Она ощущала, как от нахлынувшего на нее ужаса мелко дрожат колени и руки. Она сознавала, что надо срочно сообщить об этом звонке Леониду, и не могла произнести ни слова. Наконец неверной старушечьей походкой Ангелина поплелась в гостиную, где муж безмятежно сидел перед телевизором, мусоля бутылочку пива.

— Ленчик...

Леонид поднял на нее взгляд и сразу понял, что что-то произошло. Такой дрожащей и бледной он не видел жену никогда.

— Что случилось? — Леонид отставил в сторону пиво.— Кто звонил?

— Он.

— Кто «он»? — И Леонид сразу же догадался: — Константин?

— Да. Что делать?

О том, что Константин бежал из ижменской зоны, им сообщил Хопин еще в конце лета. И сразу же успокоил: мол, не о чем волноваться. Разин-старший, скорее всего, просто сгинет в тайге, а если даже каким-то чудом сумеет выбраться к железной дороге, там его перехватит милиция. Шансов добраться до Питера у него никаких.

И вот ведь все же добрался! И каким-то чудом сумел узнать номер их нового телефона. А значит, не исключено, что может узнать и адрес. Если уже не знает. Что-то будет теперь? Ведь ему терять нечего! Он не остановится ни перед чем, чтобы отомстить!

— Что делать, Ленчик?

— Долго по Питеру он не прогуляет. Два-три дня. От силы, неделю. Ориентировка на него есть у любого мента. А нам, пока его не изловили, придется куда-нибудь переехать.

— А если он сейчас болтается где-нибудь возле подъезда? — дрогнувшим голосом спросила Ангелина. — Стоит нам выйти из квартиры... Ленчик, может быть, лучше запереться и никуда не выходить? Еды на неделю нам хватит.

Леонид неопределенно пожал плечами.

— Не знаю. Может, и лучше. Надо звонить Хопину. Что он подскажет?

— Нужны мы ему, — дрожащим голосом простонала Ангелина. — О Господи! У тебя даже нет газового пистолета! Нет даже электрошокера! Почему ты не купил? Почему ты не установил железную дверь? Ну почему-у-у! Почему-у-у-у-у!!!

С ней начиналась истерика. Она захлебывалась в рыданиях, ей стало не хватать воздуха. Ее лицо сперва побледнело, потом стремительно приобрело жуткий синюшный оттенок. Она медленно опустилась на палас около кресла.

Леонид растерялся. Стоял посреди комнаты и в ужасе пялился на задыхающуюся супругу. Потом решил бежать за водой на кухню, но в этот момент вспомнил об одном весьма действенном средстве против истерик. Подскочил к Ангелине и от души влепил ей пощечину. Еще одну! Еще!

С громким сипом Ангелина жадно втянула в себя воздух. Глаза приобрели осмысленное выражение.

— Очухалась? — прошипел Леонид.

Его жена не произнесла в ответ ни единого слова. Лишь молча кивнула.

— Дура! Сейчас только и время, чтобы возиться с твоими припадками. Иди на кухню, накапай себе валерьянки. А я буду звонить Хопину.

— Звони... Пожалуйста, Леня... Умоляй... Умоляй его, чтобы помог... Чтобы на время приютил нас у себя, — с трудом выдавила из себя Ангелина. — Я не хочу умира-а-ать!!!

— Идиотка! — зло процедил Леонид. — С чего ты собралась подыхать?

— Я знаю... Я точно знаю, что если мы сейчас не укроемся... он до нас доберется. И убьет... О Бо-о-оже! — тоненько взвыла она. — Убье-о-от!!!

— Заткнись!

— Я зна-а-аю! Он только затем и бежал из тюрьмы... чтобы добраться до нас... Чтобы нам отомстить... Ле-о-оня, пожалуйста! Звони!!! Ну звони же ты Хопину!!!

Леонид раздраженно скрипнул зубами, брезгливо поморщился. Такой уродливой свою жену он, кажется, еще не видел. Лицо, еще недавно бледно-синее, как у покойницы, теперь покрылось ярко-красными пятнами и за считанные минуты опухло так, будто Ангелина неделю не выходила из запоя. От глаз по щекам протянулись фиолетовые разводы туши. Вокруг губ были размазаны остатки алой, как кровь, помады.

— Позвони, — жалобно всхлипнула она.

— Закрой пасть, тогда позвоню! А еще лучше убирайся в ванную и умойся. — Леонид сходил в коридор и принес — благо, позволял длинный шнур — оттуда в комнату телефон. — Ну! — прикрикнул он на жену.

— Ленчик, пожалуйста... Не гони... Я послушаю... А умоюсь потом... Пожа-а-алуйста!

— Вот идиотка, — покачал головой Леонид. — Черт с тобой, слушай, если так интересно. Но, не приведи Господь, если встрянешь! — И он достал с книжной полки свою записную книжку.

По домашнему номеру у Хопина никто не подошел, но сотовый, к счастью, оказался включен.

— Говорите, — сразу ответили ему, и Леонид облегченно вздохнул.

С этого момента он уже ощущал себя под надежной защитой. И пускай теперь этот свихнувшийся Костька бьется своей дурной башкой о бетонную стену. Удрал с зоны, так и зашхерился бы где-нибудь у дружков, а не лез на рожон. А теперь все, хана! Не проболтается на свободе и пары деньков. Обложить со всех сторон; расставить засады; изловить дурака — лишь вопрос времени.

— Аркадий Андреевич, здравствуйте. Это Разин. Леонид.

— Привет, — недовольно пробурчал в ответ Хопин. — Что у тебя? Говори покороче.

— Только что нам звонил мой старший брат. Константин.

— Та-а-ак. — Недовольство в тоне Хопина резко сменилось живым интересом. — Ты уверен, что именно он? Что это не какой-нибудь розыгрыш?

— Кому надо нас так глупо разыгрывать? — Леонида удивило, что Хопин вдруг сподобился на такой пустой дурацкий вопрос. — К тому же никто больше не в курсе всех наших дел. Да и Ангелина... Она говорила с ним по телефону. А уж голос-то своего бывшего мужа, думаю, знает отлично.

— Хм, — ухмыльнулся Хопин. — Выходит, все-таки выбрался из тайги, скользкий ублюдок. Ничего, здесь он долго не прогуляет. Займусь им немедленно... Угрожал?

— Не о здоровье ж справлялся? Зачем ему еще надо было звонить? Аркадий Андреевич, мы с Линой обеспокоены.

— Чего он вам сделает? Сидите дома. Ждите, когда менты его возьмут.

— У нас даже нет металлической двери. При желании вломиться в квартиру можно с одного хорошего удара.

— Не такой уж братец твой здоровяк, чтобы выбить входную дверь, — заметил Хопин.

— Я уверен, что если он попрется к нам в гости, то будет не один. Уж всяко в «Крестах», да и на зоне обзавелся какими-нибудь отмороженными дружками... Аркадий Андреевич, мы с Линой можем на несколько дней, пока его не изловят, переехать жить к вам? Понимаете...

— Исключено, — перебил Хопин и ненадолго задумался. — Вот что, Леонид, — наконец он принял решение. — Если вам так уж приспичило сменить на время прописку, у меня есть в Веселом Поселке квартирка. Живите там, пока твоего родственничка не вычислят. Сейчас направлю к тебе двоих охранников с ключами. Они вас проводят до адреса. А заодно присмотрят, чтобы этот разбойник не напал из-за угла. Пока собирайте вещички. Минут через сорок за вами подъедут. Пять звонков — два длинных, потом три коротких. Открывай дверь только тогда. Договорились?

— Отлично.

— Повтори.

Леонид радостно подмигнул Ангелине и выпятил вверх большой палец.

— Пять звонков, — сказал он. — Два длинных, потом три коротких. Спасибо, Аркадий Андреевич. — Леонид почувствовал, как с души будто свалился тяжелый камень. — Два длинных, потом три коротких, — еще раз повторил он, и его смуглая красивая физиономия расплылась в широкой улыбке.

* * *

— Два длинных, потом три коротких, — пробормотала Конфетка. — Охранничков вырубим без проблем, особенно если навалимся на них неожиданно, еще в подъезде. А потом пожалуем в гости к твоим бывшим родственничкам. Пять звонков. Ха! Звездец конспираторам!

— Нет, — решительно отрезал я. — Пусть убираются в свой Веселый Поселок. Рановато им подыхать. Я хочу с ними еще чуть-чуть поиграться.

Конфетка обернулась и смерила меня долгим недобрым взглядом.

— У тебя есть на это свободное время? — недовольно прошипела она. — Не забывай, что первым в очереди у нас Хопин.

Ее презрительно прищуренный взгляд должен был немедля заставить опомниться непрактичного чудака, замутившего какую-то неслыханную романтичную ответку, вместо того, чтобы взять и без проблем, по-простому, завалить двоих недалеких лохов. После чего, освободив свою совесть от давнего долга, заниматься поистине важным делом — Аркадием Андреевичем Хопиным.

Вот только оказалось, что «чудаку» на этот испепеляющий прищуренный взгляд глубоко наплевать.

— Одно другому не помешает, — спокойно улыбнулся я. — А может, наоборот, если сейчас замочим брательника и бывшую женушку, то разломаем хороший мостик к этому Хопину. Ничего нельзя предвидеть заранее. И не надо спешить что-нибудь разрушать. Это успеем всегда.

— Успеем ли? — хмыкнула Конфетка. — Смотри, не обломайся. Свалят... Впрочем, — заключила она, — хозяин барин. Упустишь — твой головняк. А мне эти двое до фонаря. — И, отвернувшись от меня, принялась безразлично открывать новую пачку «Мальборо».

Пока Конфетка выкуривала сигарету, я отправил Эла установить на «пассате» маяк.

— А если они решат оставить машину здесь и поедут с охранниками? — забеспокоился он.

Но я был уверен, что этого не случится. Слишком мой братец ценит удобства, чтобы даже на несколько дней остаться без своего «фольксвагена». Да и не станет он оставлять его более чем на сутки на улице. Предпочтет держать поближе к себе.

— Все нормалек, — заверил я Электроника. — Они поедут на «пассате».

Эл молча пожал плечами и, отвязав от магнита маяка пенопласт-«предохранитель», выбрался из «девятки». Вернулся обратно меньше чем через минуту. Доложил:

— Все отлично. — И, покрутив на пеленгаторе верньеры настройки, направил на «фольксваген» антенну. — Работает. Как в аптеке, — с гордостью сообщил он.

Потом Конфетка отогнала «девятку» подальше от дома, отыскав удобное место, откуда нам были отлично видны и подъезд, и «пассат», в то время как наша машина совершенно не бросалась в глаза.

— Надеюсь, они не будут обшаривать «фольксваген» каким-нибудь сраным детектором, — вздохнул Эл и продемонстрировал мне маленький дисплей своего сканера, на котором было высвечено число «110».

— Видишь, до нее сто десять метров. Как в аптеке, — еще раз похвастался он.

Хопин оказался весьма пунктуальным. Двое охранников, направленных им к Леониду, нарисовались возле подъезда на серебристом «мицубиси паджеро», не прошло и сорока минут после телефонного разговора, отслеженного нами. Они припарковали джип как раз на то место, где недавно стояла наша «девятка», и прежде, чем зайти в дом, неторопливо прогулялись вдоль ряда машин, выстроившихся напротив подъезда, внимательно заглядывая в салон каждой из них.

— А ведь эти козлы кое-что соображают, — заметила Конфетка. — Мы правильно сделали, что оттуда свалили. Надеюсь, они не полезут в телефонный щиток?

— Не думаю, — неуверенно пробормотал Эл. — К тому же я, кажется, его запер. Меня больше волнует, чтобы они не стали обшаривать «пассат».

Но его волнения оказались напрасными. На то, что на «фольксвагене» может быть установлен маяк, у премудрых охранников ума не хватило. Они пробыли у Леонида и Ангелины не больше пяти минут. Потом один из них вышел на улицу и уселся в «пассат». Минуты две гонял вхолостую движок, после чего подогнал машину вплотную к двери подъезда.

Конфетка расхохоталась:

— Они, похоже, опасаются снайпера.

А Леонид с Ангелиной уже выскользнули из подъезда и, как две мышки в норку, юрко шмыгнули на заднее сиденье своей машины. Охранник так и остался за рулем «пассата». Его напарник устроился в джипе.

— Эвакуация началась, — прокомментировал я. — И путь в Веселый Поселок у этих ублюдков только один — через Володарский мост. Не упустим. Будем держаться в паре кварталов от них. Так, чтобы нас не засветили, но и так, чтобы не отпускать их далеко. А вот после моста придется прижаться к ним поплотнее. Ясно, Света?

Она снова расхохоталась. Настолько едко, что казалось, ее смех способен вызвать изжогу.

— Денис, милый мой! Любимый мой мальчик! И кого же ты решил инструктировать? Я согласна, что по тайге от ментов ты бегаешь, может быть, лучше меня. Но в городе позволь мне обходиться без твоих дурацких советов. Договорились, родной?

Я не удостоил эту язву ответом. В этот момент «пассат» и «мицубиси» тронулись к выезду со двора. И стоило только им завернуть за угол дома и скрыться из виду, как Конфетка повернула ключ зажигания, одновременно отпустив сцепление и резко вывернув руль. «Девятка», уже поставленная на заднюю передачу, скрипнула по асфальту резиной передних колес и резко развернулась на месте на девяносто градусов. И сразу рванула вперед, загнав в кусты девушку с большим черным догом и лихо набирая скорость на узкой дорожке.

— Выедем со двора с другой стороны, — объяснила Конфетка и с разгону влетела в глубокую яму. — Блин! Ништяк, у меня титановые диски...

До Володарского моста мы добрались меньше чем за пятнадцать минут, держась в полукилометре от «пассата». Но перед самым мостом Конфетка резко прибавила газу.

— Отвечаю, эти козлы уже перестали оглядываться, — сказала она. — Конечно, вначале попялились в зеркальце, пока не убедились, что за ними нет никакого хвоста. И успокоились... Вон они. Джип позади.

— Сто сорок метров, — сообщил Эл, направив на «пассат» антенну.

— Так и будем держаться. — Конфетка сбросила скорость и сунула в рот сигарету. — Не ссы, милый мой Знахарь. Никуда не денется твоя любимая женушка. Главное, нам бы не засветиться по-глупому. Как начнут сейчас они проявлять наружку, крутиться по пустым улицам или дворам, — вздохнула она, — прежде, чем подъехать к нужному дому. Кто их знает?

«М-да, — мысленно поддержал я Конфетку, — от этих двоих конспираторов, если они профессионалы и относятся к делу серьезно, вполне можно ждать таких пакостей. А подобное было бы для нас бо-о-ольшим геморроем!»

Но никаких хитрых маневров охраннички применять и не подумали. Должно быть, не заметив ничего подозрительного в зеркалах заднего вида в Купчине, решили, что никакого хвоста за ними нет. А потому, отъехав не так уж и далеко от Володарского моста, они смело свернули в один из дворов, застроенный «хрущевками», и притормозили возле блочной пятиэтажки. Конфетка, последовав за ними, сориентировалась моментально. Обогнув заброшенное футбольное поле и несколько металлических гаражей, она забралась левыми колесами на газон и припарковала «девятку» напротив одного из подъездов другой пятиэтажки так, что и «пассат», и «мицубиси» находились от нас метрах в восьмидесяти и были видны нам очень даже неплохо. Правда, и мы торчали на обзоре охранников. А вызывать у них к себе интерес мне совсем не хотелось.

В этом вопросе Конфетка была со мной солидарна.

— Мы с Элом выйдем сейчас, покопаемся немного в багажнике, — решила она, — и уберемся в подъезд. Типа мы здесь живем. А то еще моя тачка вызовет у этих придурков ненужные подозрения. Кто их знает, красавцев, о чем они думают? Лучше перестраховаться... Пошли, Эл. А ты, Знахарь, смотри, где сейчас загорится свет. Даст Бог, окна квартирки на эту сторону. Пятьдесят на пятьдесят.

«Да, — подумал я, — и правда. Пятьдесят на пятьдесят... Планировку этой серии мне довелось хорошо изучить еще во времена работы в „скорой“, когда вдоволь поболтался по „спальным" районам, застроенным дешевыми неудобными „хрущевками". Пять этажей — по четыре квартиры на каждом. Итого двадцать. Из них окна только десяти выходят сюда. Если Госпожа Удача, ведущая себя сегодня пока весьма сносно, еще не решила от меня отвернуться, то квартира, где собрались поселиться Леонид с Ангелиной, окажется с окнами на нашу сторону. Тогда не возникнет совсем никаких проблем с определением точного адреса. Достаточно отметить, где сейчас загорится свет. В противном, худшем для меня, случае придется вычислять из остальных десяти квартир — тех, чьи окна мне не видны. Не сахар, конечно, но не такая уж неразрешимая задача. Справлюсь».

Леонид и Ангелина в сопровождении одного из охранников скрылись в подъезде.

Эл с серьезным видом копошился в багажнике «девятки». Конфетка стояла рядом и делала вид, будто дает «мужу» советы, что забирать домой, а что оставить в машине.

Я усмехнулся: «Ну, артисты!» — и принялся подсчитывать, в скольких квартирах, чьи окна выходят на нашу сторону, не горит свет. Одна на первом этаже, одна на втором, две на третьем, еще одна на четвертом. Итого, всего пять квартир. Правда, то, что там нет света, вовсе не означает, что они сейчас пустуют. Уже довольно поздно, и их обитатели вполне могли завалиться спать. И все же шансы на то, что нужная мне квартира окажется с окнами на мою сторону, казались довольно значительными. Куда больше, чем спрогнозированные Конфеткой «пятьдесят на пятьдесят». И я не ошибся. Похоже, Удача решила покровительствовать мне до победного конца.

Свет зажегся на третьем этаже справа от лестницы. При этом через кухонное окно было отлично видно, что сначала осветилась прихожая. А потом уже большая комната — та, что с балконом.

Есть контакт!

Эл громко хлопнул крышкой багажника и, демонстративно неся в охапке пухлый полиэтиленовый пакет, поплелся следом за Конфеткой в подъезд. А я напряг зрение и, несмотря на темноту, заметил, как тот из охранников, что остался болтаться на улице, провожает их долгим взглядом. Скорее всего, от банальной скуки, а вовсе не потому, что наша машина вызвала у него какие-нибудь подозрения...

Элу с Конфеткой пришлось проторчать в подъезде не менее получаса, пока охранники наконец не уселись в свой «мицубиси» и не убрались восвояси.

— З-задницы! — Конфетка распахнула дверцу, нырнула в машину и сразу вцепилась в пачку «Мальборо». — Какого хрена они там столько вошкались! А мне, конечно же, надо было забыть сигареты!

Эл в этот момент укладывал обратно в багажник пухлый пакет, который успешно выполнил свою бутафорскую функцию.

— Как времечко провели? — поинтересовался я у Конфетки. — Не очень скучали?

И, естественно, тут же вынужден был проглотить очередную порцию хамства.

— Совсем не скучали! Трахались! — выплюнула Конфетка в меня, обернувшись. — Понятно? Доволен?

— Более чем. Жди теперь киндер-сюрприза и декретного отпуска, — зло выдавил я. — И не кури мне прямо в нос. Засекла, какая квартира?

— Двадцать девятая. — Конфетка опустила стекло и демонстративно выдохнула дым в боковое окно.

Я прикинул в уме: если это второй подъезд, то номер квартиры действительно должен быть двадцать девятым. И все-таки лучше не лениться и лишний раз проверить.

— Все же подъедем туда и уточним, — распорядился я.

— Обязательно. — В машину уселся закончивший возню с багажником и пакетом Эл. — Я заодно сниму маяк с их «пассата». Чего зря пропадать добру?

— А может, оставить? Пригодится еще, — заметил я, но Эл в ответ лишь ухмыльнулся:

— До завтра в нем уже напрочь сядут батарейки. Лучше потом, когда понадобится, установим еще один.

Конфетка тронула с места машину и, несмотря на титановые диски, начала очень осторожно сползать левыми колесами с высокого поребрика. Я же в этот момент с грустью думал: «А ведь и правда, проклятый маяк пашет на батарейках. А я почему-то этого не учел. Неужели настолько отупел за те четыре года, что провел „у хозяина“? Совершенно отвык от нормальной человеческой цивилизации? Плохо... Грустно... Очень грустно!»

Номер квартиры действительно оказался двадцать девятым. При этом пока Эл отдирал от днища «пассата» маяк, я не поленился подняться на третий этаж и полюбовался на входную дверь.

— Ну, чего там? — поинтересовалась Конфетка, как только я вернулся в машину.

— Дверка, которая вышибается одним ударом ноги. Даже без «глазка». Так что на крайняк вломиться туда — никаких проблем.

— Вот и нормалек, — вынесла заключение Конфетка. — Знахарь, на сегодня программа окончена? Или придумаешь нам еще какой-нибудь головняк?

— Все, закончили. Разбегаемся баиньки, — успокоил я ее. — Надеюсь, ты меня подбросишь до дома? Не придется ловить такси?

— Черт с тобой, милый. Подброшу, — не преминула уколоть меня Конфетка. — Куда же ты без меня, немощный? На такси разоришься.

Странно, но, похоже, я уже успел настолько привыкнуть к тому, что эта красавица даже и не пытается скрыть того, что испытывает ко мне неприязнь, что совершенно перестал обращать внимание на ее постоянное хамство. Я просто пропускал его мимо ушей. А может, это заслуга Кристины, которая еще совсем недавно так старательно трепала мне нервы, что вылудила их до состояния полнейшей бесчувственности?

Эх, Кристина, Кристина... Малышка Крис, как ты там без меня, в этой мрачной дикой Ижме? Сумела ли спокойно переварить мое исчезновение? Смогла ли простить меня, негодяя?

Вот я сам себя, кажется, не простил. И, наверное, не прощу никогда. И за тебя, и, более того, за Настасью, которая, не объявись я на ее горизонте, была бы сейчас жива. И, возможно, даже по-своему счастлива. И какого же дьявола мне понадобилось приручать эту несмышленую невинную девочку?! Только затем, чтобы довести ее до погоста? Какой же я эгоист! Какой же подлец!

— О чем задумался, Знахарь?

Я стряхнул с себя мрачные думки и только тогда заметил, что мы уже подкатили к дому Эла, который жил всего в трех-четырех троллейбусных остановках от того места, где сейчас обитали Леонид с Ангелиной. Сегодня мы здесь уже побывали, когда заезжали за электронными прибамбасами, которые потом использовали в своих шпионских играх.

— Все, пошел отсыпаться. — Электроник протянул мне на прощание руку. — Завтра я нужен?

— Жди звонка во второй половине дня, — ответил я, и Эл, буркнув «Угу!», выскользнул из машины.

А я поспешил перебраться вперед на его место. Никогда не любил ездить на заднем сиденье.

— К тебе? — Конфетка тронула с места «девятку».

И вдруг из злобной фурии превратилась в настоящего ангела. И куда только делось все ее ничем неприкрытое хамство? И где только растворились ее обжигающие взгляды исподлобья? Рядом со мной оказалась чудесная, замечательная девчонка. Неприязнь неожиданно сменилась участием и искренним сопереживанием. И в том, что оно действительно искреннее, я ни на миг не сомневался. Мысли о том, что все это резкое изменение в ее отношении ко мне может оказаться прелюдией к какой-нибудь провокации, я даже не держал в голове. За четыре года варки в котле непростых человеческих отношений я научился достаточно хорошо разбираться в людях. В том числе в женщинах.

Глава 2
МЫ ОДИНАКОВО НЕСЧАСТНЫ

— Так о чем ты, Денис, так серьезно задумался? — переспросила меня Конфетка, стоило «девятке» отчалить от тротуара.

— О том, какая же я грязная скотина, — честно признался я.

— Ты уверен, что это именно так? — Конфетка на секунду отвлеклась от дороги и бросила на меня мимолетный взгляд. А я с удивлением обнаружил, что ее голос, оказывается, может звучать удивительно мягко. Совсем без, казалось бы, неизбежных примесей едкой щелочи и металла. — Денис, скажи, ведь тебя что-то гложет?

— Иногда, — вздохнул я. — Бывает так, что оно — это что-то — наваливается на меня, затягивает в какую-то чудовищную мясорубку... душегубку... И начинает терзать, рвать на куски.

— А ты никогда ни с кем не пытался этим делиться?

122

Я задумался. Когда? С кем? То, как я тяжело переживаю гибель Настасьи, как виню в этом себя, видел, пожалуй, только Комяк. Но тогда, в тайге, ему было не до того, чтобы заострять внимание на моем сплине. Да и у меня все эмоции тогда легко вытеснялись целым сонмом текущих проблем, вызванных сложной дорогой и беспомощностью моего раненого проводника. Потом тоже вроде было совсем не до тяжких думок о том, насколько я виноват в смерти несчастной девочки-нетоверки. Кослан, Микунь, Сыктывкар, Пермь... Новые люди, свежие впечатления, заботы о том, как бы не угодить в лапы ментам... Но вот появилось море свободного времени, когда я бездельничал после пластической операции в одной из частных лечебниц Перми. Именно тогда я и испытал на себе, что такое настоящая — вязкая, словно патока; бездонная, как Марианская впадина — всепожирающая хандра. Валялся в постели, тупо пялился в потолок и ел поедом сам себя. За то, что так по-собачьи обошелся с несчастной маленькой Крис; за то, что явился причиной (хотя и косвенной) гибели Трофима и Насти; за то, что по-подлому ножом в спину заколол солдата, который не успел сделать мне ничего плохого, а потом хладнокровно разнес из дробовика башку сопливому дураку мальчишке, сдавшемуся нам в плен. Черт меня знает, может, и не пережил бы я этого приступа депрессняка, наложил бы на себя белы рученьки — или спился бы, или бы подсел на иглу, — если бы не цель номер один всей моей жизни — должок брательнику и бывшей женушке; адвокату и прокурору; и, наконец, негодяю Хопину, совершенно уверенному в том, что он вправе манипулировать человеческими судьбами...

— Денис. Дени-и-ис. — Конфетка легко коснулась моего локтя. — Опять задумываешься? Дурной признак. Смотри, как бы не пришлось обращаться к психиатру.

— Не придется, — пробурчал я.

— Хорошо бы. — Конфетка притормозила перед светофором, вытащила из пачки «Мальборо» сигарету. Прикурила и задумчиво произнесла: — Знаешь, порой бывает так, что проще поделиться с кем-нибудь грузом, который тебя тяготит, чем волочить его на себе в одиночестве.

Загорелся зеленый, и «девятка» начала набирать скорость по Ивановской улице.

— А тебе, кажется, хочется, чтобы я поделился с тобой своим геморроем? — поинтересовался я. — Не пойму только, зачем тебе это надо? Обычное женское любопытство?

— Я и сама не пойму. — Конфетка чуть заметно пожала плечами. — Возможно, что так. Ты мне действительно интересен. Никогда не встречала человека... — Она на секунду замялась, подыскивая подходящую формулировку.

И выбрала самый обычный штамп. — Человека с такой сложной судьбой.

— Никогда не встречал человека с таким сложным характером, — выдал я алаверды довольно мрачным тоном. — А вообще-то, что ты можешь знать о моей судьбе?

— Ничего. Точнее, никаких подробностей. — Конфетка, разогнавшись по путепроводу над станцией «Сортировочная», переключила на пятую передачу. И, помолчав пару секунд, виноватым тоном произнесла: — Денис, ты меня извини, что вела сегодня себя как последняя стерва. Это совсем не потому, что ты мне не нравишься. Наоборот... У меня, у непутевой, все наоборот. Все не как у нормальных людей... Сама не пойму... Я почему-то поставила перед собой цель вывести тебя из терпения. И злилась, что у меня ничего не выходит.

— Никогда ничего у тебя и не выйдет, — хмыкнул я. — Просто полгода назад я прошел трехмесячные тренировочные сборы у одного из ведущих специалистов по трепке нервов. Ее зовут Крис. Кристина. Вот это профи! Ты по сравнению с ней всего лишь любитель.

— Расскажи. — Конфетка опять отвлеклась от дороги и уперлась в меня своим рентгеновским взором.

— Смотри вперед. Сейчас куда-нибудь вмажемся... Так про что тебе рассказать? Про Кристину?

— Про все.

«Вот уж нет, — подумал я, — перебьешься! Это мое, и никто никогда от меня не услышит больше того, что я сочту возможным рассказать про Крис и Настасью, про Комяка и Трофима, про чувство вины, которое источило меня, как термит кусок древесины, и приступы сплина, которые развили во мне жестокую монофобию*. Никто! Никогда!»

Именно так я подумал...

...и неожиданно для себя вдруг начал рассказывать. Сам удивляясь тому, что, поддавшись какому-то непонятному импульсу, взял вот и безоглядно пересек границу, за которой вступает в силу гриф «Только для личного пользования»; за которой на все-все-все наложено строжайшее табу неразглашения.

Я без жалости выливал из себя все те головняки, что накопились во мне за последнее время. Я, не скупясь, делился философией разочарованного жизнью бедолаги, которая сформировалась во мне в последнее время.

Я, ни на секунду не прерываясь, молол языком, изливая душу. Сознавая, что, возможно, выгляжу сейчас в ее глазах не в лучшем свете, выставляя на обозрение свои неприглядные кровоточащие болячки. Настоящие мужчины стараются скрывать их от окружающих, занимаются самолечением, даже не держа в голове

---

* Монофобия — страх одиночества.

мысли о том, чтобы попробовать поискать себе доктора. Я же, слабак, как только выдалась такая возможность, тут же поспешил выпятить наружу все свои язвы. Но мне от этого, кажется, стало действительно немного полегче.

— Мерзко слушать меня, душного пессимиста? — спросил я у Конфетки. — Все выкрашено одной черной краской. Ни просвета, ни проблеска. Один сплошной мрак.

— Сплошная жизнь. Не ее нарядный фасад, отремонтированный для показухи, а вонючие внутренности. — Конфетка, любительница быстрой езды, сейчас плелась по пустынным ночным улицам Купчина со скоростью поломанного троллейбуса. Она не спешила доставить меня до места. Она не хотела прерывать нашу беседу. — А знаешь, мы ведь в какой-то мере сродни друг другу, Денис. Ты один. И я одна — когда угодила под суд, от меня отрекся даже отец. Ты прошел все круги ада. И я тоже прошла, хотя и в меньшей мере, пожалуй. Ты впереди видишь лишь пустоту. Ха... — горько усмехнулась Конфетка. — Я тоже, милый!

— Собрались два воинствующих пессимиста в одной тесной машинке, — прокомментировал я, но Светка пропустила мои слова мимо ушей.

— Теперь я понимаю, почему ты не желаешь быстрой смерти своей бывшей жене и брательнику, — сказала она. — Все верно. Так и должно быть, Денис. Если тебе будет тяжело справиться одному, я всегда помогу. Только скажи. — Конфетка ненадолго замолчала, закурила очередную сигарету и, опустив немного боковое стекло, мощной струей выдула дым наружу. — Хочешь, расскажу тебе то, что стараюсь никому-никому не рассказывать? — повернулась она ко мне.

— Зачем же, если стараешься никому-никому? — неуверенно промямлил я.

— Слушай. Четыре года назад я была студенткой третьего курса университета. Между прочим, юрфака. И, между прочим, круглой отличницей. Все было замечательно, все впереди виделось в розовых красках. У меня был жених, мы любили друг друга. У меня был отец, важняк военной прокуратуры, — мы очень дружно с ним жили. Вдвоем. Мать у меня умерла, когда я была еще маленькой. — Конфетка свернула на Кузнецовскую улицу. До моего дома оставались какие-то триста метров. — Это случилось на католическое Рождество. Какого-то черта меня понесло к подруге в общагу. А там дым, пьянка. Я не пью, но меня все равно усадили за стол. И удерживали там чуть ли не силой. Несколько раз я пыталась свалить, но меня не пускали, хватали за руки, упрашивали, говорили, что если уйду, то испорчу весь праздник. — Конфетка свернула во двор и остановилась возле моего дома. — Ты не спешишь? — спросила меня.

— Нет, — отрицательно покачал я головой.

— Тогда слушай дальше. Ну так вот, сначала нас было пятеро. Я, моя подружка и трое парней — двое питерских и аспирант, хозяин комнаты, где мы сидели. Потом подруга и один из питерских куда-то свалили. И после этого все началось. Тот ублюдок, который из Питера — его звали Рашид, — упился в хлам. Запер комнату изнутри на ключ и полез ко мне. Я начала отбиваться. Аспирант попытался прийти мне на помощь, но Рашид вмазал ему по кумполу. А в нем, в мудаке, весу под центнер. И он тогда был в сборной университета по самбо. Короче, хозяина комнаты вырубил без проблем. А потом опять принялся за меня. Двинул по башке кулачищем так, что я на какое-то время потеряла сознание...

— Ты же сама неплохо дерешься ногами, — перебил я Конфетку.

— Там в комнате было тесно. Не развернуться. Пару раз я достала его по брюху, но это было все равно, что бить в бетонную стену. Этот медведь схватил меня в охапку так, что я не могла ни охнуть, ни шелохнуться. Короче, очухалась, привязанная враскоряку к кровати. Совсем голая. И сверху возилась вонючая потная туша. А я даже не могла закричать — он запихал мне в рот кляп. — Конфетка тяжко вздохнула, и я подумал, как это тяжко — прокручивать в памяти подобные, отдающие трупным запахом эпизоды, пережитые в прошлом. Я отлично знал это из личного опыта. — В общем, этот мудак насиловал меня до утра, — продолжала Конфетка. — Когда очухался аспирант, Рашид заставил его хлебать водку, пока тот снова не вырубился и не заснул под столом. А сам же, скотина, пил, как бездонная бочка. И, наконец, слава Богу, тоже заснул. Прямо за столом, харей в тарелке. Без штанов — как слез с меня, так и не удосужился их натянуть. А дальше... Я не помню, как сумела отвязаться. И первым делом, даже не думая, что надо одеться, взяла литровую бутылку с водярой и ею сделала ублюдку анестезию. Точнехонько в темечко. Бутылка в осколки. Вся башня в кровище. Он шмякнулся на пол и основательно вырубился. А я взяла со стола столовый нож и вырезала ему все между ног. А потом нашинковала все это на меленькие кусочки, чтобы назад приделывать было нечего. Вот так-то, Денис. — Конфетка повернулась направо и одарила меня долгим взглядом. Исподлобья. Мне нравилось, как она это делает. — Вот так-то, — еще раз повторила она. — Сколько потом ни пыталась вспомнить в подробностях то, как все это проделала, так ничего и не получилось. Какие-то жалкие обрывки воспоминаний, а все остальное будто во сне. Подобное называется состоянием аффекта, и если бы я смогла это доказать на суде, все было бы нормалек. Но я не смогла доказать даже того, что перед этим меня несколько раз изнасиловали. Никаких экспертиз, никаких врачебных осмотров. Даже аспирант показал, что никто его не бил и не заставлял силой пить водку. Типа, нажрался сам и завалился спать. И ни хрена не видел. А если бы даже и видел, то все равно по пьяни ничего не запомнил бы. Короче, это был фарс, а не суд. Папаша этого кастрированного Рашида оказался каким-то крупным эмвэдэшным чинушей. Дядька — того выше — занимал в Москве пост чуть не под самыми небесами.

— А чего твой отец? — спросил я. — Он ведь тоже...

— Он тоже, — перебила меня Конфетка, — оказался дерьмом. Таким же, как и все остальные. Поспешил от меня отречься, как только возбудили дело за нанесение тяжких. Ему его рабочее кресло оказалось дороже единственной дочери. Он даже не явился на суд. И не переслал мне ни одной дачки. Впрочем, как и мой любимый женишок Дима.

— Тоже отрекся?

— Есте-е-ественно. Не смог простить мне того, что меня изнасиловали. И я почти три года, пока не откинулась по амнистии, хлебала одну баланду.

— А как откинулась, — улыбнулся я, — не пыталась продолжить разговор с этим кастратом?

— Ха, — довольно хмыкнула Конфетка. — Бог шельму метит. Уже два года, как кастрат сдох от ложного крупа. Представляешь, такой здоровяк?

— Может, потому что без члена и без яиц? — расхохотался я. — Иммунная недостаточность, нарушение обмена веществ.

— Может, — хихикнула Светка и, посерьезнев, добавила: — Все б ничего. Вот только... только после того случая я стала ярой мужененавистницей. Могу свободно общаться с мужчинами, поддерживать с ними дружеские отношения, даже очень теплые отношения. Но как только проявляется что-то, хоть немного похожее на стремление достичь со мной половой близости, я сразу чуть не блюю от отвращения. Не могу даже заставить себя кого-то поцеловать. Так что ты теперь, может быть, понимаешь, почему я сегодня цапнула тебя за губу.

«Не сегодня. Уже вчера», — машинально поправил я, бросив взгляд на часы, закрепленные на «торпеде». А вслух произнес:

— Наплевать. Я уже это забыл. — И потрогал основательно увеличившуюся в размерах губешку. — Ты, Светка, лучше скажи, как

132

ты с такими понятиями умудряешься выполнять эти... деликатные поручения?

— Да я ж тебе говорила... — Мне показалось, что мой вопрос возмутил ее. — Еще ни одного кобеля не подпустила к себе на расстояние вытянутой руки. Просто парю им мо́зги. И все.

— Ну а если не с мужиками, а с бабами?

Мне показалось, что сейчас схлопочу по роже. Конфетка заводилась с пол-оборота. Но на этот раз она смогла взять себя в руки, ограничившись тем, что лишь обдала меня жаром своих презрительно сощуренных глаз.

— Если ты у себя в зоне драл петухов, — едко сказала она, — то не равняй всех по себе. С ковырялками никогда не якшалась. Просто понимаешь, Денис... — Ее тон снова смягчился. Эта девочка как стремительно накалялась, так стремительно и остывала. — Понимаешь, я совершенно не нуждаюсь в какой-нибудь половой жизни. В любом ее проявлении. С того момента, как меня изнасиловали, я ни разу не то, что не была с мужиком. Я даже ни разу не мастурбировала. Как-то попробовала, но сразу вспомнила вонючего потного Рашида. И мне стало до одури мерзко. Наверное, это теперь останется со мной навсегда. До самой смерти... Слушай, а чего это я так перед тобой разоткровенничалась? — вдруг одернула она себя. И удивленно добавила: — Раньше я даже представить себе не могла, что буду рассказывать кому-нибудь нечто подобное. Даже самой близкой подруге. А ведь я знакома с тобой меньше суток... Ты что, священник, чтобы я перед тобой исповедовалась?

— Просто родственная душа. Ты же сама это отметила. И знаешь, что я пойму тебя правильно. Не буду огульно ни за что осуждать. Не стану смеяться или злорадствовать. И всегда выслушаю, всегда тебе помогу, если чего.

— Спасибо, — прошептала она и, приподнявшись из кресла, перегнулась ко мне и прижалась губами к моей щеке. Ну совсем как маленькая девочка. — Вот так. — Конфетка плюхнулась обратно на водительское сиденье и удовлетворенно пробормотала: — А ведь ты, пожалуй, первый мужчина, который не вызывает у меня отвращения. Я это отметила еще тогда, в Купчине. Перед тем, как тебя укусила... Слышь, ты правда на меня за это не злишься?

— Я же сказал, что забыл.

— Спасибо, — еще раз прошептала она и щелкнула длинным, покрытым черным лаком ногтем по циферблату часов на «торпеде». — Гляди, как уже поздно. Давай разбегаться.

— Давай, — согласился я. — Если, конечно, не хочешь переночевать у меня. Все равно завтра утром нам вместе ехать смотреть на хопинскую крепость.

— Переночева-а-ать? — протянула Конфетка. — Но я же, кажется, все тебе объяснила.

— А я не имел в виду ничего такого. Ляжешь в комнате для гостей.

Света расхохоталась.

— Ты что, серьезно надеешься, что там свободно? Вернись в реальность, родной. Хорошо хоть, если найдешь незанятой собственную кровать. Ха, оставил у себя в квартире пьянствовать семерых разгильдяев и считает, что они по-доброму расползутся по своим хатам. Иди, Денис, и убедись, что у тебя все еще полон дом гостей. И... спокойной ночи, любимый...

Я очень надеялся, что Конфетка ошибается, но когда зашел в квартиру, увидел, что она оказалась права.

Накурено было, словно в дешевой пивнухе. К запаху табака примешивался отвратительный сивушный духан. Прямо посреди гостиной возле журнального столика пушистый палас был обильно удобрен рассыпанными из пепельницы окурками и куриными костями. Рядышком с этим футуристическим натюрмортом прямо на полу в живописнейшей позе раскинулся сладко посапывающий Леха-взрывник. Рядом, свернувшись калачиком в кресле, дрых Миша Ворсистый. На столике стояло несколько початых бутылок водки и коньяку. Под столиком еще десяток бутылок — уже пустых. На разложенном диване валетом спали Серега Гроб и Акын.

Я усмехнулся, сокрушенно покачал головой и, выбрав стакан, который показался мне почище других, плеснул в него коньяка. Выпил и отправился дальше инспектировать квартиру.

К счастью, развал царил только в гостиной. На кухне, как это ни странно, был полный порядок. В кабинете я обнаружил раскатисто храпящего на коротком диванчике Комаля. В комнате для гостей спиной к спине спали Катя и Крокодил. И что меня особо приятно поразило — это то, что никто не покусился на мою спальню. Пьяные-пьяные, а предпочли корчиться на неудобном диванчике и в еще более неудобном кресле, но не стали меня стеснять.

Хоть на этом спасибо, братва.

Я вернулся в гостиную, хлебнул еще коньяка, поразмышлял, а не подсунуть ли Лехе под башню подушку, решил, что перебьется, и отправился к себе в спальню. Еще раз сокрушенно покачав головой.

Завтра, по моим расчетам, предстоял непростой день, и надо было попробовать выспаться. С максимальной пользой использовать те несколько жалких часов, что мне остались от ночи.

Глава 3

У ВАС ЕСТЬ ПЛАН?

В Александровскую мы отправились вчетвером на моем «мерседесе». Злющую с утра пораньше Конфетку я усадил за руль. Сам устроился рядом на пассажирском сиденье. А сзади активно тискались Крокодил и Катерина. О чем-то шушукались, над чем-то хихикали, а в промежутках жадно хлебали из большой пластиковой бутыли дешевое пиво.

— Закройтесь вы там, — шипела Конфетка и прибавляла газу по Пулковскому шоссе. А я представлял, какие испепеляющие взгляды исподлобья она бросает в панорамное зеркало. — Угомонитесь, сказала! Сейчас высажу, на хрен, попретесь дальше пешком.

Сзади бурный приступ веселья. Ни Крокодил, ни Катя Конфетку совсем не боялись. Просто она ни разу не кусала их за нижний губешник.

Я чисто автоматически коснулся своей распухшей и посиневшей за ночь губы.

— Болит? — От Светы не ускользнуло мое непроизвольное движение.

— Красавец? — вместо ответа спросил я.

— Да уж. Как негр, — хихикнула она.

Вот так вот весело мы добирались до Александровской, пока Конфетка не свернула на расхлябанную дорожку и не припарковала «мерин» впритирку к недостроенному и, похоже, заброшенному коттеджу.

— Остановка «Вылязай», — радостно объявил Крокодил и тут же нарвался.

— Вы, двое. Любовнички, — прошипела Конфетка. — Обратно едете на электричке. А сейчас вытряхайтесь.

Особо напрягаться, изображая из себя праздных придурков, выбравшихся по случаю субботы и погожего дня на природу, нам не пришлось. Катерина и Крокодил с бутылкой пива в руке, в обнимку занимающиеся слаломом между многочисленных луж, не могли вызвать никаких подозрений и у самого бдительного охранника.

— Вот такой домик хочу, — тыкала Катя пальцем в сторону небольшого аккуратного коттеджика с покатой крышей почти до земли.

— Фигня! — Крокодил указывал бутылкой на небольшой недостроенный дворец в стиле позднего классицизма. — Вот ништяк.

— Да у тебя фишек не хватит его содержать.

— Зарабо-о-отаем.

— Не, лучше поменьше, но поуютнее. Вон смотри, какой там впереди.

Как и было задумано, медленно, но верно мы приближались к дому, в котором затаился от мира сволочной господин Хопин.

По сценарию, разработанному сегодня утром, мы должны были выглядеть в глазах охранников хопинского особняка, которые, конечно же, будут разглядывать нас через видеокамеры внешнего наблюдения, четырьмя молодыми бездельниками, что шатаются между недостроенными коттеджами, будто по музею новорусского строительства, с завистью разглядывают воздвигаемые там хоромы и мечтают, как когда-нибудь построят себе нечто подобное. Мы должны были, не таясь, обойти по периметру участок Хопина, попробовать якобы из праздного любопытства заглянуть в любую доступную щелочку, постараться отметить расположение замаскированных камер наружного наблюдения и при удачном стечении обстоятельств определить принятую там систему охраны. И, наконец, присмотреть поблизости какой-нибудь недостроенный домик, где можно было бы оборудовать пост наблюдения.

Такой домик — а точнее, домину — я увидел сразу. Трехэтажная кирпичная коробка с черными глазницами незастекленных окон была сооружена метрах в ста — ста пятидесяти от хопинского особняка, и основным преимуществом ее было то, что она обладала двумя достаточно высокими узкими башнями. Подобное можно встретить у минаретов и древнерусских теремов — в таких раньше запирали прекрасных царевен, дабы те блюли свою честь в ожидании Иванушек-дурачков. С этих высотных изысков архитектора можно было отлично видеть одну из стен высокой — метра три с половиной — ограды с широкими въездными воротами и даже заглянуть за нее. Увидеть часть дворика и почти весь фасад дома, вернее, настоящего готического замка, которому место скорее во Франции или Германии, но уж никак не в российском селе Александровская.

— Вот здесь он и обитает, — почему-то шепотом сообщила мне Конфетка, хотя от хопинских владений мы находились еще метрах в ста, и уж услышать-то нас никто не мог.

— Узнал уже эти хоромы. Я же видел, наверное, тысячу фотографий. Лучше скажи, как тебе те минаретные башни? — Я легонько взял Конфетку за затылок и повернул ее голову чуть вправо так, чтобы она уперлась взглядом в облюбованный мною недостроенный дом.

— Наблюдательный пункт? — сразу же догадалась она. — Неплохо, но если там внутри нет лесов, как, думаешь, мы туда заберемся?

— А Айрат? Для него кирпичная стенка не сложнее тех скал, по которым он раньше карабкался.

— Да, забыла совсем, — рассмеялась Света. И добавила с легким акцентом — тем, с которым говорил Акын: — Какой же дырявый башка.

Тем временем мы уже почти вплотную приблизились к логову врага, и Крокодил с Катей замерли перед ним, «разинув от удивления рты». Они разве что не тыкали в него пальцами и не качали восхищенно головами. Мы подошли к ним.

— Так, — сразу взял руководство в свои руки вдруг совершенно протрезвевший Крокодил. — Продолжаем строить из себя праздных разинь. К тому же подвыпивших. Да не стойте вы как истуканы! — прошипел он. — Не забывайте, что за нами сейчас очень внимательно наблюдают. Но скоро плюнут на это пустое занятие. Ведь на дураков долго смотреть скучно.

Выдав сей афоризм, Крокодил поискал глазами полянку посуше. Выбрал — с еще оставшейся травкой. Схватил Катю в охапку и, опрокинув ее, несчастную, на спину, с какими-то дикарскими воплями и истерическим хохотом своей неподъемной тушей грохнулся сверху. Потом, вскочив на ноги, начал шутливо нападать на нас со Светой, картинно изображая неуклюжие стойки некоей, еще неизвестной миру, восточной борьбы. Короче, актер хоть куда! Корчить из себя дурака он умел. Конфетка, смеясь, отмахивалась ручонкой. Я, засунув руки в карманы, спокойно наблюдал за ними со стороны: мол, я давно вышел из того возраста, когда играют в подобные игры, и вступать в них меня совсем даже не климатит. А эти трое вволю бесились на еще зеленой полянке. И продолжался весь этот дурдом минут десять-пятнадцать.

«А ведь прав Крокодил, — размышлял я, наблюдая с улыбкой за клоунским шоу. — К дуракам сильные люди всегда относятся без опаски, и внимание бдительной стражи мерзавца Хопина должно быть усыплено чуть ли ни сразу. Конечно, если охранников он набирал не из бывшей „девятки". Не пора ли в разведку?»

Я поднял брошенную Крокодилом большую бутыль с остатками пива и, встав так, чтобы охрана отлично видела, чем занимаюсь, надолго приник губами к горлу, сделав за все это время лишь несколько маленьких глоточков. И то потому, что хотел пить.

— Эй вы, шоумены! — Я швырнул бутылку обратно. — Не пора ли прекращать. Все перемажетесь к дьяволу! Стыдно домой будет ехать. Пошли погуляем еще. Мартин! Леха!

Леха и погоняло Мартин на сегодняшний день были «псевдонимами» Крокодила. Мы все решили поменять имена на время поездки в Александровскую.

— Мартин! Ольга! Наташа!

Они наконец угомонились, Крокодил, к огромной обиде Катерины, в два глотка дохлебал их общаковое пиво. И все трое начали «чистить перышки», основательно перемазанные в грязи. И все это на виду видеокамер наружного наблюдения, явно в это время направленных на нас. Дежурный у мониторов за четверть часа, наверное, получил огромное удовольствие от разыгранного нами представления.

Зато потом мы совершенно беспрепятственно бродили вдоль забора, окружающего особняк Хопина, качали головами, изображая восхищение, тыкали пальцами куда ни попадя, подталкивали друг друга в плечо, дабы обратить внимание на нечто якобы интересное, хотя кроме сплошной стены из неоштукатуренного красного кирпича ничего примечательного перед нашими глазами не было. И — кроме камер внешнего наблюдения.

Крокодил насчитал их восемь штук. Признаться, я не отыскал ни одной, настолько хорошо они были замаскированы. Но недаром Крокодил два раза чалился по воровской статье. Уж где расставляют и как маскируют свое видеобогатство непрофессионалы-охранники, он знал превосходно.

— Правда, быть может, там были еще, — заметил он, стоило только нам отойти от забора. — Кто знает уровень этих охранничков? Эх, жаль, не удалось перекинуться словечком с кем-нибудь из них. Хоть бы кто из этих уродов выполз наружу отогнать нас от ограды. Я сразу б просек, что у них за подготовка. Из бывших вояк, из мусоров, просто с улицы, натасканные на коммерческих курсах, или все-таки профи. Мне достаточно пары минут, чтоб въехать в тему.

— Ну уж профи так просто не прочитаешь, — возразил я.

— Смотря какой профи. Бывало, и этих колол. Легко. Ведь среди них тоже есть лохи. Эх, везде есть разные люди. Куда ни кинь камушек, хоть к нам, хоть к мусорским, хоть куда еще, попадешь то в одного, то в другого, — вздохнул Крокодил так, будто эта проблема так уж сильно его долбила.

— Тебе, Крокодил, социологом быть, а не вором, — заметил я.

— А-а-а... Один хрен, что здесь, что там, что где еще — везде без понту, без навара. И перебиваются все наши совки бывшие с хлеба на соль в результате. Ну ладно, Знахарь. Будя о дерьме разговаривать. Ты лучше скажи, полезем в этот домик, что ты присмотрел?

Мы как раз оказались возле недостроенного кирпичного «терема» с двумя высокими башнями. Правда, эти башенки казались чересчур узкими для того, чтобы оборудовать в них нормальные лестницы, даже винтовые, но черт знает, быть может, у хозяина есть большая парусная яхта, и он привык бегать по вантам. А теперь закрепит в жерлах своих башенок обычные веревочные лестницы и будет лазать по ним не хуже, чем по кора-

144

бельным снастям. В одной башенке у него будет обитать любовница, а в другую он будет удирать от жены, чтобы спокойно выпить бутылку водяры и запить ее пивом. А потом в конце концов ка-а-ак навернется по пьяни вниз вместе со своей веревочной лестницей!..

— ...Денис! Дени-и-ис!

Я оторвал взгляд от башенок и не успел спуститься с них на бренную землю, из мира фантазии в мир материальный, как неожиданно ко мне крепко прижалась Конфетка. И совершенно поразила меня тем, что нежно коснулась губами моей щеки. Я чуть повернул голову, наши губы оказались рядом. В той близости, которую принято считать взрывоопасной.

«С кем угодно взрывоопасной, но только не с этой воинствующей мужененавистницей. Вернее, она тоже взрывается, только совсем иначе», — подумал я, памятуя о своей прокушенной накануне губе. И не сдержался. (Черт с ней, с губой! Наращу себе новую!) Поцеловал Конфетку так, как собирался сделать это вчера. И вдруг — о несказанное чудо! — она ответила на мой поцелуй. Робко. Как ученица седьмого класса. Так, будто делала это впервые. Мужененавистница! Девушка, из всех отношений с мужчинами признающая лишь деловые!

От удивления я с трудом перевел дыхание!

— Денис, милый. Опять? — прошептала она.

— Ну ты же больше меня не кусала. Ты даже чуть-чуть ответила.

— Дурачок, я не об этом. Я о том, что ты снова задумываешься. Что вчера, что сегодня, — улыбнулась Света. — И притом совсем неожиданно, на ходу. Когда-нибудь ты так расколотишься на машине. Вот задумаешься за рулем... Денис, милый, прошу: вернись с небес на землю.

Сейчас я, наоборот, был готов вознестись на самые небеса!!!

— Мы наконец пойдем смотреть эту чертову башню? — проскрипел у меня над ухом Крокодил.

Мне не надо было идти. Наверное, я смог бы легко долететь до «этой чертовой башни» по воздуху. Но не бросать же внизу товарищей, пользуясь тем, что умеешь летать.

— Пошли. — Я обнял Конфетку за хрупкое плечико, и мы так и отправились — тесно прижавшись друг к другу — на ревизию своего НП.

Благо вокруг него не было ни забора, ни даже низенькой оградки. Да и никаких дверей в дверных проемах, естественно, не наблюдалось. Судя по всему, стройка была заморожена на уровне каменно-кладочных работ. Видать, у заказчика не хватило фишек на то, чтобы финансировать столь грандиозный проект.

— Ну и что ты обо всем этом думаешь? — поскрипел строительным мусором Крокодил. — Да Конфетка же, наконец! Отлипни от Знахаря! Не мешай работать. Помогай лучше... То ни к кому и на аркане не подтянешь, — ворчливо пробурчал он, — а то прилипла к человеку, не успев толком с ним познакомиться.

— Отвянь, слышь? Ведь достанешь когда-нибудь. Так закатаю в лобешник, что не подымешься, — лениво оставила за собой последнее слово Света, но от меня оторвалась.

Вообще отошла в сторонку, уманив за собой Катерину. («Але, Кать. Ну их, фанатиков. Пускай себе в дерьме ноги мажут, сколько влезет. Не будем мешать им в этом благородном порыве, вон там постоим. Курнем. Я тут краем уха слыхала, у тебя травки есть децл?.. Вот и ништяк. Айда вон в тот угол. Там вроде почище. А они пусть подавятся. Сами все спыхаем».)

Они отошли в сторонку и увлеченно занялись изготовлением косяка. Мы же с Крокодилом отправились наверх. Чем выше — тем лучше. Иллюзий насчет того, что удастся подняться хоть на одну из башен, мы не имели. Но проверить, существуют ли внутрь них какие-нибудь проходы, следовало. Обидно было бы свозить сюда скалолаза Айрата зазря.

На третьем этаже мы сразу наткнулись на остатки бомжовского лагеря — очаг, сложенный из обломков силиконового кирпича, старое кострище, почерневшие кости и бутыльки из-под настойки боярышника, разбросанные промеж истлевших кучек человеческих экскрементов.

— Ур-роды! Где живут, там же и срут, — бурчал Крокодил, осторожно ступая и внимательно глядя под ноги, чтобы ненароком не вляпаться. Я шел за ним след в след.

К счастью, света, попадавшего в комнату через широкие окна, хватало с избытком, «минное поле» мы миновали, не «подорвавшись». И без проблем достигли «шахты» одной из башенок — наиболее удобной для наблюдения за владениями Хопина. В диаметре она составляла примерно два с половиной метра, в высоту была метров пять, наверху по кругу — четыре небольших арочных оконных проема, один из которых был направлен точно на хопинский «замок».

— Идеал, — восхищенно пробормотал я.

— Ты уверен? — Крокодил стоял, задрав голову. — И как, думаешь, Акын туда заберется?

— Ему лучше знать. На то мы его и держим. Ну, например, забьет несколько костылей.

— В красном кирпиче держаться не будут. Если только пристреливать дюбеля, но тогда нашумим, привлечем внимание.

— А если попытаться забросить кошку? На одно из окон.

— Ха! — Крокодил, поражаясь моей беспросветной тупости, сокрушенно покачал головой. — Ты попробуй в этом колодце подбросить ее хотя бы на пару метров. Хрен!

— Есть специальные арбалеты. «Самсон»...

— Да где ты его достанешь!

— Братва...

— Брось ты, Денис. Давай-ка мы сделаем проще. Не будем, два дилетанта, спорить, как лучше. Завтра с утра я привожу сюда Акына, и он решает, как быть. Покатит?

— Идет, — обрадовался я. И тут же поспешил скинуть со своих плеч проблему наблюдения за объектом. — В общем, этим занимаетесь вы с Айратом. Вдвоем. Ты старший. Ты ответственный. С тебя буду спрашивать за все. Что мне нужно, ты знаешь.

— Знаю, — усмехнулся Крокодил. — Тебе нужно все.

— Все, что удастся узнать. Количество охраны. Время пересменки. Наличие собак. Сможет ли с этой проклятой башни по Хопину работать снайпер, когда тот выползет на прогулку во двор и появится на обзоре. Время этих прогулок, если он живет по распорядку. Короче, все-все-все. Понятно?

— Угу, — согласно кивнул лобастой башкой Крокодил. — Пошли-ка на хрен отсюда.

Домой пора. И в кафешку какую-нибудь. Жрать захотелось.

— Мне тоже. — Только сейчас я почувствовал, что проголодался. Бедные девчонки, как они там? Хотя у них есть анаша, они накурились и им все по кайфу. — Пошли...

* * *

А вечером того же дня у меня дома мы втроем — я, Крокодил и Айрат — обсуждали, что делать с башней.

— Ха-а, Денис! Ты не видел, на какое дерьмо в свое время мне приходилось взбираться без всякой страховки, — хвастался Акын. — На спор. За штуку баксов. Взбирался. Порой по целой минуте висел только на пальцах одной руки. Правда, тогда весил поменьше. Да и не пил — не курил. Но ништяк. Пять метров по кирпичу и сейчас — как два пальца... Так что не менжуйся. Завтра буду на башне. И не надо никаких костылей, никаких арбалетов.

— Ты только из окошек там не высовывайся. Не дай Бог, засветят.

— Да не вчера же рожденный, — обиделся Айрат. — Перебазарю сегодня с Комалем, пускай подгоняет приличный бинокль.

— А завтра утречком выезжаем, — тут же решил Крокодил.

— Супер! — обрадовался я тому, что у меня с плеч свалилась одна проблема. Теперь за сбор информации о житии господина Хопина можно не беспокоиться.

* * *

Мы «вышли на охоту», когда уже стемнело. В том же составе, что и вчера — я, Электроник и еще не отошедшая от анаши Конфетка. Поэтому за рулем ее «девятки» пришлось сидеть мне.

Весь путь до дома Эла мы проделали в полнейшем молчании. Электроник вообще не отличался разговорчивостью (предпочитал общению с простыми смертными общение со своим компьютером).

Короче, веселой нашу поездку до Народной улицы назвать было нельзя.

Когда прибыли на место, Игорь скоренько смотался домой и забрал тот же набор электронных прибамбасов, что и накануне. А пока он отсутствовал, в машине по-прежнему царила гробовая тишина. Мы с Конфеткой не обмолвились ни единым словечком. Она постоянно прикладывалась к бутылке с «Эфесом Пилсенером», а в промежутках глядела куда-то в пустоту. Я не рисковал ее беспокоить. Существовал риск нарваться на порцию хамства, хотя, по-моему, сил на то, чтобы хамить, у Светы попросту не было. Тоска зеленая, в общем. Мне ничего не оставалось, как просто закрыть глаза и чуть откинуть назад спинку сиденья.

Я закрыл глаза и, кажется, даже успел задремать, но вернулся Эл, и пришлось отправляться в дальнейший путь.

Первой положительной эмоцией за последний час оказалось для меня то, что когда въехали в уже знакомый по вчерашним приключениям двор, то я сразу обнаружил «фольксваген пассат», припаркованный там, где и накануне. И свет в знакомых окнах.

— Дома, ублюдки, — неожиданно подала с заднего сиденья голос Света.

— Дома, — продублировал ее Электроник. — Знахарь, не менжуйся, подъезжай прямо к подъезду. Не хочу далеко бегать. Хорошо, что здесь на двери нет кода. — Он имел в виду дверь в подъезд.

Я нахально припарковал «девятку» прямо впритирку к «пассату», и Эл, не откладывая дел в долгий ящик, выбрался из машины и отправился подключаться к телефонной линии. Как и вчера, ему не составило никакого труда влезть в распределительный щит и установить там «жучок». Номер телефона 29-й квартиры, в которой сейчас обитали моя бывшая женушка и брат, Электроник тоже узнал без проблем, попросту позвонив в обычную справочную.

С установкой «жучка» Эл провозился не больше десяти минут, и, как по заказу, за все это время никто из подъезда не вышел, никто в него не вошел.

— Идеально! — Игорь вернулся обратно, довольный донельзя. — Условия для работы ну просто супер! Щит даже не заперт, не пришлось возиться с замком. Все наружу, бирочки с номерами квартир...

— Ты вот что, братан, — перебил я поток его восторженного красноречия, — займись пока их машинкой, установи маячок. Стопудово уверен, после звонка побегут отсюда сразу же куда глаза глядят. Интересно мне, куда же они у них глядят... Батарейки-то новые вставил?

— Вста-а-авил. — Электроник извлек из сумки знакомую мне «игрушку» с магнитом, как и вчера отвязал от него кусок пенопласта и прицепил маяк под днище «пассата», благо тот стоял всего в каких-то полутора метрах от нашей машины.

— А теперь звони, — неожиданно подала с заднего сиденья голос Конфетка. Ожила! И неизвестно, что для нее послужило лучшим лекарством — выпитое пиво или охотничий азарт. — Ну звони же, Денис.

Я взял протянутый мне Электроником сотовый и бумажку с записанным на ней номером телефона и с едкой улыбочкой на устах, растягивая удовольствие, стал нажимать на кнопочки.

К телефону подошла Ангелина. Опять Ангелина. Кажется, она была у Леонида за секретаря. Впрочем, с ней разговаривать, пугать ее мне было куда приятнее, куда интереснее, нежели брата.

— Алло.

— Узнала?

Я ее не видел. Я с ней лишь разговаривал по телефону, но даже в такой ситуации мне показалось, что она сейчас хлопнется в обморок. Молчала, пытаясь переварить весь ужас своего положения. Стараясь взять себя в руки. И ей это удалось только через несколько минут. Я терпеливо ждал, пока к Ангелине вернется способность шевелить языком.

— Что тебе от нас надо? — Как же у нее дрожал голос! С каким же трудом она выдавливала из себя слова! — Пожалуйста... оставь нас... в покое... Молю тебя!

Электроник с Конфеткой просто ловили кайф от этого разговора, который четко, будто коммерческая радиостанция по УКВ, звучал из большой рации — той, что Игорь держал в руке.

— Костя, как ты узнал... этот... наш телефон? — В голосе Ангелины к страху примешивались нотки удивления. Обычно случается наоборот, но сейчас было именно так. — Скажи, ты ведь нас не тронешь? Зачем... мы тебе?

Конфетка у меня за спиной хихикнула.

— Отгадай с трех попыток, — нежно промурлыкал я.

154

— Ну... Я все понимаю... Я сволочь... Я это знаю... Хочешь... перед тобой извинюсь...

Конфетка хихикнула уже громче. Эл тоже не смог сдержать ухмылки.

— Давай я позову... к телефону Леню.

Чувствовалось, что Ангелина разговаривает со мной из последних сил. Ввела в действие некие тайные резервы своего организма и произносит какие-то осмысленные фразы уже чисто на автомате.

— Кажется, сейчас она начнет бредить, — прошептал Электроник.

Он словно прочитал мои мысли. Или состояние Ангелины, ужас, пропитавший ее голос, настолько лезли наружу, что двух мнений о том, что с ней сейчас происходит, просто быть не могло?

— Давай... позову.

— А на хрена он мне сейчас нужен, — хмыкнул я. — Я с ним побеседую позже, при личной встрече. И с тобой, любимая, тоже. Так что ждите, пожалуйста, в гости. И мой вам добрый совет: не вздумайте обкладываться охраной, устраивать на меня засады. Я сильнее. Я слишком многому научился за последнее время, я оброс обширными и значительными связями и все равно переиграю вас, к кому бы вы ни обратились за помощью. Хоть к ментам, хоть к бандитам, хоть к самому Господу Богу. В общем, готовься к встрече, любимая.

Последнюю фразу я говорил уже в пустоту. Нервишки Ангелины больше не выдержали напряга, и она бросила трубку.

— Как бы у нее не случился инсульт или инфаркт, — притворно тяжко вздохнула Конфетка. — Эх, Денис, Денис. И какой же ты после этого Знахарь? И как же твоя клятва Гиппократа? Да ты не знахарь, ты просто палач. Опустить несчастную беззащитную девушку на такие измены... Короче, Денис, заводи тачку. Отъедем на безопасное расстояние. Туда, где стояли вчера. Черт его знает, что может произойти. Бросятся два дурака сломя голову к своему «фольксвагену» драному, а тут мы, пожалуйста. Как на блюдечке. Придется обоих мочить, сворачивать такую увлекательную игру. Обидно.

— Поток перекрой словесный, пожалуйста, — попросил я, заводя «девятку». С тем, что лучше перебраться на другое место, я был совершенно согласен. — Гляжу, никак ожила?

— Ну-у! Когда такие события творятся вокруг, как здесь помирать? — усмехнулась Светка.

А я уже взбирался на высокий поребрик газона. На старое место, где мы стояли вчера.

— Дура-а-ак! Глушитель здесь не оставь! И спойлеры! Спойлеры!!!

— Зато диски титановые, — рассмеялся я, паркуясь на помятом нами вчера газоне и глуша двигатель.

— Остыть он не успеет, — задумчиво пробормотал Эл.

— Кто? — не сразу понял я.

— Не кто, а что. Движок у машины. Скоро ему опять придется трудиться. Ты что, не согласен?

Я ничего не ответил. Лишь молча пожал плечами. Жизнь давно приучила меня к тому, что все обычно поворачивается не так, как я планирую.

Но Электроник, похоже, никогда не ошибался в предвидении ситуаций. Во всяком случае, в последнее время.

Движок действительно остыть не успел. Вскоре ему пришлось трудиться по полной программе.

Глава 4

ХОРОШО ИМЕТЬ ДОМИК В ДЕРЕВНЕ

— Это снова был он.

— Кто? Чего? — Леонид взял с журнального столика пульт и убавил звук. Из-за того, что телевизор орал слишком громко, он не слышал ни единого слова из только что состоявшегося телефонного разговора. Он даже не слышал, что вообще был телефонный звонок — старенький телефон в этой квартире находился на кухне, а телевизор в дальней комнате, спальне. — Так кто?

— Он.

Леонид, не поднимаясь из кресла, протянул руку и нажал на клавишу выключателя на торшере. К слабенькому неверному отблеску, который давал телевизор, в комнате добавился яркий свет двух стоваттных лампочек, и Леонид сразу же обратил внимание на то, в каком жутком состоянии сейчас находится жена. Опять, как и вчера, трясущиеся губы, совершенно бледное, с синюшным, как у покойника, оттенком лицо. Казалось, еще чуть-чуть, и Ангелина грохнется в обморок. Леонид поспешил вскочить из кресла.

— Приляг, Лина, милая, приляг. Тебе сейчас надо обязательно полежать. — Он подхватил легонькую Ангелину на руки и аккуратно, как тяжелораненую, уложил на кровать. — Все будет хорошо. Я обещаю. Ты полежи немножко, а я сейчас кое-что предприму. Я знаю, что сделать, чтобы этот ублюдок угомонился. Чтобы он пожалел, что вообще появился на свет. А ты лежи, лежи. И ни о чем не беспокойся.

Ангелина так и не назвала имени звонившего, не сказала, кто такой этот «он». Но Леониду все было ясно и так. Константин, эта уголовная сволочь, эта урка позорная, каким-то макаром сумел вычислить их новый адрес. Вот только как? Ведь они были так

158

осторожны. Ведь по пути сюда так внимательно следили, чтобы за ними не было никакого хвоста. И все же. Ч-черт!

— Он пообещал, что теперь будет разговаривать с нами уже при личной встрече, — простонала Ангелина. — И угрожал. Говорил, что какая бы охрана у нас ни была, хоть милицейская, хоть рэкетирская, ничего не поможет.

— Враки. — Леонид нежно погладил жену по голове. — По-настоящему сильные люди силу свою никогда не афишируют. Так что кишка тонка у нашего Костика... Ты лежи, лежи, Линочка. А я пойду звонить Хопину... Не-е-ет, все же допрыгается наш уголовничек. Изловят его не сегодня, так завтра. Сидел бы уж тихо, коли сбежать удалось, радовался бы, что на свободе, так нет же! Что-то еще дураку проклятому надо! Вот и допрыгается... Ты лежи, лежи, милая. А я пошел звонить Хопину...

То, что Хопин был рад этому звонку, сказать нельзя.

— Ну, чего там еще у тебя? Я уже лег.

— Только что нам звонил Константин.

— Что, на эту квартиру? — На этот раз в голосе Хопина не было того интереса, что в прошлый раз. И не было даже слабенького оттенка удивления. Совершенно нейтральный, будничный тон. Создавалось впечатление, будто он ожидал такого разворота событий. — Откуда он его узнал?

— Без понятия. — Хотя собеседник видеть его не мог, Леонид непроизвольно пожал плечами.

— Дурак, значит, что без понятия. Наследил где-то, он вас и выследил.

— Но при чем здесь я?! За то, чтобы он не узнал, куда нас везут, отвечали ваши охранники.

— Охранников я накажу.

— И все же. Я даже не знаю, что думать. Быть может, случайно. Может, нашу машину здесь во дворе увидел кто-нибудь из его дружков. Он хвалился, что у него их навалом.

— Может быть, — вздохнул Хопин. — Все может быть, Леня... Так чего ты от меня-то хочешь? Все, что мог, я для вас уже сделал. Дал вам квартиру. Вы ее провалили. Что теперь? Телохранителей вам предоставить? Поверь, не могу. Самому людей не хватает. Обращайся в милицию.

Леонид не сдержал ехидной ухмылки.

— У них тоже людей не хватает. Еще сильней, чем у вас. Никто нашими проблемами там заниматься не будет. Аркадий Андреевич, нам надо где-то укрыться на время. В надежном месте. Пока этого урода не схватят. Быть может, все же у вас? Обещаю, мы вас совсем не стесним...

— Исключено! — резко перебил Хопин. — Никаких «у меня». Единственное, что могу еще для вас сделать, так это дать дельный

160

совет: немедленно, не откладывая ни на минуту, убирайтесь из города. Чем дальше, тем лучше. Есть куда?

Леонид на секунду задумался.

— У Ангелины дальние родственники в Тверской. В деревне. Можно туда.

— Вот и отлично. В Тверскую область твой Константин не полезет. Ему до нее попросту не добраться. Даже если каким-то чудом разведает, куда вы направились, он не сможет ни спокойно сесть на поезд, ни по шоссе миновать посты ГАИ. Да он просто не рискнет это делать. Останется в Питере. А его здесь накроют не позже чем через неделю. Так что, Леня, езжайте с Линой, отдохните в деревне. Молочко пейте парное и ни о чем не беспокойтесь. Вы не откладывайте с отъездом-то. Положишь трубку — и сразу в машину. Квартиру заприте как следует. Ключи вернешь потом, как вернетесь. Все ясно?

— Все, — вздохнул Леонид. На ночь глядя переться куда-то к черту на кулички, в Тверскую, дьявол ее побери, область так не хотелось. Но делать нечего. Надо спасать свои задницы от мстительного маньяка. — До свидания, Аркадий Андреевич. Спасибо за добрый совет. Спокойной ночи.

Он положил трубку и поспешил к жене. Вещи, которые вчера сложили для переезда на эту квартиру в большую дорожную сумку, к счастью, так и стояли нераспакованными. Все сборы сводились только к тому, чтобы одеться и побросать в пакет кое-какую жратву. Это займет не более десяти минут. А потом — самое сложное — предстоит выйти из квартиры, преодолеть пять пролетов пустынной плохо освещенной лестницы, пробежать примерно тридцать метров до машины и уже в ней можно чувствовать себя в относительной безопасности. М-да, проблемка. Остается надеяться, что Константин не столь оперативен, и поблизости ни его, ни его дружков пока не наблюдается.

— Ну что, пришла в себя? — Леонид наклонился и поцеловал жену в покрытый холодной испариной лобик. — Вижу, пришла.

Ангелина действительно выглядела на порядок лучше, чем десять минут назад. Перестали дрожать губы, лицо приобрело розоватый оттенок. Она даже нашла в себе силы улыбнуться.

— Разговаривал с Хопиным? — Да и голос у нее опять приобрел привычный чуть низковатый тембр. — Что он сказал?

«Слава те, Господи, — облегченно вздохнул Леонид, — хоть с ней, похоже, не будет проблем».

— Он сказал, что нам надо немедленно убираться из города. И чем дальше, тем лучше. Что у тебя с теми родственничками в

Тверской области? Примут на время нас, пока не изловят этого уголовника?

— Ну-у... Я с ними очень давно не контачила. Считай, с самой школы. Они меня и не помнят, наверное. Но примут. Почему не принять? Заплатим, в крайнем случае. В деревне сейчас деньги нужны.

— Отлично! Тогда одевайся. Быстро. На сборы десять минут. Давай-давай, поднимайся. — И больше не говоря жене ни слова, Леонид снова, чуть ли ни бегом, поспешил на кухню.

Там из набора кухонных ножей он отобрал тот, который показался наиболее подходящим для обороны, если по пути к машине на них с Линой кто-нибудь нападет. В свое время ножиком поработать ему довелось. В том числе и обычным кухонным дерьмом. Опыт в подобных делах Леонид имел. «Так что, братец Костенька, — злорадно размышлял он, пристраивая нож за брючным ремнем так, чтобы в случае надобности его можно было выхватить быстро и без помех, — если надумаешь устраивать со мной гладиаторские бои, еще тысячу раз пожалеешь, каким бы крутым ты там ни был, чему бы там ни выучился в своих колониях и тюрьмах».

— Лина! — прокричал он в глубину квартиры. — Готова?

— Ага!

Удивительно, но впервые на его памяти со сборами жена ухитрилась уложиться меньше чем в десять минут. Ее личный рекорд!

«Все-таки она здорово перепугана, — размышлял Леонид, зашнуровывая кроссовки. — Ну ничего, небольшая встрясочка принцессе не помешает. А то жила последнее время в тепличных условиях, как у Христа за пазухой. Вот, пожалуйста, девочка, похавай теперь реальной жизни от пуза во всем ее наигнуснейшем проявлении».

— До машины сумку тащить придется тебе.

— Это еще почему? — выпучила глаза Ангелина.

Она вышла в тесную прихожую уже совершенно готовая в путь, в дорогой утепленной кожаной куртке и модных осенних сапожках.

— Ты еще собираешься спорить? — Леонид повысил голос. Потом отвернул полу пальто и продемонстрировал жене нож, заткнутый за ремень. — А если этот урка нас уже поджидает на лестнице, и мне придется от него отбиваться? Как считаешь, сумочка мне в этом поможет?

— Нет, — пискнула Ангелина, ее глаза снова наполнились страхом, и тяжеленную сумку с вещами она повесила на плечо совершенно безропотно. Прикусив от напряжения нижнюю губу...

Но никто ни на лестнице, ни на улице, пока они шли к машине, их не ждал. Рискованное путешествие прошло без приключений...

Леонид устроился за рулем, повернул ключ зажигания, и только тогда облегченно вздохнул, когда движок мерно и успокаивающе заурчал, словно уверяя его и Лину в их полной безопасности.

Или это только казалось так — то, что оно должно было оказаться рискованным. У страха, как говорится, глаза велики. А на самом деле гад Константин даже и не собирался к ним приезжать. Просто совершенно случайно, уж неизвестно, какими путями — то ли через дружков, то ли в результате дурацкого стечения обстоятельств — сумел разузнать их новый адрес и просто решил попугать. А сам сидит в какой-нибудь воровской малине и не кажет оттуда носа, точно зная, что его сейчас разыскивают по всему Петербургу, и по улице он сможет прогуляться лишь до первого милицейского наряда. И в результате опять отправится по этапу. С добавлением срока. Ха, всяко скоро отправится, как и где не пытайся зашхериться.

— Что, в Тверскую? — Ангелина открыла «бардачок» и достала оттуда банку «джин-тоника» — свою давнюю заначку, которую сделала неделю назад. Тогда, когда все было так хорошо. Так спокойно.

— В Тверскую. Дорогу в деревню свою хоть не забыла?

— Да ты что! Нет, конечно.

— Где это?

Ангелина с громким «пшиком» вскрыла банку.

— Возле Волоколамского шоссе. Чуть-чуть от него в стороне. Километров семь-восемь.

— Ну и отличненько. К утру будем на месте. И хрен этот урод нас там достанет. Обломись, Костенька! — И Леонид громко расхохотался.

Он не мог видеть, как в этот момент во дворе, из которого они с Линой только что выехали, с газона на асфальт аккуратно съезжает красная «девятка», стараясь не оставить на высоком поребрике спойлеры и глушитель.

Глава 5

ВОРОВСКАЯ ЭСТАФЕТА

— Ты знаешь, где это в Тверской? — Конфетка звонко щелкнула своей позолоченной «Зиппо», и меня окутал густой клуб сигаретного дыма.

«Первая сигарета за последние два часа, — подумал я. — Похоже, что девочка отошла окончательно».

— Да не обкуривай ты меня! Сколько раз повторять! Приоткрой хотя бы окошко.

— Извини. Так ты знаешь, где эта деревня?

Не отрываясь от руля, я пожал плечами.

— Только примерно. От Твери по Волоколамскому шоссе, потом еще в сторону. Где-то там это село и находится. Ангелина, пока училась в школе, проводила там каждое лето. У каких-то там двоюродных бабушек и дедушек. Но точных координат она мне никогда не давала. Да и зачем мне это надо было знать?

— Теперь надо. Или ты предлагаешь переться следом за своей женушкой черт знает куда?! Говорила же, сразу надо обоих мочить. И никаких проблем. А что теперь? Осядут они в этой глуши у двоюродных дедушек, и хрена отыщешь.

— Вот только не ной. Хорошо? — У меня в голове начал обретать очертания один интересный план. — Если не выгорит кое-какая тема, то поедем в Тверскую. Потеряем пару деньков, да и только. Зато не упущу двоих мерзких ублюдков. Кстати, тебя сопровождать нас никто не заставляет.

Конфетка промолчала. Даже не попыталась оставить за собой последнее слово. Удивительно. Может быть, она все еще неважно себя чувствовала. А может, была полностью согласна со мной в том, что упускать двоих ублюдков не в масть.

— Они от нас в трех километрах. Похоже, направляются к Московскому шоссе, — в этот момент подал голос Эл.

— А куда им еще направляться? — ухмыльнулся я. — Что именно туда, это можно было бы просчитать и без твоего пеленгатора. Дай-ка мне трубочку. Звякну Акыну. Все-таки в свое время он поработал немало на Московском шоссе. Глядишь, кто у него и остался в Тверской из знакомых, кого смогу подключить в нашу игру... Вот только бы оказался дома.

Номера его сотового я не знал — как-то упустил это из виду. У меня был записан только домашний, поэтому я беспокоился: вот не застану Айрата дома, придется самому переться в Тверскую область за шестьсот километров от Питера.

Но беспокоился зря. Акын подошел к телефону сразу. Внимательно выслушал мой лаконичный рассказ о возникших проблемах.

— Так как, реально здесь что-нибудь предпринять? А, Айрат? У тебя есть в Твери связи?

— У меня там хорошие друзья. И уж такую мелочь, о которой ты просишь, Денис, они для меня сделают без вопросов. Лишь бы сейчас у них не были отключены мобильники. Имеют, понимаешь, такую дурную привычку. Короче, ты на каком телефоне?

— На сотовом Электроника. Есть номер?

— Естественно, — усмехнулся Акын. — Жди звонка. Или от меня. Или сразу от кого-нибудь из тверских пацанов. Наверное, тебе позвонят напрямую. Чтобы не было игры в испорченный телефон. Ну путаницы, сам понимаешь.

Я все понимал. Авансом поблагодарил Айрата, отключился, припарковал «девятку» возле ночного магазинчика и принялся терпеливо ждать звонка из Твери.

— Они уже в восьми километрах от нас, — тем временем доложил Электроник. — Я почти потерял с ними связь. Передатчик на маяке не всемогущий.

— И черт с ним, — махнул я рукой. — Без него ясно, куда наши друзья держат путь. Не выгорит сейчас с айратовскими друзьями, нагоним без проблем.

— Пойду-ка схожу в магазинчик, куплю каких-нибудь булочек и попить, — неожиданно подала голос Конфетка. — Денис, Электроник, на вас брать?

— Бери. — Я обернулся и внимательно посмотрел в глаза Свете. Она не отвела взгляд. — Спасибо, лапочка.

— За что? — улыбнулась Конфетка. — За булочки?

Хотя понимала, что не за булочки. Она отлично знала, за что, но, кажется, сильно хотела, чтобы я произнес это вслух.

— Спасибо за то, что ты со мной, Света. Поверь, я ценю это очень и очень. Более чем ценю. Ты меня понимаешь?

Она промолчала. Лишь смущенно пожала плечами. И, кажется, покраснела.

Симпатичная худенькая девочка вылезла из машины и не спеша направилась к ночному магазинчику. Я провожал ее взглядом. И размышлял: «А все-таки она совсем неплохая, эта Конфетка, несмотря на мою прокушенную губу и потоки хамства, вылитые на меня вчерашним вечером. Это все мелочи по сравнению...»

И в этот момент закурлыкал и завибрировал сотовый, который я так и держал в руке после того, как отзвонился Акыну. Я даже вздрогнул от неожиданности. Откинул у телефона крышечку.

— Слушаю.

— Денис? — Это был голос из преисподней. Глухой, очень низкий. Голос, какими обычно наделяют своих героев постановщики фильмов ужасов.

— Да, Денис. — Я постарался представить, как же может выглядеть обладатель этого голоса. Получалось нечто совершенно непривлекательное. Этакий монстр. Оно и к лучшему. Мне с ним детей не крестить.

— Витя Дачник я. Акын звонил мне сейчас. Номерок этот оставил. Говорит, фраер ты правильный, помочь тебе надо чего-то там в нашей Твери. Давай выкладывай, что там у тебя за головняки.

Нет, этот голос мне однозначно нравился!

— Короче, тут вот какой геморрой, — без предисловий перешел к делу я. — К вам в Тверскую область к Волоколамскому шоссе сейчас направляется белый «фольксваген пассат». Номер...

...В общем, мы беседовали с Дачником чуть ли ни час. Тщательно перетерли мой план, обмусолили все нюансы, постарались учесть те отклонения от стержневой линии проекта, что могут произойти. Вроде бы все срасталось, как нельзя лучше. Но это в теории. Я давно привык к тому, что на практике все бывает иначе. Жизнь очень любит преподносить неприятные сюрпризы, и тогда первоначальные, казалось бы, такие гладенькие, планы приходится перекраивать на ходу. Импровизировать. Придумывать что-нибудь новенькое. Я очень надеялся, что у тверской братвы на это фантазии хватит с избытком.

К тому моменту, когда я закончил переговоры с Дачником, Конфетка с Элом давно уже сгрызли по черствому коржику, которые всучили Светке в магазине, и выпили по бутылке «Калинкина».

— Держи. — Стоило отключить телефон, как Конфетка протянула мне бутылочку «Пепси». — Денис, извини, но пива решила тебе не брать. Все ж таки за рулем...

— Правильно, — перебил я ее и протянул Электронику его трубку. — Игорь, потом подсчитай, на сколько я тебя разорил этими разговорами. Все возмещу.

В ответ Эл криво ухмыльнулся.

— Ты шутишь, наверное? Денис, пожалуйста, больше не предлагай мне подобной бодяги. Или я буду считать, что ты держишь меня за какого-то мелочного барыгу. Заметано?

— Идет. Извини, — сказал я, трогая с места «девятку». — Все, на сегодня программа окончена. Эл, ты домой?

— Куда же еще? — Игорь вздохнул так, будто ему ой как не хотелось домой! Но делать нечего. Деться некуда. Никто его в гости не ждет. Никому он не нужен.

Блеф! Это *ему* никто не был нужен, ничего не было нужно. Кроме его компьютера. Я уже знал, что он, стоит только войти в квартиру, сразу, словно магнитом, будет притянут к монитору, мышке и клаве. И найдет в себе силы отлипнуть от них лишь под утро.

«Но на этот раз, — решил я, — ты не будешь без пользы блудить по сети. Есть у меня для тебя кое-что поинтереснее».

— Послушай, Эл. Как насчет того, чтобы попробовать влезть в домашний хопинский компьютер? У Комаля есть его мэйл.

— У меня тоже есть. А насчет того, чтобы влезть... Все зависит от того, как он запаролен, какая там установлена система защиты.

— Взломать ее сможешь?

Эл ненадолго задумался. Потом усмехнулся:

— Конечно, смогу. Вот только, сколько это займет времени? Я ж говорю, все зависит от того, насколько надежно он защищен. Может, провожусь и неделю, и две.

— Неделя — предел, — поставил я перед ним задачу. — И все сделай так, чтобы у Хопина никто не заметил, что ты побывал у них в компьютере. Реально?

— Вполне.

— Вот и отлично. Сейчас придешь домой, и сразу же приступай. Занимайся лишь этим. Я постараюсь больше ничем тебя не отвлекать. А как проникнешь в компьютер, первым делом выясни, какие системы жизнеобеспечения коттеджа управляются через него. В первую очередь сигнализация. Ну и там, возможно, что видеокамеры, бойлер, водоснабжение. Как это все отключается... Да что я тебе объясняю! Сам понимаешь все лучше меня.

— Понимаю, — улыбнулся Эл.

— Замечательно. — Я заехал во двор и остановился возле его подъезда. — Ну, дерзай. Успехов.

В ответ Игорь лишь плотоядно хмыкнул, пожал мне на прощание руку и был таков. А Конфетка тут же поспешила перебраться на переднее сиденье.

— Куда теперь? — по-простому спросил ее я. — Везти тебя домой? Или, может, поедем ко мне?

Я ожидал немедленно нарваться если и не на трехбуквенный отказ, приправленный парочкой не менее крепких выражений, то, как минимум, на упреки типа «Ну Дени-и-ис! И сколько можно тебе говорить!». Но совершенно неожиданно для меня, да и для себя, наверное, тоже, она согласилась. Правда, с оговоркой:

— Только сразу предупреждаю: ни на что не рассчитывай. Сам понимаешь, что я имею в виду. Вообрази, будто я твоя младшая сестра. И относись, пожалуйста, ко мне именно так. — Она глубоко вздохнула и развернулась ко мне. — Ты ведь понимаешь меня, Денис. Я же все объяснила тебе вчера. Ты мне нравишься. Ты мне очень и очень нравишься. Но... только как друг, как старший брат. Я всегда мечтала иметь старшего брата.

Я тоже молчал. Впереди перевернулась фура, почти полностью перегородив проезжую часть, и, несмотря на позднее время, образовалась небольшая пробка. Чтобы объехать фуру, пришлось взбираться на высокий поребрик тротуара — совсем непростая задача, — и я полностью сосредоточился на этом.

Конфетка смолила сигареты одну за другой, старательно выдыхая дым в приоткрытое окно, чтобы не обкуривать меня. И лишь когда я уже поставил машину возле дома, спросила:

— Пожрать-то что-нибудь есть у тебя?

— Консервы какие-то в шкафчике, — припомнил я, — и макароны.

— Хорошо, — заключила Конфетка.

Но никаких макарон варить мы не стали. Ни к каким консервам даже не прикоснулись. Стоило зайти в квартиру, как и я, и она осознали, насколько мы вымотались за сегодняшний день. А еще собирались ехать в Тверь! Интересно, и как бы мы туда добрались?

— Ты хоть поспала днем, — заметил я Светке, но она в ответ лишь безнадежно махнула рукой.

— Какой там, в задницу, сон. Меньше часа. Да и не спала, полубредила. Денис, дай мне, пожалуйста, полотенце.

Она отправилась в душ, я же, малодушно решив отложить водные процедуры на утро, поспешил к себе в спальню. Слипались глаза, я раздевался уже в полусне, но где-то глубоко в подсознании все-таки засела провокационная мыслишка: «Не получится сегодня мне спокойно поспать. Какое там, когда в соседней комнате находится симпатичная девочка! Не наплевать ли на все и не отправиться ли к ней в гости? Авось не прогонит».

Но я нашел в себе сил сдержаться и за всю ночь ни разу даже не высунул носа из своей спальни. Хотя просыпался несколько раз. И сразу же вспоминал: «А ведь совсем рядом Светка». Тяжко вздыхал, переворачивался на другой бок и засыпал опять. И так до утра.

Короче, моим поведением Конфетка могла быть довольна.

А возможно, наоборот? Лежала в постельке в комнате для гостей, пялилась в потолок и размышляла: «Ну и куда он пропал? Почему не идет ко мне? Импотент! Размазня!»

Может быть, что и так. Черта с два разберешь этих баб. Они всегда говорят одно, думая совсем о другом. И порой сами не знают, чего хотят.

* * *

Пока ехали через Питер и примерно первые сто километров по Московскому шоссе Леонид постоянно поглядывал в зеркала заднего вида. Да и Ангелина неустанно вертелась. И наконец пришла к утешительному выводу:

— Нет, слава Богу, за нами никто не следит. Оторвались от придурка. А не фиг было рисоваться, названивать, угрожать. Предупрежден — вооружен. Ведь, правда, Лень?

— Угу.

— Вот и оставили идиота с носом. Отомстил, ха-ха-ха.

Леонид ехал не торопясь. Во-первых, не хотел заявиться к Ангелининым родственничкам чересчур рано утром. Во-вторых, пошел снег, первый в этом году, и укрыл асфальт тонкой слякотной пленкой, превратив дорогу в настоящий каток. А вылетать с нее за обочину ой как не хотелось! И без этого неприятностей было выше крыши.

Они не доехали и до границы с Новгородской областью, как Ангелина откинула до упора спинку своего кресла, свернулась на нем калачиком и, как ни в чем не бывало, сладко продрыхла, счастливая, часов семь, пока не доехали почти до перекрестка с Волоколамским шоссе. А вот Леонид уже перед самой Тверью «поплыл». А когда понял, что может легко заснуть за рулем, пришлось останавливаться и вылезать из машины. Он потратил минут пятнадцать на то, чтобы основательно, до дрожи, до зубовного стука замерзнуть под моросящим холодным дождем — здесь шел дождь, а не снег. Попрыгал, побегал по обочине около своего «пассата», а когда вернулся обратно в машину, Ангелина уже не спала. Пялилась на него заплывшими спросонья — ну совсем поросячьими — глазками, и на башке у нее творилось нечто невообразимое.

«Фу ты, уродина, — с неприязнью подумал Леонид. — Когда все закончится и изловят этого урку, надо валить от нее куда-то подальше. Вернее, выгнать саму. Скажем, к мамаше. Где там она обитает?»

— Далеко еще до Твери? — Ангелина зевнула, прикрыв рот узенькой бледной ладошкой.

— Перед Тверью стоим. Ты помнишь, где тут поворот на Волоколамку?

— Не-а. Там ведь должен быть указатель.

— Должен, — ехидно ухмыльнулся Леонид, трогая «фольксваген» с места, — но это не значит, что он там обязательно есть. В нашем-то нынешнем бардаке... Ладно, плевать. Не промахнемся.

Они действительно не промахнулись. Указатель был, и Леонид свернул с Московского шоссе направо на совершенно пустынную неширокую дорогу.

— Теперь километров шестьдесят по Волоколамке, — пояснила Ангелина, — до большого поселка. Он называется Микулино-Городище, там еще церковь на холмике. Вот перед церковью еще раз направо, и там, считай, мы почти что на месте. Устал?

— Хм, спрашиваешь.

Он и правда здорово устал, а то непременно бы насторожился, если бы видел в зеркала заднего вида на протяжении шестидесяти километров две яркие фары примерно в трехстах—четырехстах метрах от их «пассата». При этом машина позади них и не отставала, и не пыталась сократить дистанцию.

— Чего вон тот привязался за нами? — Ангелина тоже обратила внимание на две фары и беспрестанно вертелась на своем сиденье. — Леня, притормози-ка чуть-чуть. Пускай он нас обгонит. Проверим.

— Отвянь. — Леонид чувствовал, что опять начинает засыпать, и мечтал поскорее добраться до места. — Скажи, откуда твой муженек бывший мог бы здесь взяться? По воздуху долетел? Ты-то щемила, а я пятьсот километров смотрел в зеркала. И следом за нами не было никого.

— Как знаешь, — пожала плечами Ангелина. — Во, Микулино. Считай, что приехали. Сейчас свернем, проедем еще семь километров, и мы на месте. — Она сладко потянулась, достала из «бардачка» массажную щетку и принялась разбирать бардак на голове. — Леня, вот здесь поворачивай.

Леонид съехал с Волоколамки на совсем узенькое, совершенно разбитое шоссе.

— Как хоть деревня твоя называется? Ч-черт! — Как он ни старался объезжать глубокие выбоины в асфальте, вписаться между ними не всегда получалось, и порой «пассат» ловил колесом какую-нибудь приличную ямку. — И как они, местные, тут только ездят? Или у них у всех сплошь трактора?.. Так как деревня твоя называется?

— Нестерово. Это даже не просто деревня, а целый поселок. Сравнительно большой для здешних мест. Дворов примерно на сто. Клуб был, магазин, почта, когда я отдыхала там в последний раз... — Она ненадолго умолкла, подсчитывая в уме, затем продолжила: — ...лет восемь тому назад. Даже начальная школа.

— Ну это, поверь, мне по барабану,— хмыкнул Леонид, объезжая очередную предательскую яму, неожиданно возникшую в узком секторе света фар. — Школу я уже окончил. И даже уже успел все забыть.

— Ле-о-онь, а там опять сзади фары,— снова заныла она.— Может, это все же за нами?

Леонид бросил беглый взгляд в панорамное зеркало. Позади них за холмом обрамляло неровную линию горизонта слабое зарево дальнего света автомобиля. И до него было не менее двух километров.

— Ну хрен ли ты до меня докопалась! Ну че ты за дурка! — Леонид повысил голос. — Да до этой тачки черт знает сколько. Хотели бы выследить нас, так что, отстали настолько бы далеко? И кому, я тебя спрашиваю, тут за нами гоняться? Кому известно, где мы находимся? Да даже Хопин ничего не знает, кроме того, что мы сейчас где-то в деревне в Тверской области. Не говоря уже о твоем бывшем муженьке-уголовничке! Так что заткнись лучше и, пока не приедем на место, не разевай свою пасть. Не зли меня лучше. Я устал и без твоей дурацкой бабской мнительности. Все поняла?

Ангелина обиженно надула губки. Сидела молча и размышляла о том, что в их отношениях с Леонидом давно уже повеяло леденящим холодом. Муж стал чаще срываться, позволяет себе хамить ни с того, ни с сего. Скоро, не приведи Господь, дойдет до того, что он позволит себе распускать руки. Значит ли это, что их совместная жизнь неумолимо катится к закату?

Да и сейчас он совершенно не прав. Ведь они не в той ситуации, когда можно позволить себе не обращать внимания на, казалось бы, незначительные, но все-таки подозрительные мелочи. Неужто так трудно было просто притормозить на Волоколамском шоссе и снять все вопросы о возможной слежке, пропустив вперед ту машину, что ехала все шестьдесят километров следом за ними?

Да, конечно, она отлично понимала, что муж сильно устал, проведя ночь за рулем. Весь на нервах. Немудрено, что в такой ситуации утратил всякую бдительность. Ну так положился бы тогда на женскую интуицию. На ее врожденное чувство опасности. Так нет же! Уперся, словно ишак. Да еще и обхамил!

Ангелина тяжко вздохнула...

Она бы не только вздыхала, если бы знала, что и на самом деле права. Смогла бы настоять на своем, и Леонид бы легко оторвался на пустынной ранним утром дороге от старенькой «Нивы», которая цепко сидела на хвосте их «фольксвагена». И не привел бы он так беспечно хвост к тому убежищу от мстительного уголовника Константина, которое они с Ангелиной считали надежным на сто процентов.

Но простым смертным суждено ошибаться. Они обладают дурным свойством порой напрочь утрачивать бдительность, особенно после бессонных ночей, проведенных за рулем на тяжелой скользкой дороге. А в результате все оборачивается крупными головняками...

«Головняки» в количестве трех крепких бритоголовых пацанов въехали в Нестерово следом за белым «пассатом» спустя примерно минуту. Остановив свою основательно покрытую грязью синюю «Ниву» на въезде в поселок, они вылезли из машины, и оказалось, что все трое буквально ничем не отличаются от местных скотников-алкашей. Выгоревшие на солнце старые телогрейки; год, как не чищенные кирзовые сапоги; мятые, словно изжеванные телятами кепки; в губах зажаты потухшие «беломорины».

— Я знаю эти места, — произнес один из пацанов. — Тут дорога упирается в это село, и дальше уже никуда не проехать. Разве что на вездеходе или на танке. Все, тупик. «Пассат» искать будем здесь. Больше негде.

И вся троица быстрым деловым шагом заспешила по единственной улице поселка, вдоль которой более чем на километр по обеим сторонам растянулись обычные деревенские избы. При этом пацаны не ленились заглядывать в каждый из дворов, хотя отлично понимали, что «фольксваген» еще не успели поставить на долгую стоянку за палисад и он должен торчать где-нибудь на улице возле дома, который объекты наблюдения наметили для жилья. Но эти трое были приучены относиться к выполнению порученных им заданий со всей возможной щепетильностью. А им было строго наказано определить, куда точно направляется белый «фольксваген пассат» с питерскими номерами, который под утро должен свернуть у Твери на Волоколамское шоссе. И при этом ни в коем случае не обнаружить себя. Это, похоже, им удалось. Теперь дело за малым.

— Он, — вполголоса произнес один из пацанов, и все трое сразу замедлили ход.

По левую руку возвышались развалины церкви, и вжался в землю одноэтажный желтенький магазинчик с облупившейся штукатуркой. По правую — выстроились в ряд разноцветные избы, отгороженные от мира хлипкими реечными заборчиками и облысевшими по осени кустами сирени. По улочке протрещал старенький трактор «Беларусь», тащивший за собой порожний прицеп. Навстречу прошли две толстые бабы с пустыми подойниками.

Метрах в пятидесяти впереди возле одного из домов прямо под единственным на весь поселок уличным фонарем стоял знакомый «фольксваген». Вокруг него прыгал худой паренек, приседал, выполнял какие-то гимнастические упражнения. Со стороны эта картина казалась довольно гротескной.

— А с башней-то у него все в порядке? — произнес тот из троих, что потолще и покрупнее своих дружков.

— Все. — Другой прикурил «беломорину» и сразу надолго и тяжко закашлялся. — Фу, блин, отрава. А с башней... Посидел бы сам ночь за рулем, да еще по такой тяжелой дороге, так не так бы запрыгал. Здесь, братва, и притормозим.

Пацаны встали в кружок возле крыльца магазина и принялись ждать, куда же дальше сунется белый «фольксваген». Перекочует к другому дому? Или ему сейчас распахнут ворота, и он заедет во двор?

Никого из троих совершенно не беспокоило то, что они могут вызвать хотя бы малейшее подозрение у мудака, производящего разминку около своего «пассата». Местные похмельные алкаши, с утра оккупировавшие вход в магазин и терпеливо дожидающиеся продавщицы — какие здесь могут быть подозрения? Разве вот только не слишком ли рано они тут заняли позицию? До появления продавщицы еще, как минимум, часа три.

Но «продавщица» — та, которую с таким нетерпением дожидались трое крепких пацанов в телогрейках, — нарисовалась возле «пассата» гораздо раньше. Симпатичная девка в утепленной кожаной куртке с меховым воротником и модных сапожках на толстых прямых каблуках, а с нею маленький прыткий дедок в овчинном тулупе и валенках. Девка бросила несколько слов тощему парню, и тот, сразу оставив свои гимнастические упражнения, поспешил за руль. Дед уже открывал ворота.

— Нормалек, — пожевал окурок папиросы один из пацанов. — Решили, значит, здесь и обосноваться. Пра-а-авильно. Не хрена колесить по всему селу. И нас бегать за собой заставлять. Болото, — он, чуть склонив голову набок, внимательно посмотрел на толстяка, — как только они возле «пассата» немного угомонятся и уберутся в избу, прогуляешься мимо нее. Глянь, где поставили тачку. На улице, или у них там гараж. И еще, попытайся рассмотреть, есть ли во дворе какая собачка. Большая ли. Ясно?

— Угу. — Никита Болото покивал круглой башкой, а минут через десять отправился на разведку.

Ленивой походкой человека, который изнывает со скуки и не знает, как убить лишнее время, он вразвалочку прошел мимо двора, в котором возле небольшой зеленой избы впритирку к богато застекленной веранде, был припаркован белый «фольксваген пассат». Отметил, что чуть в стороне от дома установлена собачья будка и, наполовину высунувшись из нее, лежит огромная псина, внешне очень схожая с кавказской овчаркой. Очень спокойная — и, наверное, умная — псина, которая и не подумала выбраться из своей будки и хотя бы раз тявкнуть на незнакомца, болтающегося возле дома, который ей доверено охранять. Но зато — а это яснее ясного, — если кому-то взбредет в дурную башку перелезть ночью через забор и приблизиться, скажем, к тому же «фольксвагену», то мало ему не покажется. Во-первых — и это в лучшем случае, — собачатина поднимет гам на всю округу, перебудит и хозяев, и их гостей. Во-вторых — самое худшее, — может оказаться, что овчарку отвязывают на ночь, или у нее настолько длинная цепь, что она легко доберется до наглеца, проникшего на ее территорию.

«М-да, пожалуй, зверюгу придется травить», — вздохнул Никита Болото, разворачиваясь и все той же ленивой походочкой возвращаясь к своим корешам, по-прежнему топтавшимся около магазина. Он очень любил животных, и обреченную собаку ему было искренне жаль.

— Ну, чего там?

— Тачка на улице, — принялся докладывать Болото, — И похоже, что определили ее там надолго. Калитка во двор запирается только на обычную щеколду. Там даже нет скоб для замка. Так что перебираться через забор не придется.

— Что с собакой?

— А вот с этим-то самый большой головняк, — развел руки толстяк. — Метрах в десяти от входа в избу, почти совсем рядом с машиной собачья будка. А в ней огроменная псина. Типа кавказца.

— Ништяк. Накормим отравой, если потребуется. И вообще, я надеюсь, это будет уже не наш геморрой. — Тот из пацанов, который отдавал Болоту все приказания и, похоже, был старшим в этой группе из троих человек, посмотрел на дорогие японские часы «Ориент» и крепко хлопнул по плечу толстяка. — А молодцы ведь мы, пацаны. Все сполнили по полной программе, как и было приказано. Теперь ждите премии. А сейчас по домам. Не хрен здесь больше отсвечивать. — И не говоря больше ни слова, он развернулся и быстрой походкой пошел к околице Нестерова, где была оставлена «Нива»...

А в это время ничего не подозревающие Леонид и Ангелина уже беззаботно пили чай с дешевыми слипшимися «подушечками», которые в наши «сникерсовые» дни можно купить только в деревне.

Хозяйка, маленькая сморщенная старушка, в небольшой комнатушке, которая обычно служила для приема гостей, застилала чистым бельем широкую, укрытую издающей аромат свежего сена периной кровать. Рядом с ней ее муж, тихонечко матерясь себе под нос, возился с печкой голландкой. Он еще так и не решил для себя, стоит ли сокрушаться по поводу появления нежданых гостей. С одной стороны, они за постой предложили огромные деньги — аж сто пятьдесят рублей в день! Но с другой — сколько лишних забот сразу возникло с их появлением. Например, сейчас надо идти готовить им баню. А вечером колоть порося. Потом переться в бор за ветками можжевельника, налаживать коптилку, закручивать банки с тушенкой. А после этого найдутся еще какие-нибудь дела. Раньше они со старухой вполне обходились вареной картошкой, хлебом и молоком. Даже русскую печку топили не чаще раза в неделю, обходясь голландкой, установленной в горнице. А теперь... Это сколько же дров на это уйдет!

Старик не удержался и выругался довольно громко. Жена сразу же отвлеклась от постели и обернулась к нему.

— Ты чего это, дед, язык распускаешь?

— А-а-а. — Старик махнул потемневшей от времени и работы рукой. — Надолго к нам эти гостюшки дорогие?

— Да говорят, на недельку, не мене.

— Вот, не было печали. И сдохнуть ведь не дадут спокойно. — Последние годы завелась за стариком такая дурная привычка — никогда не упускал возможности побрюзжать, был бы для этого лишь подходящий повод. Сейчас как раз такой повод и выдался. — Это, скажи ж ты, цельну неделю няньчаться с энтими дачниками. — И старик принялся ворошить кочергой дрова, которые никак не желали разгораться.

Откуда ему было знать, что Линочка с мужем срочно уедут куда-то уже завтра утром, обнаружив на капоте своей машины такое! Такое!!!

Старик опять выматерился и продолжил ворошить кочергой дрова. Ну ни в какую не желали они разгораться в этой проклятой голландке!

Глава 6

НА САМОМ ИНТЕРЕСНОМ МЕСТЕ...

День выдался на удивление удачным. Все сложилось как нельзя лучше; все, что было задумано, срослось; все, что хотел, удалось. Получилось даже и то, о чем не смел и мечтать...

Уже с утра пораньше меня разбудил телефонный звонок из Твери.

— Ништяк, Знахарь, — продудел в трубку Дачник. — Братва пропасла «пассат» до самого дома, где твои клиенты и тормознули.

— Они не засекли за собой наружки?

— Да ну, ты чего? Этим занимались мои лучшие пацаны. Так слушай, Денис. Дальше-то как? Все по плану? Как вчера обсуждали? Никаких корректив?

— Никаких, — сонно зевнул я. — Ты уже связался с могильщиками?

— Послал в похоронку одного из своих. В общем, к вечеру все будет готово. Тебя когда ждать?

— Завтра с утра. Рано. Так что, уж извини, разбужу.

— Да ладно, — миролюбиво ухнул Дачник. — Один хрен, сегодня спать не придется. Записывай адрес, куда тебе надо подъехать...

Я записал адрес и не успел повесить трубку, как телефон заверещал опять. На этот раз это был Айрат.

— Я уже наверху, — похвастался он. — В этой бомжами обосранной башне. Влез на нее вообще без проблем. Правда, в кромешной темноте. Но зато всего за десять минут. Звоню сейчас по мобильнику.

— Молодец! — Я был доволен. — Ты только особо там не высовывайся. Спалит охрана, насторожится. Это хреново.

— Не спалит, — заверил меня Акын. — Тут Крокодил от Комаля подогнал мне перископ.

Ну знаешь, такая армейская стереотрубка. Вот я ее здесь закрепил, а сам болтаюсь на альпинистской обвязке ниже окна. Так что хрен кто заметит.

— Хорошо, — удовлетворенно выдохнул я. — Гляди, чтоб не блеснуло солнце в окулярах твоего перископа... Артиллерист-разведчик.

— Ка-а-акое солнце? — развеселился Айрат. — Ты сегодня хоть выглядывал за окно? Дождина на улице. Лучше скажи мне, разговаривал вчера с Тверью? Звонил тебе Дачник?

— Все зашибись. Спасибо, Акын. Местные пацаны уже знают адрес, где осели мои любезные родственнички. Теперь дело за малым. Братва справится с этим, я в этом уверен. Слушай, — не смог я удержаться от этого вопроса, — а как внешне выглядит Дачник?

— А-а-а, — проявил прозорливость Айрат. — Понравился его голосок? Сам Витек ему соответствует — этакая горилла под два метра росту. С рожей Кинг-Конга. В темном переулке встретишь — не возрадуешься.

«Что ж, я не ошибся, — подумал я. — Готовьтесь, любимая женушка Ангелина и дорогой брат Леонид, к встрече с Кинг-Конгом и его стаей. А потом на закуску, может быть, и со мной. А может, и нет. Там будет видно. Возможно, что мне уже не останется, с кем встречаться. Короче, все определят обстоятельства».

До обеда я успел перелопатить еще целую гору дел. Отправил на рынок Конфетку — она вернулась оттуда, нагруженная двумя пакетами, и обосновалась на кухне, наполнив квартиру ароматами чего-то, кажется, весьма аппетитного. Потом позвонил Электронику и был обрадован сообщением о том, что система защиты хопинского компьютера элементарна, и Эл уже заканчивает составление программы, которая должна распаролить этот компьютер менее чем за сутки.

— Молодец. Дерзай, Игорь, дальше, — похвалил я Электроника. — От твоих успехов сейчас зависит очень многое.

А уже через пятнадцать минут отчитывался перед дозвонившемся до меня Артемом Стилетом.

— Вчера весь день не мог застать тебя дома, — первым делом пожаловался он. — Где болтался-то?

— В Александровской. Разглядывал хопинский замок. Выбрал удобный наблюдательный пункт. Сейчас там уже мои люди, следят за коттеджем, собирают информацию об образе жизни нашего подопечного.

— Не засветятся? — сразу забеспокоился Стилет. — У этого Хопина вроде бы опытная охрана.

— Не засветятся, — успокоил я положенца. — Об этом заботимся в первую очередь. Кстати, еще один пацан, хакер, пробует взломать защиту хопинского компьютера. Быть может, удастся что-то надыбать оттуда. Вот, в общем, те два направления, по которым сейчас ведется работа.

— Понятно, — буркнул Стилет. — А все-таки, Знахарь, постарайся не затягивать с этим чмошником. Мы каждый день теряем из-за него круглую сумму. И еще одно. Через пару часов дома будешь?

Я ненадолго задумался и в конце концов решил, что вроде бы никуда в ближайшее время не собираюсь.

— Буду.

— Отлично. Тогда дождись Вову Большого. Ты его помнишь, он встречал тебя на вокзале. Перешлю с ним немного хрустов, а то ведь тебе самому, похоже, просить западло. Сдохнешь так с голодухи со своей скромностью, — хихикнул Стилет, — кто тогда будет мочить Аркадий Андреича? И еще, чтобы не было больше, как вчера, когда до тебя не дозвониться, Вова подгонит тебе сотовый телефон. Пользуйся на здоровье.

— Спасибо, Артем, — смущенно пробормотал я.

А он лишь расхохотался в ответ:

— Твое спасибо, Знахарь, будет тогда, когда завалишь нашего приятеля Хопина... Ну, бывай. Держи меня в курсе. И не стесняйся, сразу звони, если что-то понадобится. Да и я, братишка, буду позванивать. Удачи.

Стилет отключился, а я сразу же обзвонил Акына, Мишу Ворсистого, Катерину и Серегу Гроба. Забил всем четверым стрелу у себя дома примерно через четыре часа и, весьма довольный собой, отправился на кухню выяснять, чем же это так вкусно пахнет на всю квартиру.

Конфетка в неизвестно откуда извлеченном нарядном переднике возилась возле плиты, помешивая в маленькой эмалированной кастрюльке деревянной лопаточкой какую-то подливку. В духовке что-то активно шипело, и именно оттуда и распространялись аппетитные ароматы.

Я подошел к Свете сзади, крепко обнял ее, прижал к себе и уткнулся лицом в ее точеную шейку. Провел губами по щеке, чуть сдвинул в сторону густые черные волосы и слегка прикусил мочку маленького аккуратного уха со скромной золотой сережкой в виде сердечка. Конфетка замерла, обратилась прямо-таки в недвижимую статую. Я отчетливо ощущал, как окаменели все ее мышцы. Но она даже не попыталась от меня отстраниться. Лишь сумела с трудом выдавить из себя срывающимся шепотом:

— Ну и... зачем... ты это... делаешь?.. Прекрати... Слышишь?.. Дени-и-ис...

— Я хочу тебя, Света,— непроизвольно вырвалось у меня. — Ты очень мне нравишься. Это серьезно. Это не пустые слова.

Она вздрогнула и, приложив немалые усилия, сумела развернуться в моих крепких объятиях лицом к лицу со мной. Глаза зажмурены, губы слегка приоткрыты. Я чуть наклонился и запечатлел на них долгий и осторожный поцелуй. И она охотно ответила мне. И затряслась всем своим худеньким телом. И задохнулась, не в силах наладить сбившееся дыхание, втянуть в себя хоть немного воздуха.

«Доведись мне четыре года назад госпитализировать эту красавицу в таком состоянии, — совершенно не к месту подумал я, — то в эпикризе бы указал, что у нее генерализованные судороги тонико-клонического характера, развившееся вследствие эклампсии или интоксикации».

— Света, Све-етик. — Я отстранил ее от себя. Нежно погладил по прямым блестящим волосам. — Успокойся, малышка. Успоко-о-ойся... Все хорошо... Все так хорошо!

— И чего ж ты наделал? Зачем так сразу меня раздразнил? — с легкой ноткой упрека — как мне показалось, наигранного — произнесла она. И пожаловалась: — Теперь у меня будет болеть живот. Или тебе придется сейчас все доводить до конца, коли уж начал.

— Так пошли ко мне в спальню, — тотчас отреагировал я, но Конфетка в ответ отрицательно покачала черноволосой головкой и, повернувшись ко мне спиной, снова принялась помешивать подливку деревянной лопаткой, которую все это время так и держала в руке.

— Нет, Денис. Не сейчас. Я слышала, как ты с кем-то разговаривал по телефону. Кто-то ведь должен подъехать. Вдруг сейчас кто-нибудь начнет трезвонить в дверь, и придется прерываться на самом интересном месте. Не хочу, чтобы было именно так. Представляешь, Денис, я ведь ни с кем не целовалась почти что четыре года.

— И пыталась убедить меня в том, что ты ярая мужененавистница.

Конфетка смущенно хихикнула.

— Вот этому я теперь и сама совершенно не верю. Наверное, все просто придумала. Вбила себе в дурную башку какой-то навязчивый бред. — Она, оставив лопатку торчащей в кастрюле с подливкой, опять развернулась ко мне и обвила руками меня за шею. — Знаешь, давай попробуем это сегодняшней ночью? Хочешь, я опять у тебя останусь, Денис? Уже не в той комнате для гостей. С тобой. И, может, сегодня сумею избавиться от этих дурацких комплексов, которые порой так мешают жить. А ты мне в этом поможешь. Мне кажется, что с каждым часом... нет, с каждой минутой я влюбляюсь в тебя все больше и больше. Я почувствовала, что так случится, как только увидела тебя в первый раз.

— И тут же развернула с этим чувством активнейшую борьбу? — Я непроизвольно дотронулся до своей нижней, все еще опухшей губы. — Сделала все, что могла, для того, чтобы мы сразу стали врагами. Почему?

— Не знаю, — совершенно искренне ответила она. И пожала плечами как набедокурившая пятиклассница.

Я наклонил голову и опять поцеловал ее в чуть приоткрытые губы. А она снова вздрогнула так, словно я пустил по ней легкий электрический разряд. Но на этот раз отстранилась от меня. Шумно втянула в себя воздух. И прошептала. Чуть слышно. Так и не открывая глаз.

— Я тоже тебя хочу, Денис... Так долго... ждала тебя... Дождалась... наконец... Поверь, это правда... Я точно знаю... что это... правда.

— Я тоже... — прошептал я в ответ...

...только и успел прошептать я в ответ...

И тут же в дверь раздался длинный настойчивый звонок. Как и пророчила Конфетка, на самом интересном месте.

— Быстро добрался, — без особой приветливости в тоне буркнул я, пожимая Вове Большому граблеобразную лапищу. — Артем обещал, что подъедешь не раньше, чем через два часа.

— Ну-у-у, я же не думал, что помешаю, — откровенно признался Вова, оценивая взглядом профессионала-эксперта высунувшуюся

197

из кухни взглянуть, кто там такой объявился, Конфетку. — Знал бы, так не спешил... Добрый день, девушка. — Большой отвесил Свете низкий шутовской поклон. — Я Владимир Андреевич.

В ответ Конфетка ошпарила его недружелюбным взглядом исподлобья и, ни слова не говоря, свалила обратно на кухню. А я рассмеялся и хлопнул Вову по крутому накачанному плечу.

— А это Светлана. Уж не знаю, как она там по отчеству, Владимир Андреевич, но зато у нее совершенно несносный характер. Так что не рекомендую пытаться заигрывать. Обломаешься. И в лучшем случае нарвешься на семиэтажную матерщину. В худшем — схлопочешь по будке сковородой.

— Что, в натуре? — снова расплылся в дебильной улыбочке Вова. Он уже успел снять ботинки, и один из носков у него оказался с дырой, из которой выглядывал на волю грязный большой палец. Впрочем, это моего гостя нисколечко не смущало. — Тапок не надо, — пробубнил он и оглушительно высморкался в нечистый платок. — Привык босиком. Да и носки грязные. У тебя пол в квартире всяко чище, братан.

С чем я был совсем не согласен. Но промолчал. Вместо этого махнул Вове рукой, чтобы следовал за мной, и отправился на кухню, где, накрывая на стол, злобно гремела тарелками хмурая, разочарованная жизнью Конфетка. Она уже извлекла из духовки поднос с подрумяненной до золотистого цвета картошкой и покрытыми кружками лука свиными котлетками на косточках.

Ноздри у Вовы Большого сразу жадно зашевелились, глазки радостно заблестели. Он тяжело плюхнулся на табурет и замер в ожидании божественной трапезы.

Несмотря на свою внешность австралопитека, Большой оказался весьма компанейским типом с настолько хорошо подвешенным языком, что, по моим прикидкам, смог бы легко исполнять обязанности тамады на свадьбе средней паршивости. Пока мы набивали себе животы свининой с картошкой, а потом пили кофе с вафельным тортиком, курьер положенца успел рассказать десятка два свежих анекдотов, дополнив их парой прикольных историй, случившихся с ним в реальной жизни. А оттрапезничав, благоразумно не счел удобным дальше навязывать нам свое общество. Потом вручил мне упакованную в целлофан пачку стодолларовых купюр, кредитную карточку, мобильник и обрывок бумажки, на котором почерком Артема Стилета были накарябаны мой пин-код и номер сотового телефона.

— А на словах босс просил передать, что в средствах особо можете не стесняться. Конечно, в пределах разумного. Если потребу-

199

ется что-нибудь, чего не сможете надыбать самостоятельно — скажем, оборудование или какая-то информация, — звони или сразу же, не откладывая, подруливай прямо к нему в Сестрорецк... Ну все. Поеду, пожалуй. — Вова протянул мне на прощание руку. И напоследок, уже выйдя за дверь, ни с того, ни с сего ошарашил меня пророчеством. — Не мое это дело, конечно, но как пацан пацану... Намаешься, Знахарь, с этой своей черной розой. Исколешься весь о шипы так, что и места живого на тебе не останется. Ты уж поверь, я-то вижу такое с первого взгляда. Жизнью научен, сам не раз попадал на нечто подобное. Старайся держать эту Светлану от себя на дистанции — так будет лучше всего. И извини, если сунул нос не в свое дело. Но я так считаю, что сказать, о чем думаю, был просто обязан. Как пацан пацану, — еще раз повторил он и, даже не думая вызывать лифт, начал быстро спускаться по лестнице.

А я стоял на пороге квартиры, слушал, как на всю парадную гулко стучат о ступеньки жесткие подошвы его ботинок, и с легкой иронией размышлял: «Эх, Володя, Володя. И ничего-то ты обо мне не знаешь. Не ведаешь о том, на какой ядовитый шип в свое время насадили меня. По статусу тебе не положено знать, кто я такой на самом деле, и какие воду, огонь и медные трубы мне довелось преодолеть, прежде чем я оказался в этой просторной квартире наедине с „черной розой“, ощетинившейся шипами, которые на самом-то деле мне не страшнее детской считалочки. Такие шипы я давно научился обламывать без вреда для здоровья. А если вдруг и случится, что ненароком все-таки уколюсь о какой-то из них, то ранка затянется моментально, и я даже не обращу на нее никакого внимания».

— Такие-то вот дела, Вова Большой, — чуть слышно произнес я и запер входную дверь.

В прихожую выглянула Света. На руках, как у хирурга, резиновые перчатки. Нарядный передничек сбился немного на сторону. С левого глаза чуть-чуть подтекла тушь, но Конфетка этого еще не заметила.

Я подошел к ней и крепко обнял за плечи. Она глубоко вдохнула и доверчиво прижалась ко мне.

— Черная роза, — прошептал я ей на ушко.

— Почему черная роза? — тоже прошептала она.

— Потому что так тебя назвал Вова Большой. А еще он отметил, что у тебя очень много длинных и острых шипов.

Конфетка усмехнулась и слегка коснулась губами моей щеки.

— А ведь он прав, этот твой Вова. Я и правда очень колючая. Для всех, кроме одного человека. Есть такой, один-единственный на всю нашу Вселенную, для кого у меня теперь нет ни единой, даже самой ничтожной колючки. Кого я имею в виду? Отгадай с трех попыток.

Она шептала мне прямо в ухо. Она почти касалась его губами. И я сейчас просто готов был растаять от ее горячего прерывистого дыхания.

— Зачем три попытки? Мне довольно одной. Человек, единственный во Вселенной, для кого у тебя не осталось ни шипов, ни колючек, — это я. Угадал?

— От скромности помереть тебе не суждено.

— Так угадал или нет?

— Угадал... конечно, — пробормотала она. Хорошо, что она не догадалась задать мне еще один вопрос, на который я точно не знал бы, что отвечать. То ли врать, то ли, зажмурившись, вываливать на поверхность всю правду. «А верю ли я всему тому, что она сейчас горячо нашептывает мне на ухо?» — вот такой вопрос, которым Конфетка с ходу загнала бы меня в тупик. Ведь как бы я этого горячо ни желал, но заставить себя поверить хоть единому ее слову не мог.

Те беззаботные розовые времена, когда я был готов безоглядно повестись на любую красочную бодягу, которую мне навесила бы на уши какая-нибудь нарядная кукла, канули в Лету уже больше четырех лет назад. Жизнь давно выдавила из меня щенячью уверенность в то, что дерьмовых людей не бывает; есть люди, к которым ты просто не смог найти должного подхода...

— Денис. Дени-и-ис! — Конфетка легонько шлепнула меня по щеке тыльной стороной узкой ладошки, с которой уже успела стянуть резиновую перчатку. — Опять ты задумываешься. Ну прям на ходу. Чего-то с тобой не ладно, родной.

«И чего прицепилась, словно репейник? — почти безразлично, совсем без раздражения подумал я. — И все-то ей доложи, обо всем расскажи. А я ведь даже еще не решил, к какой категории своих друзей ее отнести. К тем, кому не доверяю лишь самую малость? К тем, кому не доверяю в чем-то большем?» Я мысленно пожал плечами, не зная ответов на эти вопросы. И все же где-то в душе был готов согласиться с собой, что почти без раздумий пошел бы с Конфеткой за линию фронта, несмотря на ее душный нрав, остро заточенные шипы и жалящие взгляды исподлобья. В том, что в случае надобности она без раздумий надежно прикроет меня со спины, я был уверен почти наверняка.

— Все хорошо, милая. Все просто ништяк.— Я неуклюже ткнулся губами ей в личико, угодив губами в тот глаз, с которого подтекла тушь. — А задумываюсь я оттого, что вокруг слишком много такого, о чем просто нельзя не задумываться. Куда бы ни ткнулся, ни сунулся, хоть в самый темный безжизненный угол, там меня все равно уже поджидает какой-нибудь головняк. Слишком большие ставки в этой игре, чтобы я мог позволить себе рисковать, — сообщил я Свете то, что она знала и так. — По сравнению с этим все остальное на втором плане.

— И даже я? — не преминула подловить меня провокационным вопросом Конфетка, и я, даже не помышляя о том, чтобы кривить душой, без раздумий ответил:

— Даже ты, Света.

— И почему ты *не доверяешь* мне? — сухо спросила она, снова натягивая на руку резиновую перчатку. — К какой категории относишь меня? К своим настоящим друзьям? Или к тому продажному быдлу, которое окружает тебя и только и ждет удобного случая, чтоб воткнуть тебе нож под лопатку?

Я прикинул, а не стоит ли мне сейчас снова крепко обнять Конфетку, ткнуться губами в точеную смуглую шейку, прикусить мочку аккуратного уха с маленькой золотой сережкой в виде сердечка. Так, чтоб Свету опять тряхануло, словно от легкого электрического разряда; так, чтобы она еще раз прошептала: «Ну и... зачем... ты это... Дени-и-ис...»; так, чтобы прервать этот непростой для меня — да и, пожалуй что, для нее — разговор.

«Почему именно перед ней, и кто она вообще такая, что я вдруг выделил ее из числа остальных?» — на этот вопрос я никогда бы не смог отыскать ответа. Хотя в том, что «никогда бы не смог», возможно, и заключался ответ. Передо мной была девушка, не подпадающая ни под один из знакомых стандартов, по которым я привык сортировать своих друзей и знакомых; девушка-загадка, которую я никак не мог разгадать и, более того, точно знал, что не смогу разгадать вообще. А это, будто соринка в глазу, словно небольшая заноза, которую никак не извлечь из-под кожи, вызывало если не боль, то назойливое неудобство, основательно поганящее жизнь, отвлекающее от других, казалось бы, более насущных проблем.

«И все же, что из себя представляет эта Конфетка? И что у нее есть за крючок, на который она так ловко подцепила меня? И существует ли вообще в реальности подобный крючок, или я, мнительный психопат, его просто придумал?» — мысленно пожал я плечами и решил, что все же не буду сейчас обнимать Свету за хрупкие плечики, покусывать за мочку уха с сережкой в виде сердечка. Не напороться бы ни с того, ни с сего на решительный и совсем неуместный отпор. Уж лучше выждать немного.

— Пойду прилягу. Быть может, удастся заснуть на пару часов, — доложил Конфетке. — Потом припрутся Комаль, Катерина, Гроб и Ворсистый. Пощемить уже не дадут. А мне сегодня еще всю ночь торчать за рулем... Присоединяйся, как домоешь посуду. Если, конечно, захочешь. Я буду рад. — И уже почти было вышел из кухни, как словно на бетонную стену, наткнулся на строгое:

— Погоди!

Я обернулся.

— Ты разве ночью куда-то собрался?

Я так и не смог разобраться, чего же больше присутствовало сейчас в интонации, которой был задан этот вопрос. Разочарования? Злобы? Обиды?

— Завтра утром меня ждут в Твери.

— Ах, значит, в Твери? — Разочарование и обиду у нее в голосе значительно перевешивали злобные нотки. — Зашибись! Спасибо, что хоть счел возможным поставить меня об этом в известность. Ну, и когда ж ты пришел к такому решению — ехать сегодня вечером в Тверь? Только что? — Света картинно скрестила на груди руки в красных резиновых перчатках. — Когда наконец определил для себя, что поквитаться со своей бывшей женушкой и брательником гораздо важнее, чем посвятить несколько жалких ночных часов мне? Между прочим, быть может, самых важных часов для меня во всей моей корявой судьбе. Тех часов, которые я так ждала долгие годы! Тех часов, которые, как я мечтала, наивная, возьмут и поставят на ноги всю мою жизнь... И что за дурка! — Конфетка с горечью ухмыльнулась. — Так и не сумела привыкнуть к тому, что все вокруг состоит из обломов.

— Свет, — набрался решимости разинуть рот я. — То, что я должен быть в Твери завтра, было решено уже рано утром. Когда ты еще спала, мне звонил Дачник. У них все готово. Они знают адрес, по которому сейчас находятся Ангелина и Леонид. Ждут только меня, чтобы начинать представление.

— «Представление», — передразнила Конфетка. — Не пойму одного, господин режиссер. Что, так трудно было сразу сказать, что собрался сегодня сваливать в Тверь и этот вопрос уже решен для тебя окончательно? И не пудрить мне, дуре, мозги. Не выслушивать снисходительно, как я, идиотка, вслух мечтаю о том, что, быть может, впервые за всю свою жизнь останусь на ночь у человека, в которого искренне, по-настоящему влюблена. Которому готова отдать всю себя без остатка. Которого столько ждала и вот... вообразила, что наконец дождалась. — Конфетка широко улыбнулась, выставив напоказ ровный ряд крепких белых зубов. — Совсем забыв о том, что на роду мне, замарашке, написано лишь получать удары и справа и слева, и сзади и спереди, ибо где-то хранится обгорелый пергамент, на котором слезами и кровью прописан мой фатум на долгие годы вперед. И в нем ничего изменить невозможно. Наверное, когда я еще была маленькой, какая-то злая волшебница навела на меня порчу.

Я сделал пару шагов к Конфетке, но она решительно выставила вперед левую руку. И я, будто в далеком детстве играя в «Море волнуется раз...», замер на полушаге. И произнес, стараясь приправить свой голос максимальными дозами искренности. И добавить к ним несколько ноток беспечности:

— Света, тебе случайно не кажется, что мы сто́им друг друга? Что у тебя потихонечку едет крыша, что у меня? Только у каждого в своем направлении... Что за чушь ты несешь?..

Она молчала, не сводя с меня глаз.

— Знаешь, я ведь вернусь из Твери уже дня через два. И поверь, мне просто безумно приятно, что теперь предстоит возвращаться не в пустую квартиру, не к старухе с разбитым корытом, а к прелестной девчонке, которая, я это знаю наверняка, будет ждать меня все это время; которой, я в это искренне верю, я очень нужен... Ты ведь будешь ждать меня, Света?

— Да, — еле слышно прошептала она.

— Это правда?

— Да.

— А ведь ты мне очень нравишься, милая. Я, кажется, просто взял да влюбился в тебя. Ты веришь мне?

— Нет. — И, даже не пробуя как-то обосновать свой категоричный ответ, она взяла и увела разговор чуть-чуть в сторону. — Денис, а мне можно поехать с тобой?

Как мне хотелось ответить, что можно! Но Конфетка, как ни крути, ни с одной стороны не вписывалась в четкий сценарий ответки, который был разработан мною еще накануне и в полной мере одобрен «исполнительным директором представления» Дачником. И поэтому мне пришлось ответить:

— Нельзя. Ты пойми меня правильно.

— Я понимаю, — только и вздохнула Света.

— Два дня. Только два дня, Конфетка. А если вдруг что-то меня там задержит, я обязательно позвоню. По этому телефону. Идет? Ведь ты поживешь у меня, пока я не вернусь?.. Вернее, что я болтаю? — Я пальцами легонько шлепнул себя по лбу. — Почему только пока не вернусь? Ты переедешь ко мне насовсем. Мы сегодня же сходим к консьержу и оформим на тебя пропуск в парадную. Лады?

В ответ она только молча пожала плечами. А потом задала совершенно сторонний вопрос:

— Ты ведь их завтра замочишь, Ангелину и брата?

— Да, замочу. Может быть, завтра. А может быть, дам прожить еще один день.

— И уверен, что не спалишься, Денис?

— Уверен, — кивнул я в ответ.

— И все-таки осторожнее. Я буду за тебя беспокоиться. Позвони, когда все будет нормально. И скорей возвращайся. — Конфетка крепко приникла ко мне, коснулась мягкими горячими губками моего подбородка. — А сейчас иди к себе в спальню. Тебе действительно надо поспать перед дальней дорогой. А я тебя навещу. Когда отдраю этот проклятый поднос.

Но Света в тот день так и не пришла в мою спальню. А может, все-таки приходила? Мне так и не доведется этого узнать никогда, потому что стоило в тот удачный, насыщенный терками и разборками день доползти до кровати, как я тут же свалился безжизненным трупом прямо поверх одеяла. И безмятежно и крепко продрых три часа, пока не был разбужен Комалем, который настойчиво тряс меня за плечо и недовольно брюзжал:

— Командир, ну чего за туфта? Ты вызывал нас сюда лишь затем, чтобы мы оберегали твой сон? Или есть дела поважнее? Так давай тогда их перетрем. А то, если честно, уже запарились ждать.

— Извини, Комаль. Что же вы сразу не разбудили, как только пришли?

— Да ладно! Ништяк!

— А о чем потереть, не волнуйся, найдется. Геморрои действительно есть. — Я спустил ноги с кровати и провел ладонями по вискам, словно смахивая остатки дремы у себя с головы. — Такие сочные геморрои, что, обещаю, будет совсем не до сна. Так что готовься.

— Всегда готов, командир, — блеснул Комаль своей ослепительной белозубой улыбкой и недвусмысленно постучал кувалдочкой-кулаком по раскрытой ладони.

Глава 7

«АРГЕНТИНА — ЯМАЙКА 2:0»

— Подожди в машине. Я быстро. Туда и обратно. — Эл вылез из серенькой Лехиной «ауди» и пошел к знакомому подъезду, где накануне устанавливал в распределительном телефонном щите подслушивающее устройство. И, конечно же, увлеченный преследованием Ангелины и Леонида, забыл его снять. А ведь жалко «жучка». Вот и пришлось сегодня припрягать Леху Взрывника съездить в квартиру жертв. Туда и обратно — каких-то несколько троллейбусных остановок. Всего ничего. Всего полчаса...

Взрывник увязался в подъезд следом за ним.

— Чего тебе там? — непонимающе пожал плечами Эл. — Не видел параднятков?

— Просто размяться. — Леха сунул в рот пластик жвачки, протянул пачку Электронику, но тот отрицательно покачал головой. —

Заодно посмотрю, куда ты пихаешь свои хитрые штучки.

— Один черт, ни хрена не поймешь, — усмехнулся Эл. — Так же как я не понимаю в твоих тротилах и гексогенах. Проходи. — Он пропустил Леху вперед. — Спускайся в подвал.

— Что, в сам подвал? — Взрывник, почувствовав, что он рискует выпачкать ноги, уже передумал смотреть, куда «пихают хитрые штучки».

Но Эл решительно подтолкнул его в спину.

— Нет, рядом. Пошли-и-и. Испугался, — ехидно произнес он. — Раз уж поперся, поможешь. Не волнуйся, здесь сухо.

В подвал действительно лезть не пришлось. Распределительный щит располагался в коротком пролете лестницы, так что спуститься надо было всего на десяток ступенек. Электроник ловко размотал провод, которым была прикручена дверца щитка, распахнул ее, буркнув:

— Посвети. Есть зажигалка?

И Леха достал из кармана пижонскую «Живанши». Но щелкнуть ей он так и не успел.

Наверху послышались быстрые шаги. Кто-то спускался по лестнице. А вступать в бессмысленные пререкания с жильцами в их планы не входило. Эл обратно прикрыл дверцу щитка. Взрывник, состроив безразличную физиономию, замер.

Шаги приближались.

Отвратная штука жизнь подкинула очередной мерзкий сюрпризец. Последний сюрпризец.

То, что он и правда последний, Электроник понял сразу, как только увидел здоровенного типа, который, как чертик из табакерки, возник буквально в пяти метрах от них. Чуть выше — всего в каких-то десяти ступеньках... А рядом с ним нарисовался еще один боевик в камуфляже и черной шапочке с прорезями для глаз. И еще один... Трое. У двоих в руках по пистолету. У третьего — того, что объявился на обзоре первым, — маленький автомат.

«Штатовский „Ингрем“, — машинально отметил про себя Эл. — А значит, эти быки не из мусарни. Хопинские охраннички. Кто же еще? Кто-то самый умный в их кодле предположил, что телефон этой, будь она проклята, Ангелины, в тот момент, когда ей звонил Знахарь, мог быть на прослушке. Проверили щит, и все оказалось действительно так — в щитке был „жучок“. А потом ребяткам оставалось только дождаться дурака Электроника, который, пожадничав, сам влез в ловушку из-за дешевой электронной безделушки. Что ж, скупой платит дважды. И чего теперь дальше?»

— Рожей к стене! Опереться руками! — коротко объяснил один из боевиков, качнув стволом «Ингрема».

«Сначала обыщут, — предположил Эл, — потом для острастки двинут разок по почкам, нацепят наручники и загрузят в машину. Отвезут в какое-нибудь тихое место и начнут задавать вопросы. Отвечай на них — не отвечай, ровным счетом ничего не выгадаешь. Все равно умирать. И остался единственный выбор — сделать так, чтобы тебя шлепнули сразу, или подохнуть в мучениях. Первый вариант лучше».

Похоже, что Леха Взрывник все рассчитал точно так же. И в тот момент, когда детина с «Ингремом» еще раз прорычал: «Руки на стену!», он, на лету доставая из-за пазухи пистолет, резко кинулся в сторону — туда, где в небольшом тамбуре около запертой подвальной двери оставалась хоть небольшая надежда не сразу угодить под автоматную очередь. Совсем ничтожная надежда, которой так и не суждено было сбыться. «Ингрем» с глушителем почти бесшумно квакнул, и несколько пуль, пробив Лехе грудь, отбросили его тело к стене. Он умер сразу, даже не успев снять свой ТТ с предохранителя. А буквально через секунду короткая очередь скосила и Электроника. Одна из пуль впилась ему в горло, и последнее, о чем он подумал в жизни, это о том, что из-за хлынувшей крови никак не удается вдохнуть. И о том, как же сильно жжет в животе.

— Ну и какого же черта ты их помочил, — недовольно пробурчал один из хопинских боевиков. Тот, что был в камуфляже. — Оставил бы одного.

— У него был пистолет.

— А у второго? Ладно, пес с ними. Иди проверь, нужны ли контрольки. Хотя, хрен они там нужны, — хмыкнул бык, стягивая с лица черную шапочку. — И, мужики, быстро в машину. Валим отсюда. Чтобы без неприятностей. — И добавил, пряча свою «Беретту» в наплечную кобуру: — Ну, господа бандиты. Два—ноль в нашу пользу. Итак, счет открыт. — Он широко улыбнулся и хмыкнул себе под нос: — И что вы на это скажете.

* * *

О том, что в нашем поединке против команды Хопина счет открыт и мы проигрываем уже два очка, мне еще предстояло узнать. И сделать все для того, чтобы к финалу мы вели со значительным преимуществом.

Но пока я, не ведая ни о чем, безмятежно собирался в Тверскую область за Ангелиной и Леонидом. Там меня ждала легонькая разминка. Перед решающей схваткой.

Все было еще впереди.

Глава 8

«СЛАДКАЯ ПАРОЧКА»

Если не брать в расчет небольших разногласий, не имевших затяжного характера, и, наоборот, затяжного моросящего дождика, занесенного в центральную часть России очередным осенним циклоном, тот день показался ей одним из самых счастливых дней за последние годы.

До обеда Ангелина и Леонид провалялись в благоухающей сеном постели. Он отсыпался после бессонной ночи, а она с головой погрузилась в потрепанный, пахнущий плесенью детектив Иоанны Хмелевской, который случайно выудила из-под кровати и который каким-то чудом в этом доме не пошел на растопку. Когда неказистые деревенские ходики с одной ржавой гирькой — для увеличения веса к ней были привязаны старые ножницы — показали ровно два часа дня, в дверь нерешительно поскреблись, и в комнату заглянула хозяйка, сгорбленная годами и покрытая миллионом глубоких морщин баба Маруся. Разглядела, что Ангелина не спит, радостно чмокнула беззубыми деснами и засюсюкала, зашептала:

— О-ой-ой, а ты никак и проснулась уж, внуча. Ну вот и славно. И ладныть. И хорошо. А то ить негоже, как щас отоспится.

216

А ночью чего? Колобродить? Аль книжку читать? — Она резво посеменила к голландке и задвинула вьюшку, про которую и Ангелина, и Леонид совершенно забыли. Еще раз повторила: — Негоже. Эдак-то всюю комнату выстудить можно. — И поспешила на выход. Но уже на пороге обернулась и снова зашептала скороговоркой: — Подымайси, подымайси, внуча, давай. И сваво подымай. Кажи ему, ночью доспит. А у меня эвон щас в печке борщик горяченький. Да картохи тока-тока поспели. С груздечиками солеными. Вкусныть! Давай, давай, внученька, подымай сваво мужика, идите обедать.

И дверь, мерзко скрипнув давно не знавшими смазки петлями, медленно затворилась за выскользнувшей в сени старухой.

Ангелина отложила в сторону книжку и нерешительно потыкала мужа в мягкий бок кулачком. Леонид, и не думая просыпаться, понес какую-то околесицу, попробовал, как от назойливой мухи, отмахнуться от супруги, но Ангелина, и не думая отступать, еще раз — уже ощутимее — шлепнула мужа по ягодице, заметно округлившейся за последние годы, после чего запустила руку ему под резинку трусов и начала отогревать замерзшие пальцы о теплый, но вялый и совершенно безжизненный член.

— Какого хрена! Че те неймется? — недовольно пробурчал Леонид, но все-таки развернулся на спину так, чтобы жене было удобнее. — Ласта, как у моржихи. Чего ледяная такая?

«А того, — подумала Ангелина, — что забыли закрыть на голландке заслонку, и теперь в комнате, наверное, не теплее, чем на дворе». Несмотря на то, что на ней кроме футболки был легкий шерстяной свитерок, все равно хотелось укутаться в одеяло до самого носа и поплотнее прижаться к горячему, словно печка, супругу. Удивительно то, что он, одетый лишь в майку и трусики, совершенно не мерз и преспокойно дремал, наслаждаясь сексуальным массажем и сдвинув у себя с груди одеяло чуть не до самого живота.

— Слышал, кто к нам сейчас заходил? — Ангелина отметила с удовольствием, как член начал стремительно увеличиваться в размерах, обретая у нее под ладонью должную твердость и рабочие очертания.

— Не слышал я ничего. Спал. Кто заходил?

— Бабка Маруся, — хмыкнула Ангелина и ловко спустила мужу трусы до колен. — Напрягала меня, чтобы мы подымались, а то не будем спать ночью. И вообще, у нее стынет картошка с грибами и борщ.

— Ничего, подогреет.

Судя по голосу, Леонид уже полностью отошел ото сна, но продолжал валяться бревном, блаженно зажмурив глаза и, кажется, даже не помышляя о том, чтоб как-то в ответ приласкать жену. Если бы не его окончательно отвердевший член, можно было бы посчитать, что все усилия Ангелины пошли прахом.

— Ленчик, мы пойдем кушать? Будем вставать?

— Не знаю, — капризно скривил тонкие губы ее супруг. — Вставай, если хочешь.

— Я не хочу... Я другого хочу. Ты же знаешь. А, Ленчик? Погладь меня... — Ангелина еще теснее приникла к мужу, закинула правую ногу ему на бедро. — Мы с тобой не были вместе больше недели. А за весь месяц только четыре раза.

— Да ты никак любительница статистики? — удивленно приоткрыл один глаз Леонид. — Вот уж никогда б не подумал!

— Какая статистика? — горько усмехнулась его жена. — Просто в последнее время мне здорово надоело удовлетворять саму себя, Лень. Я уже даже думаю, а не завести ли любовника.

— Заводи, — совсем без какой-либо интонации произнес Леонид.

— И тебе что, все равно? — просто окаменела от подобного безразличия Ангелина. Кончики пальцев ее правой руки автоматически продолжали нежно поглаживать поросшую мягкими волосками мошонку супруга. — Вот так известие! Да это будет почище того, что твой брат еще жив и торчит где-то

219

в Питере, мечтая свести с нами счеты... Послушай, — она приподнялась на локте, и ее светлые волосы, свесившись вниз, коснулись лица Леонида, — ты можешь мне объяснить, что у нас происходит последнее время? Наш брак распадается? Я тебе надоела? Ты собрался уйти от меня? А? Ну, ответь же мне, Ленчик. Ле-о-ончик! Ответь же мне! Правду!

«Бы-ы-ылин! И чего же за дура набитая? — раздраженно прошипел про себя Леонид. — Какую такую сраную правду она мечтает услышать? Неужели сама до сих пор не доперла до того, что больше мне не нужна и пора убираться подальше. Да-да-да, именно так — убираться самой куда только заблагорассудится. Хоть к мамаше, хоть к любовнику, хоть к талибам в Афган. И даже не раскатывать губешку на то, что получится присосаться после развода к квартире. Или к машине. Или к даче в Лисьем Носу. Да он, кровный родственник Константина, имеет на все это в десятки раз больше прав, чем какая-то продажная шлюшка. И пусть эта тварь даже не держит в своей безмозглой башке и мысли о том, что ей можно будет покачать права на какую-то долю имущества. Нельзя! Куда ей, глупой и немощной, без должных связей и опыта выживания в дремучей каменной сельве российского мегаполиса, без денег и без умения плести интриги или строить козни своим конкурентам, скалить белые зубки и пищать о своих жалких претензиях. Ее просто сживут со свету. Или вывезут в Турцию ублажать благоверных в одном из дешевых притонов.

Так что готовься, милая Линочка, к увлекательной зарубежной поездке, в которой наконец сможешь удовлетворить свою безразмерную похоть, — довольно подумал Леонид и, сладко, аж до хруста в суставах потянувшись всем телом, обнял жену за хрупкие плечики и привлек ее, худенькую и почти невесомую, к себе так, что она оказалась сверху, и ей, чтобы не вывихнуть руку, пришлось выпустить его напряженный, словно изваянный из гипса или мрамора пенис. — А при особом старании и доле везения научишься даже ставиться эфедроном — по вене — или герычем — по капилляру. Вот только потерпи еще децл, пока мусора не отловят твоего бывшего мужа.

Да, именно так: придется еще потерпеть. Прежде, чем Константин не подохнет или не будет отправлен этапом обратно на север, заводить разговор о разводе не следует. И вообще, не сто́ит выносить на поверхность то, что его отношение к ней давно изменилось. Давать Ангелине поводы для каких-нибудь подозрений нельзя. А потому... — Леонид обреченно вздохнул и, погладив жену по спине, лизнул ее в губы. — А потому недельку-другую еще предстоит терпеть с собой рядом эту квашню, разыгрывать из себя влюбленного придурка-супруга и безропотно потакать всем ее похотям. К примеру, сейчас придется оттрахать эту буренку. — Леонид еще раз тяжко вздохнул. — Хочешь не хочешь, придется. Чтобы угомонилась хоть на какое-то время».

Он запустил руки ей под трусы и помял круглую бархатистую попку. Опять лизнул жену в губы, и она поспешила выставить навстречу свой розовый язычок. И томно выдохнула:

— Ленчик, любимый. Ты не ответил. Так что происходит? Ты меня больше не любишь? Семья распадается? И тебе правда было бы все равно, если бы я завела кого-то на стороне?

— Я бы тебе завел, — обезоруживающе улыбнулся Леонид, не оставляя в душе Ангелины никаких, даже смутных сомнений насчет своей искренности. — Так бы завел, что запомнила бы на всю жизнь! Вынул бы из джинсов ремень и... — Он рассмеялся и, перевернув жену на спину, начал стягивать у нее с бедер трусы. — И вообще, что за дурацкими вопросами ты меня сейчас доставала? С чего тебе взбрело в голову, что наш брак распадается? Что ты мне не нужна? Что я собрался куда-то от тебя уходить? Дурочка мнительная. От безделья выдумываешь всякую дребедень. И откуда же, кисонька, у тебя столько фантазии?

Ангелина не отвечала. Лежала молча, если не брать в расчет тех томных стенаний, которые она, не скупясь, добавляла к своему участившемуся, сбивчивому дыханию. Глаза плотно зажмурены, ноги раздвинуты, нижняя, чуть потрескавшаяся в последние дни губа прикушена белыми, маленькими и ровными, будто у мышки, зубами.

Единственной осмысленной фразой, которую она смогла выдавить из себя, была:

— Но я же замерзну, — когда Леонид начал снимать с нее свитер.

— Ничего, я согрею, — как можно нежнее проворковал ее муж и обхватил губами большой темно-вишневый сосок.

А потом, как это обычно бывало всегда, наступило полнейшее забвение. Ангелина не помнила совершенно ничего из того, как ее ласкал Леонид. И как она ласкала его. И ласкала ли вообще или просто извивалась под ним, не в силах сбросить с себя оковы безмерной, не имевшей никаких осмысленных границ страсти.

Страсть захватила в плен все ее тело, весь ее разум. Она оглохла. Она ослепла. Все чувства, все ощущения, все-все источники импульсов, поступающих в мозг, сосредоточились сейчас у нее между ног — и может, чуть выше...

Это было некое подобие сладостной комы. Это было сродни затмевающему действительность наркотическому бреду. Это было то состояние, в котором она охотно бы согласилась остаться навечно. Эх, если бы только такое и в самом деле было возможно!

Но на то Леонид и был Леонидом, что никогда не мог заставить себя хотя бы чуть-чуть потрудиться во благо любимой жены. Всего только раз — один-единственный разик! — растянуть для нее удовольствие немного подольше, чем это бывало обычно. Да просто ради спортивного интереса попробовать довести ее до той точки кипения, когда она бы сама запросила пощады! Но, увы, ее муж был полностью чужд каких бы то ни было сексуальных амбиций и не метил на роль полового гиганта. В результате последние годы долгоиграющий секс в воображении Ангелины неизменно ассоциировался с понятием «несбыточные мечты». Леонид в идеале был способен только на то, чтобы секунд пятьдесят однообразно и сонно потыкать жене между ног своим инструментом, после чего на мгновение замирал, вздрагивал всем покрытым испариной телом, иногда позволял себе издать легкий стон. И отваливал в сторону. Опустошенный и в то же время пресыщенный. Настолько далекий от мысли о том, чтобы хотя бы поцеловать еще не вышедшую из сладострастной дремоты жену, насколько далек бывает арабский имам от желания позавтракать бужениной...

— И все? — Она открыла глаза.

— Тебе разве мало? — Муж уже сидел на краю кровати и натягивал джинсы. Ходики с гирькой и ножницами показывали без двадцати минут три. В сенях кто-то гремел пустыми ведрами. — Впрочем, тебе всегда мало. — Леонид подошел к небольшому окошку и отодвинул в сторону цветастую занавеску. — На улице дождь, — равнодушно констатировал он. — Все равно пойдем погуляем. У тебя ведь есть зонтик?

Ангелина кивнула в ответ и, поежившись от пронизавшего ее холода, торопливо натянула футболку и свитер.

— И как ты не мерзнешь? — щелкнула зубами она, наблюдая за разгуливающим по комнатке в одних джинсах и майке супругом. — Б-р-р! Побежали скорее на кухню. Там тепло. Там натоплена печка. Там борщ. И «картохи» с «груздочиками». О-о-о! Б-р-р-р-р!!! И чего же я, дура, забыла задвинуть заслонку...

Пытка холодом продолжалась еще десять минут, пока Ангелина умывалась ледяной водой из обычного деревенского рукомойника. Потом она отогревалась у большой русской печки, размалеванной колокольчиками, ромашками и «райскими птичками», представлявшими из себя некую смесь из павлина, жирафы и птеродактиля. Потом она жадно хлебала обжигающий нёбо борщ, даже толком не чувствуя вкуса. Главное то, что он был горячим. Так же, как и картошка в мундире. И чай из попыхивающего ароматным дымком самовара. С ватрушками и слоеными булочками, которые баба Маруся успела настряпать в печке буквально за считанные часы, пока они с Леонидом валялись в постели.

— Ну и чего дале-то делать надумали? — поинтересовалась хозяйка, когда отяжелевшая от сытной еды Ангелина выползла из-за стола и с трудом перебралась на диван. — Телевизор бы можно включить, да тока худо он кажет в такую погоду. Как вёдро на улице, так кажет, а сичас... — Старуха безнадежно махнула корявой, как ветка, рукой.

— А мы, баб Марусь, пойдем погуляем. — Ангелина нежно приникла к севшему рядом с ней на диван Леониду, и он крепко обнял ее за плечо. И даже — неслыханное в последнее время событие! — ткнулся губами ей в светленькую макушку. Припомнить, когда нечто подобное случалось в последний раз, не представлялось возможным ввиду давности срока. «Ишь ты! Прогресс! — подумала Ангелина. — Никак на муженька целебно воздействует здешний воздух? Надо бы почаще выбираться в деревню. И тогда, глядишь, между нами все будет гладко и сладко. Как в первые дни после свадьбы...»

— Куды же гулять под дождем? — покачала головой баба Маруся. — Намокнете.

— А мы под зонтом. — Ангелина потерлась виском о поросший щетиной подбородок супруга.

— Ну-у-у! Что там ваш зонт? Не помощник. Сапоги-то хоть есть?

— Нет.

— Так ведь и знала, — торжествующе ухмыльнулась старуха. — Ох-хо-хо... Навроде и взрослые, а как приглядисси, всё дети малые. Это же надо: ехать осенью на село без сапог. Може, вы думали, что тута асфальты для вас проложили? Не-е-ет, мои милые, и не надейтеся. Лужи здесь тока. И грязь по колено... Пойдем-кась со мной. — Хозяйка поманила за собой Леонида, и тот послушно вскочил с дивана. — Поднимисси щас на чердак. Там и плащи должны быть, и болотники дедовы. Ежели на тебя, конечно, налезут. А на девку твою еще с лета от Нинки сапожки оставши. Таки красненьки. На-а-айдешь. У самой лесенки должны лежать, недалече... Ох-хо-хо, детки, детки. Одне с вами бедки...

Уже меньше чем через час и Ангелина, и Леонид были экипированы не хуже местного пастуха — дурачка дяди Вани Данилова. На ней — резиновые сапожки, пришедшиеся как раз впору, тесные старые джинсики — тоже Нинкины, как объяснила хозяйка — и немного великоватая болоньевая куртка, у которой пришлось подвернуть рукава. На нем — почти ненадеванные болотные сапоги и длинная, до земли, дождевая накидка. В дополнение к ней Леонид откопал на чердаке выцветшую драную шляпу с обвисшими полями и в ней весьма смахивал то ли на конокрада-цыгана, то ли на пропившегося бродягу из американского вестерна.

Короче, когда они, такие «нарядные» (вдобавок еще и под цветастым японским зонтом), шествовали под ручку через поселок, то никак не могли не привлекать к себе повышенного внимания мающегося от скуки местного населения. Зачуханные доярки и безработные трактористы, расхлябанные нимфетки и их подвыпившие ухажеры, старушки в теплых платочках и старички с потухшими «беломоринами» в зубах — все провожали их долгими любопытными взглядами и перешептывались между собой, безуспешно пытаясь найти ответ на вопрос: «И что за напасть пригнала этих двоих городских в их глухомань на зиму глядя?»

Даже Леонид с Ангелиной были совершенно уверены в том, что им наконец удалось оторваться от свихнувшегося Константина, и теперь можно расслабиться, отдохнуть от головняков в тихом омуте российской глубинки.

Ах ты ж, сермяжная благодать российской деревни... Ах ты ж, неведомая натура русского человека, неискоренимого оптимиста, не заглядывающего вперед дальше вечера текущего дня и не желающего креститься до тех

пор, пока над башкой не бабахнет оглуши-
тельный гром.

Еще было время перестраховаться и запу-
тать следы окончательно. Но гораздо проще
было зажмурить глаза, заткнуть поплотнее
уши и убедить себя в том, что все неприятности уже позади.

Остается только беззаботно убивать время
на полном пансионе у хлебосольной бабы
Маруси. Париться в баньке. Дышать свежим
воздухом. Укреплять здоровье парным молоч-
ком. И лишь иногда спускаться из этого рая
на землю за тем, чтобы с почты дозвониться
до Хопина и спросить: «Как там дела, Аркадий Андреевич? Не изловили еще этого... уго-
ловничка?» И наконец когда-нибудь услышать долгожданный ответ: «Все нормально,
ребята. Поймали (лучший вариант — при-
стрелили) вашего мстителя. Можете возвращаться домой».

— ...и тогда вернемся домой отдохнувши-
ми, подзаряженными энергией, очистившими
легкие от проклятого смога. А то ведь это не
дело — уже больше трех лет никуда не высо-
вывать носа из Питера. Даже дачу в Лисьем
Носу распотрошили... А ведь знаешь, — Ангелина как можно теснее прижалась к супругу, — правильно говорят, что во всем всегда
можно найти и положительные черты. Вот
мы, например. Не было бы счастья, да несча-
стье, как говорится, помогло; не согнал бы

нас твой брательник с насиженного местечка, так неизвестно еще, когда бы сами собрались проветриться где-нибудь на природе. А теперь... оглядись только, хорошо-то как, Ленчик! Даже дым из труб здесь пахнет иначе, чем в городе. И почти нет народа. Кстати, раньше, когда я отдыхала здесь летом, эта улица к вечеру, особенно если была хорошая погода, всегда бывала забита людьми. В основном, дачниками. Они сбивались в небольшие компании и бродили из одного конца поселка в другой. Бренчали на гитарах, горланили песни, иногда отправлялись на Шошу купаться. Вокруг крутились местные парни на дешевеньких мотоциклах, приставали к девчонкам, стреляли курить, наскребали на бутыль самогона. Потом к клубу подтягивалась молодежь из Соматова, Коноплева, Татарок, других деревень. Без интереса, просто затем, чтобы убить время, смотрели какой-нибудь нудный совдеповский фильм — как сейчас помню, билет стоил десять копеек. Потом, если кто-нибудь приносил магнитофон, устраивали танцы. А после них отправлялись в бор на костер. Или разбредались парочками по сеновалам. — Ангелина вздохнула. — Вот только я ни разу не бывала на этом костре. И никогда не ходила вечером в клуб.

— Что, — усмехнулся Леонид, — вместо костра или клуба боялась тоже угодить на какой-нибудь сеновал?

230

— Нет. Как раз на это мне было глубоко наплевать. Но этого панически боялись мои мамаша и бабушка. Они почему-то были уверены в том, что я только и жду удобного момента, чтобы свернуть с праведного пути и погрязнуть в разврате. Был у них такой один на двоих общий пунктик... Даже не пунктик, а помешательство. Хотя я не подала им ни единого повода, чтобы подозревать меня в чем-нибудь нехорошем. Впрочем, было бы только желание, а повод найдется всегда. Как-то раз произошел такой случай: я в деревне купались на Шоше с подружками. Пришли знакомые парни, присоединились к нам. Целой компанией мы валялись на пляже, резались в карты, прыгали в воду. И тут на берегу возникла моя мамаша... О Господи, Ленчик! Какой был скандал! В чем она только не меня не обвиняла! Можешь представить себе, — звонко рассмеялась Ангелина, — какая развратница! Купалась в речке рядом с мальчишками! Кошмар! Мамаша тогда выволокла меня на берег за волосы. А пока я одевалась, нарвала крапивы и всю дорогу до дома хлестала меня по голым ногам. Так и гнала через поселок. У всех на виду. Представляешь, позорище!

Леонид расхохотался.

— Я бы на твоем месте послал мамашу подальше. А потом учинил бы какой-нибудь акт неповиновения. Короче, шизанутые мамочка с бабушкой получили бы достойный отпор.

— Тебе проще, — вздохнула Ангелина. — Ты как-никак мужчина. А чего можно ждать от пятнадцатилетней маменькиной дочки? Впрочем, мамаше я тогда все-таки отомстила. В общем, неделю мне пришлось отсидеть под домашним арестом. Потом я все-таки получила свободу. Как обычно — до девяти вечера. Но использовала ее по полной программе. Здесь в деревне отдыхал один паренек из Москвы, Олег. Я ему нравилась. И вот в первый же день, как вышла из-под ареста, я предложила ему пойти погулять в березовой роще — мы сейчас туда сходим. Когда мы с Олегом добрались до рощи, я ему сказала: «Милый Олежа. Вот она я. Стою перед тобой вся твоя, готовая на все. Раздевай меня и делай, что пожелаешь. Я хочу, чтобы первым у меня был ты».

— И как он? Не отказал?

— И не подумал. Все оформил по полной программе... А как же мне тогда было стыдно, когда он меня раздевал! И как было страшно! И больно, когда... ну, сам понимаешь. Зато потом мне стало так хорошо, как еще никогда не было в жизни. Я просто таяла у него в объятиях. Я мечтала лишь об одном: чтобы это никогда не кончалось. Потом, наверное, еще целый месяц, пока я не уехала в Питер, мы это проделывали почти каждый день.

— Интересные вещи порой узнаешь от любимой жены, — покачал головой Леонид. — А ведь раньше про это ты мне никогда не рассказывала.

— А ведь раньше ты меня про это ни разу не спрашивал, — парировала Ангелина. — Спросил бы — так рассказала. Но только и сама лезть к тебе с такими рассказами как-то не собиралась. Чего навязываться-то?

Они наконец достигли окраины Нестерова, где начинался асфальт. Основательно искореженный гусеничными тракторами и разбитый грузовиками, но куда более проходимый, чем поселковая улица.

— А ведь если еще пару дней будет дождик, мы на «пассате» от твоей бабы Маруси до асфальта не доберемся, — заметил Леонид, щепкой счищая с подошв налипшую глину. — Сядем по самое брюхо посреди этого Нестерова и придется нанимать за бутыль самогона местную службу спасения. На каком-нибудь тягаче.

— И наймем. Не разоримся. — Ангелина выбрала лужу почище и топталась в ней, безуспешно пытаясь привести свои грязные сапоги в более или менее божеский вид. И в конце концов безнадежно махнула рукой. — А-а-а, наплевать. Все равно перемажусь. Отчищусь, когда вернемся домой.

Не дотянув до березовой рощи метров пятидесяти, тропинка пропала, и Ангелина чуть сбавила шаг, стараясь не замочить о высокую пожухлую траву джинсы.

Ангелина развернулась и начала жадно целовать мужа в шею... в щеки... в нос... в губы. Он отвечал ей без особой охоты. Но хоть отвечал. Хоть не отталкивал, как это случалось порой.

— Ле-о-ончик, а давай прямо здесь.

— Тебе что, так неймется? Неудобно же. Холодно. Сыро.

— Зато необычно. Экзотика.

— Экзотика, — назидательным тоном произнес Леонид, — это на пляже, среди кокосовых пальм, под ласковым тропическим солнцем. Но никак не под осенним дождем. Среди российских березок.

— Ну Ле-о-ончик...

— Нет, не проси. А если хочешь чего-нибудь необычного, то дождись вечера, когда пойдем в баню.

— Точно?

— Да. Обещаю, — сказал Леонид, а про себя едко добавил: «Но лучше бы ты сходила бы в клуб и потешила там местных плейбоев. Этак алкашей десять—пятнадцать зараз конвейерным методом. Честное слово, я совсем бы не стал ревновать». Он отстранил от себя Ангелину и произнес на этот раз вслух: — Хорош об меня тереться, красавица. Пошли, покажешь мне речку. Глядишь, если здесь начну загибаться со скуки, съезжу куда-нибудь, где пахнет цивилизацией, куплю лодку, удочки, сетку и буду вас снабжать рыбой...

Ангелина остановилась и, обвив руками мужа за шею, задумчиво посмотрела ему в глаза.

— Знаешь, Ленчик, меня до сих пор иногда мучает совесть, что я обошлась с Константином так жестоко.

— Жестоко? — процедил Леонид. Он ощутил, как непроизвольно напряглись все его мышцы. — А может, практично? Что ждало тебя впереди, останься ты с моим братцем? Затворничество в тесной «хрущевке» зимой и в гнилом доме в Лисьем Носу летом? Дефицитный семейный бюджет и несбыточные мечты о новеньком телевизоре? Потом у тебя родился бы ребенок. Бессонные ночи, обосранные пеленки, искусанная грудь. И никаких перспектив на то, что хотя бы раз в жизни удастся провести пару неделек где-нибудь на Канарах или курортах Пальмиры, немножко пожить для себя. Ты об этом мечтала? Или, может, втайне надеялась, что произойдет чудо, и Константин вдруг превратится в этакое светило мировой медицины? Будет загребать по двадцать штук баксов в месяц, подарит тебе «ламборджини» и жемчужное ожерелье, а сам будет постоянно пропадать на всяких там конференциях и симпозиумах, предоставляя тебе возможность от души поразвлечься с парочкой сексуальных гигантов, которые за небольшой гонорар будут просто стелиться у твоих ног?

— Ну чего ты болтаешь? — недовольно сморщила нос Ангелина. — Какие любовники? Какие жемчужные ожерелья? Какие Канары? Ты же отлично знаешь, насколько я к этому равнодушна... Кстати о птичках, — вдруг хитро улыбнулась она, — что-то я не припомню, чтобы и вы, дорогой мой супруг, хоть раз призадумались о том, чтоб подарить мне... ну, скажем, не «ламборджини», а хотя бы «Оку». Или свозить меня на Пальмиру. Или в Анталию. Три раза побывали в Чухне* — это я помню. И все?

Леонид с огромным трудом подавил в себе желание заехать этой ненасытной твари в торец. Он, видите ли, не купил ей машину, не подарил путевку в Ниццу или Монако! Ей мало!!! Мало того, что она, одетая и обутая, сытая и не обремененная ни единой заботой, целыми днями продавливает диван, пялится в телевизор или азартно воюет в «Diablo» или «Duke Nukem»**! Мало того, что ей, как другим русским бабам, не надо каждое утро давиться в битком набитом вагоне метро по пути на работу, а вечером с неподъемными сумками метаться по рынку в поисках каких-нибудь дешевых вонючих сарделек, чтобы

---

* Чухня — Финляндия.
** «Diablo», «Duke Nukem» — культовые компьютерные игры-«стрелялки».

было, что приготовить на ужин голодному мужу! Мало того, что не надо экономить каждую копейку, чтобы суметь дотянуть до жалкой следующей зарплаты! Мало!!!

«Вот ведь сука! — Леонид покрепче обнял Ангелину и нежно коснулся губами ее щеки. — Через пару недель, когда будет улажен вопрос с Константином, я тебе предоставлю возможность поискать более щедрого спонсора. Вылетишь на свободу с таким оглушительным треском, о каком даже не смела мечтать. Будут там тебе и Анталии, и Пальмиры. Будет и ко-о-офе. Будет какава с чаем. Все будет, милая Линочка. Если, конечно, не передумаю и не изменю тебе приговор с изгнания в ссылку на смертную казнь. Сгинешь под толстым слоем песка и хвои где-нибудь в дремучих лесах Тверской области... А то ведь ишь как заговорила: „Меня до сих пор иногда мучает совесть, что я обошлась с ним так жестоко“. Тварь! Вот так и связывайся с тупыми слюнявыми дурами, набитыми под завязку эмоциями и не имеющими в активе ни крохи здравого смысла».

— Лин, киска... — Леонид поцеловал жену в губки, и она ответила на его поцелуй. — Я понимаю, что у нас сейчас все далеко от того идеала, который ты выстроила в своих мечтах. Но ведь так редко все сразу падает Божьим даром с небес. Надо набраться терпения и ждать. Это тебе. А мне в дополнение

237

к этому еще и крутиться, зарабатывать деньги, обретать необходимые связи. И я — ты это видишь — зарабатываю, обретаю, кручусь. И обещаю, что уже скоро — очень скоро, поверь — наступят времена, когда мы сможем позволить себе уехать на несколько месяцев отдыхать за границу. И достроим коттедж в Лисьем Носу. И ты заведешь себе шикарных подружек, с которыми целыми днями будешь резаться в бридж или болтаться по магазинам...

— Не нужны мне подружки. Не нужны заграницы, коттедж в Лисьем Носу, магазины и бридж. Ленчик, я хочу одного — чтобы ты всегда был рядом со мной. Чтобы уделял мне побольше внимания. Чтобы я не ощущала себя одинокой. А то ведь порой, когда сижу в пустой квартире и жду, когда ты вернешься домой... — Ангелина смешно сморщила носик, и Леониду в этот момент показалось, что жена сейчас разревется. Но нет. Она лишь теснее прижалась к нему. И прошептала: — Любимый, ты знаешь, я очень боюсь остаться одна. Я очень боюсь, что ты меня бросишь. И с ужасом иногда представляю себе, что однажды случится такое: сначала ты не придешь домой ночевать, а потом позвонишь мне и скажешь: «Пойми меня правильно, но так получилось. Я ухожу. У меня есть другая, и я люблю ее. А ты теперь можешь устраивать свою жизнь без меня. И с этого часа считай себя свободной от всех обязательств». Но ведь тогда я не проживу и недели. Я буду как слепой, оставшийся без поводыря. И мне останется просто лечь и покорно ждать смерти, проклиная себя за то, что четыре года назад ввязалась в эту историю с Эллой Смирницкой. Самое страшное, Ленчик, что последнее время мне все чаще и чаще кажется, что ты охладеваешь ко мне с каждым днем. Я вызываю у тебя раздражение... Ленчик, скажи мне, пожалуйста, что все это не так! Что я слишком мнительная и забиваю себе голову чепухой! Скажи, что я все просто придумала и ты меня по-прежнему любишь!

— Я тебя очень люблю, — чуть дрогнувшим голосом сказал он. Погладил жену по светловолосой головке. И, почти не раздумывая, вынес решение: «Сентиментальная тварь! Тупая овца, собравшаяся покорно ждать смерти! Так и получи эту смерть! Радуйся, дура! Хрен ты у меня после подобных признаний доберешься до Питера! Хрен получишь теперь хотя бы одну возможность зацепиться за жизнь, когда вышвырну тебя за порог! Ведь этак ты, сама себе подписав смертный приговор и решив, что терять уже нечего (все равно все потеряно), надумаешь хоть чуть-чуть успокоить свою ущербную совесть. И попрешься к мусорам исповедоваться: „Так, мол, и так. Слушайте, дорогие менты, правдивую историю о том, как и кем в 96-м была на самом деле завалена госпожа Эльвира Смирницкая. Расскажу вам сейчас как на духу все-все-все о своей роли в этом убийстве. А также о роли моего нынешнего супруга и еще нескольких человек. И о полной непричастности к этому преступлению моего бывшего мужа, по сфабрикованному обвинению отбывшего в местах лишения свободы больше четырех лет. Ну, подходите скорее, кому не терпится заработать еще одну звездочку на погоны". Что за этим последует, страшно подумать. Если у Живицкого, Мухи и Хопина еще будут какие-то шансы выбраться сухими из этого омута, то мне однозначно настанет пора сушить сухари... К дьяволу! Я не хочу! А потому, милая Линочка, прямо сейчас вношу коррективы в свои предыдущие планы. Все! Решено! Когда менты наконец изловят моего братца, я не буду тебя никуда прогонять. Я все сделаю проще. И обещаю, тебе будет совершенно не больно. Вот только надо бы съездить в Микулино и купить там лопату...» — Я и правда тебя очень люблю, — еще раз повторил он. — И прекрати забивать себе голову чепухой. Возможно, последнее время я просто устаю на работе и у меня не хватает силенок на то, чтобы уделять тебе побольше внимания. Ты же все это воспринимаешь неправильно. И раздуваешь из этого трагедию. Да к тому же еще из-за братца нервы на взводе что у тебя, что у меня. Вполне плодородная почва для того, чтобы на ней возрастали подобные мрачные мысли. Согласна?

— Да, Ленчик.

— Ты мне веришь, что все дурацкие страхи, набившиеся в эту головку, — Леонид еще раз коснулся губами светленькой макушки жены, — совершенно необоснованны? Их надо собрать в одну кучу и вымести вон поганой метлой. И продолжать жить спокойно. Так ты мне веришь?

— Я верю.

— И ничего мне не хочешь сказать?

— Я очень тебя люблю, дорогой. — Ангелина положила головку на плечо Леонида и шмыгнула носиком. — И очень рада, что ты развеял все мои страхи. И правда, последнее время нервы у меня на пределе. Мне надо отвлечься, развеяться, забыть обо всем нехорошем. Думать только на отвлеченные темы... Ведь ты мне поможешь в этом, любимый?

— Конечно.

«Скоро я помогу тебе не только в этом, уродина».

— Тогда пошли к речке. Быстрее. И так придется возвращаться назад в темноте. Все перемажемся в грязи, как поросята. Но ничего. Ведь сегодня вечером у нас будет баня. А в бане будет... Я, между прочим, не забыла, что кое-кто мне кое-что обещал. — «Какой же сегодня чудесный день. Несмотря на дождь. Главное то, что мы с Леней наконец объясни-

241

лись. И я больше не буду жить, как на иголках, ожидая, что в наших с ним отношениях может случиться что-то ужасное. Не случится — теперь я в этом совершенно уверена. Теперь я спокойна. Теперь я счастлива. Как никогда...» — Спасибо, мой милый... — На ходу Ангелина изловчилась дотянуться губами до щеки мужа. — Спасибо за то, что разогнал все мои страхи. Так легко. И так быстро... Я очень-очень тебя люблю! И буду любить до самой смерти.

«В чем я не сомневаюсь, — усмехнулся он про себя, быстро шагая по узкой скользкой тропинке, окаймленной с обеих сторон густыми зарослями камыша и пожелтевшей осоки. — Разлюбить меня ты не успеешь. Идиотка, да если б ты знала, что до смерти осталось всего ничего...»

Глава 9
СУДЬБА ЧЕЛОВЕКА

Этот день был не столько самым удачным, но, пожалуй, и самым насыщенным за последнее время.

А впереди меня ждала не менее насыщенная ночка. Впрочем, не столько насыщенная, сколько тяжелая. За пять часов мне, сонному и уставшему, предстояло проехать по мокрой скользкой дороге полтысячи километров до Твери.

Как я ни дергался и как ни пытался подогнать ход событий, все равно отправиться в путь раньше полуночи не удалось. Правильно говорится, что благие намерения и реальность несовместимы. Так и на этот раз пришлось сидеть дома как на иголках, пока Гроб не смотался на хату, где держал в тайнике кое-какой «инвентарь», необходимый в его работе, и не прихватил оттуда одну небольшую вещицу.

Пустить ее в дело мы решили в самый последний момент на толковище, где обсуждались судьбы Живицкого и Мухи, но которое под конец неожиданно перетекло в другое, более злободневное и приоритетное русло. Буквально из ничего у Гроба и Комаля вдруг возникла идея, как можно попробовать добраться до Хопина буквально с наскока, не заморачиваясь ни на длительный сбор информации, ни на обустройство каких-либо подъездных путей к его неприступному логову. Не рискуя никем и ничем и не тратя на подготовку ни денег, ни времени. Казалось бы, совершенно бредовый, авантюрный до безумия план, но ведь очень часто именно самые авантюрные планы и осуществляются...

— Действительно бред, — в сомнении покачал я головой, выслушав до конца Гроба и Комаля, которые, азартно перебивая друг друга, за считанные минуты набросали вчерне проект привлечения моего брата к ликвидации Хопина. — Леонид далеко не дурак, и правила наших игр он знает не из газет или книжек. А потому, выслушав предложение, сразу же просчитает все варианты возможной раскрутки событий. Все финалы, а их для него только два. Первый — могила; второй — нары, и, скорее всего, на всю жизнь. Сомневаюсь, чтобы любой из них устраивал Леонида.

— Почему так узко, Денис? — встрепенулся Комаль. — Только могила и нары. Надо попробовать убедить его в третьем.

— Поведай мне, как это сделать? Может, дать ему честное слово? Побожиться на Библии? Представить в письменной форме гарантии, что мы его оставим в покое, когда он выполнит все, что поручим? Да не оставим — это было бы ясно даже ребенку. Замочим при первой возможности, и мой брат это отлично понимает. А потому, если все же надумаете замутить эту бодягу, готовьтесь к головнякам. Леонид попробует смыться уже по пути в Александровскую. А если не выйдет, он начнет искать защиты у Хопина. Даже и не посмеет думать о том, чтобы отправлять к праотцам свой единственный шанс на спасение, а вместо этого откровенно расскажет, с какой целью и по чьему поручению приехал к своему благодетелю в гости. И попросит помощи. Правда, скорее всего, Хопин больше не будет с ним церемониться и позаботится о том, чтобы труп моего братца подхоронили к кому-нибудь на Южном кладбище... Впрочем, так поступили бы ты или я. Или она. — Я кивнул на уютно свернувшуюся калачиком в кресле Катерину. — А что взбредет в голову сумасбродному психу Хопину, предугадать невозможно. А если и правда он предоставит Леониду возможность свалить? Признаться, мне будет очень обидно. А как же должок? Ну, не-е-ет! Не затем я корячился больше четырех лет на кичи, не затем тонул два раза в Ижме, не затем пер через парму четыреста верст. Не затем, чтобы эта сволочь вдруг свалила у меня из-под самого носа. Не будет того, чтобы у него появился хоть мизерный шанс на спасение! И не надейтесь! Я не отдам никому ни Ангелину, ни братца, сколько бы за них мне не предлагали. А Хопина, обещаю, достану с другой стороны.

— Когда? — Комаль сунул в рот сигарету и щелкнул сверкающим «Ронсоном».

— Не знаю.

— Твое «не знаю» может обойтись очень недешево. — Комаль глубоко затянулся, поискал глазами что-нибудь, что могло послужить в пепельницей, и, не найдя ничего подходящего, стряхнул пепел в свою чашечку с кофе. — Я не бухгалтер и не какой-нибудь менеджер, но насколько знаю, мы сейчас каждый день теряем круглую сумму. Это те убытки, которые сразу же прекратятся, как только Хопин отправится на тот свет. И вот, Денис, у нас появляется шанс добиться желаемого. Призрачный — я с этим согласен, — но все-таки шанс. И грех его не использовать.

— Да пойми же ты, наконец, — еще раз попытался дернуться я, — что не девяносто девять, а даже все сто процентов за то, что стоит Леониду оказаться во владениях Хопина и почувствовать себя в относительной безопасности, как твой «призрачный шанс» сразу же рассыплется в пыль. И все, чего мы добьемся, так это того, что по собственной дури предоставим моему братцу возможность еще немножко пожить безнаказанным. Как же он будет потешаться над нами, придурками!

— Не придется, — вдруг отрезал Сережа Гроб. — Не придется, Денис. У него не останется выбора, кроме как делать то, что мы ему скажем. Я отвечаю, что твой брательник будет как шелковый, и мне, чтобы убедить его примерно себя вести, не понадобится ни клясться на Библии, ни писать каких-то расписок. Один безобидный укольчик по вене и...

— Что такое? — недоверчиво посмотрел я на Гроба.

— Слушай, Денис, — закинув ногу на ногу, Гроб поудобнее развалился в кресле. — И сразу настройся на то, что все, о чем сейчас расскажу, покажется тебе немного наивным. Избитая мулька — не спорю. Но это говорит лишь о том, что она дает очень высокий процент попадания в цель, а потому снимать ее с вооружения никто не спешит. И она постоянно всплывает то тут, то там. То в реальной жизни, то в сценарии какого-нибудь голливудского боевичка. Кстати, как-то мне самому доводилось прибегать к этому способу убеждения. И, между прочим, не без успеха. Надеюсь, что и на этот раз...

Я был совершенно уверен, что никакого «этого раза» не будет, и все закончится тем, что я, выслушав (или даже не дослушав до конца) Сережу Гроба, сострою кислую мину и махну рукой: «Не-е-ет. Все это фантазии. И давайте не будем больше к ним возвращаться». Но все вдруг сложилось совершенно иначе.

Через час я названивал в Тверь Дачнику и срочно вносил некоторые поправки в первоначальный план охоты на Ангелину и Леонида. А в путь мы отправились вместе с Сережей. Я в качестве благородного мстителя, жаждущего крови двоих негодяев; он в роли ответственного за исполнение сумасброднейшего проекта, аналогов коему за всю историю заказных убийств, наверное, не было.

— Так, значит, будут, — весело гукал Гроб, полулежа на заднем сиденье и регулярно прикладываясь к горлышку двухлитровой пластиковой бутыли со светлым пивом. — Знаешь, Денис, я ведь фартовый. За что не берусь, все срастается, тьфу-тьфу-тьфу. Надеюсь, и здесь — возьмет вот и выгорит... А коли нет, так что же поделать. Значит, судьба. Кысмет, как говорят наши братья магометане. Зато не будет обидно, что упустили такую возможность, хотя бы и призрачную. Что сидели спокойно, сложа белы рученьки, и наблюдали безучастными взорами за тем, как утекает от нас этот ма-а-ахонький шансик.

— Вот утечет от меня мой брательник, — недовольно заметил я, обгоняя вереницу из нескольких фур с финскими номерами, — так тоже не будет обидно?

— Ништя-а-ак, Знахарь. Никуда он не денется, этот твой Леня. Еще поприсутствует на правиле, попотеет, отвечая братве на вопросы. И он, и жена твоя бывшая. И доктор, и прокурор. Всех достанем.

«Пожалуй, — размышлял я, разгоняя „мерседес" до 150 км/ч по мокрой дороге, — действительно в ближайшее время этим мерзавцам предстоит попотеть. Леонид с Ангелиной уже на аркане. Вокруг хопинской норы с каждым днем прибавляется сетей и капканов. Да и на Живицкого с Мухой сегодня... — Я взглянул на часы и поправил себя: — Нет, даже уже вчера объявлен сезон охоты. И сегодня с утра разработкой прокурора и доктора активно займутся трое моих бойцов. Ворсистый и Катя — Мухой. Конфетка — Живицким. Потопчутся следом за ними несколько дней. Соберут все, что удастся собрать об их образе жизни, их знакомствах, их родственниках. И пусть даже на это уйдет какое-то время, зато я буду иметь представление, куда надо бить, чтобы причинить им самую сильную боль. Чтобы они возмечтали о смерти».

Удивительно, что на протяжении полутысячи километров до Твери меня ни разу не тормознули гаишники, хотя я, казалось бы, просто из кожи вон лез, чтобы уплатить им штраф за превышение скорости. Но, похоже, менты не горели особым желанием вылезать под холодный ноябрьский дождик и крутить меня на хрусты, а в результате я добрался до места без каких-либо материальных затрат, к тому же еще и вполне уложившись по времени в намеченный график. Даже по Твери мне не пришлось плутать в поисках нужной мне хаты. Вдоль трамвайных путей до третьего перекрестка. Там налево. Направо. Еще раз налево, как вчера объяснял мне Дачник. И... О чудо! Я даже сам удивился, когда разглядел на одном из домов подсвеченную табличку с названием улицы и понял, что ухитрился вписаться по нужному адресу прямо-таки с разгону.

— Эй, герой. Поднимайся. Приехали. — Я протянул руку за спинку своего кресла и ткнул сладко посапывающего на заднем сиденье Гроба. Ему снился какой-то экстрим, и вот уже на протяжении трех последних часов он развлекал меня «репортажами с линии фронта», оглушительно вопя: «Уро-оды!.. Всех мочи!.. Дай-ка волыну...» — и иногда ударяя накачанной нижней конечностью, обутой в армейский ботинок, по переднему пассажирскому креслу. — Подымайся, сказал!

— Чего? Тверь? — Сережа медленно перешел в сидячее положение, а я уже прижал «мерседес» к обочине напротив двухэтажного кирпичного дома и, заглушив двигатель, наблюдал за кругленьким, будто китайский божок, колченогим мужичком в телогрейке, который поспешал по освещенной двумя фонарями дорожке от крыльца к ажурным чугунным воротам. В одной руке мужичок держал нечто похожее на костыль, в другой — большой черный зонт. — Комитет по торжественной встрече, — прокомментировал Гроб и, щелкнув зажигалкой, обдал меня клубами сигаретного дыма.

Мужичок, даже и не подумав подойти к «мерседесу» и убедиться в том, что внутри него действительно находятся желанные гости, а не группа захвата местного РУБОПа, отворил нараспашку ворота и, отступив в сторону, гостеприимно махнул костылем. А на крыльцо уже вышли еще три человека — две стройных девушки не то в платьях, не то в халатах и некая гориллоподобная личность примерно на полторы головы выше каждой из своих спутниц.

Я завел двигатель и аккуратно въехал в ворота.

Гроб сладко зевнул, распахнув во всю ширь огромную, как у гиппопотама, пасть.

— Надеюсь, что это не все, и у них там внутри еще приготовлены девки, — мечтательно сказал он и, дождавшись, когда я припаркую машину возле крыльца, поспешил вылезти наружу.

И не ошибся ведь, паразит, в самых радужных своих ожиданиях. Уже через десять минут сидел, развалясь на диване, и левой рукой прижимал к себе густо намазанную нетрезвую телку с длинными волосами и дурными манерами. В правой руке Сережа держал бокал с каким-то мутным зеленым пойлом, один вид которого вызывал у меня легкую тошноту. Я предпочел холодную «колу» и бутерброд с красной икрой.

В просторной гостиной нас собралось семь человек: три симпатичных молоденьких нимфы, в меру подвыпивших и в меру вульгарных, а также я, Дачник, Гроб и Оглоед, молодой парень в тщательно отутюженных брючках и белой рубашке. Не курящий, не пьющий, неприязненно игнорирующий все знаки внимания, которые к нему навязчиво проявляла одна из красавиц, и больше похожий на студента какого-нибудь престижного университета, чем на своего пацана в одной из тверских воровских малин, он являл собой полную противоположность Дачнику — этакому платяному шкафу, который более гармонично смотрелся бы с кистенем на проезжей дороге, нежели с гаванской сигарой в отделанном по евростандарту коттедже. Низенький, как у питекантропа, лоб, тяжелая, далеко выпяченная вперед нижняя челюсть, маленькие, близко посаженные друг к другу глазки под густыми бровями. Одним словом, посмотришь на такого и удивишься: и как это чудовище обучено человеческой речи? А потом минут через десять придется удивляться еще один раз: и как так может быть, чтобы первое впечатление было настолько обманчивым?

— Как доехали? Без проблем? — задал Дачник дежурный вопрос, проводив нас в гостиную и представив нам Оглоеда. Нимф он просто проигнорировал, так же как и мужичка с костылем — того, что открывал нам ворота. Впрочем, с того момента, как мы вошли в дом, колченогий в поле нашего зрения не попадался. — Присаживайтесь, перекусите с дороги. А потом и к делам обратимся. — Дачник бросил взгляд на простенькие настенные часы. — Время есть пока, хотя и немного. Но ничего, успеваем... Рассказывай, как там Акын? — бросил он вопросительный взгляд на меня, и мы минут на пятнадцать погрузились в пустую светскую болтовню. И лишь когда я дожевал бутерброд с красной икрой, а Гроб доцедил свой зеленый коктейль, обратились к насущным проблемам.

— А ну-ка спать, спать, полуночницы, — Дачник выпроводил за пределы гостиной девиц, тщательно запер за ними дверь и повернулся ко мне. — Вон, коли хочешь, так забирай с собой в Питер любую. А то и всех трех. Дарю. Только предупреждаю: намучишься-а-а.

— Нет уж. Уволь, — рассмеялся я. — Там и без них забот полон рот. Да и добра такого сейчас везде предостаточно. — И перевел разговор на более интересную тему: — Рассказывай, что там, на театре военных действий. В Нестерове... Кажется, так деревушка зовется?

— Так, — пробасил Витя Дачник и кивнул на Оглоеда. — Вот он только оттуда. С самыми свежими новостями. Поведай нам, Юра, как там наша семейная парочка.

— А ништяк. На второй медовый месяц, похоже, губу раскатали. — Оглоед плеснул себе в бокал соку, но пить не стал.

— Чем хоть они там занимаются?

— Чем заниматься можно в деревне? Гуляли под дождиком. Потом дома сидели, сушились. Вечерком часа два парились в баньке. Да и не только парились, думаю. Пацаны мои видели, как парень вылез оттуда бухой. Это было уже часов в десять. Я туда в это время подъехал как раз. Веночек подвез. — Оглоед рассмеялся. — Ну у вас, питерских, блин, и фантазия. Это ж надо придумать! Веночек. Я понимаю, мафиози с Сицилии. Но вы-то... Практичные люди. Взяли бы этих двоих недоносков где-нибудь за деревней, когда их гулять понесло, да и трахали б сколько угодно. А потом там же в лесочке и закопали б. Так нет. Обязательно шоу надо устроить.

Я смерил этого аккуратненького благополучного пацана снисходительным взглядом.

— Обязательно, Юра. И не смотри на меня, как на маньяка. Тебе этого не понять, потому, что ты не пережил того, что пришлось пережить мне. И не дай тебе Бог когда-нибудь испытать что-то подобное. А потому постарайся поверить мне на слово: не могу я этих двоих просто так взять и прикончить. Не почувствую я тогда, что их наказал. — Я повернулся к Дачнику: — Витя, ты все подготовил, что я просил вчера вечером?

Дачник молча поднялся со стула, враскалочку пересек гостиную и достал из-под телевизионного столика спортивную сумку.

— Держи, Денис. — Он протянул ее мне. — Камера здесь. Простенькая, конечно. Не «бетакам». Зато со штативом. И уж точно рабочая. Проверял пару часов назад. А что касаемо хаты, так есть одна в Суховеркове...

— Это где? Далеко? — перебил я.

— Идеальное место. Ехать вам дотуда от этого Нестерова будет ближе, чем до Твери. А там, на отшибе, стоит небольшая избушка,

254

и живут в ней двое наших людей. Муж и жена. Пенсионеры. Поселили их туда еще летом, вот они и держат хату на всякий пожарный. Вдруг пригодится? Отсидеться, скажем, кому. Или подержать кого в подполе. Вроде как ваших двоих.

— В хате уверен? И в людях?

— Стопудово, Денис. Был бы не уверен, не предлагал бы. — Дачник бросил еще один взгляд на часы. — Время, братва. Не пора ли в дорогу? А то прозеваем представление. Будет обидно. — Он хлопнул по плечу Оглоеда. — Юр, иди буди деда. Пусть ворота за нами запрет. — И, выйдя в прихожую, уселся на жалобно скрипнувшую под ним скамейку. Пыхтя от усердия, принялся зашнуровывать кроссовки. Размера так, наверное, пятьдесят восьмого.

Я с ехидной улыбочкой наблюдал за этим тверским Гаргантюа и думал: «А не попросить ли громилу Витька от греха подальше с нами не ездить? А то увидит слабонервная Ангелина, к кому ее угораздило угодить в плен... И случится с ней инфаркт или инсульт... Не-е-ет, не хочу для нее такой легкой кончины. Но и Дачника, столь много сделавшего для меня за эти два дня, нельзя лишать удовольствия поприсутствовать на представлении, на которое он так стремится попасть».

— Оглоед, твою мать!!! Где там запропастился?!!

Но Оглоед уже выводил из гаража блестящий «джип гранд чероки».

А от крыльца к ажурным чугунным воротам по освещенной двумя фонарями дорожке поспешал кругленький колченогий мужичок в телогрейке. Держа в одной руке нечто похожее на костыль. А в другой — большой черный зонт.

Потому что дождь так и не думал заканчиваться.

Глава 10

ЛЁНЕ ОТ СТАРШЕГО БРАТА. И ЛИНЕ ОТ БЫВШЕГО МУЖА

— Зря ты так, Паша. — Никита Болото даже остановился, уставившись на погребальный венок, увитый черными лентами, который его спутник напялил на шею. — А если это какая плохая примета? Снял бы...

— Иди ты, «примета»! — Паша взял толстяка за круглые плечи и слегка подтолкнул вперед. — Двигай по курсу и заботься о своей жирной заднице. И думай о том, что может с ней сделать собачка, если окажется, что ты намешал в мясо слишком мало отравы.

«Не отравы, а сонников, — подумал Болото. — Их там такая гигантская доза, что хватит свалить носорога, а не только овчарку.

Док обещал, что она уже через пару минут, как сожрет этот фарш, будет спать, как убитая. Так что можно не опасаться», — внушил он себе уже в который раз за сегодняшний вечер.

Было уже почти пять утра, и со стороны фермы раздавалось монотонное гудение не то доилок, не то сепаратора. Село начинало потихонечку просыпаться, и Никита опасался наткнуться на какую-нибудь поспешающую на утреннюю смену доярку. Вот уж вылупилась бы баба на двоих незнакомых жлобов с погребальным венком!

До зеленой избушки оставалось два дома. И в одном из них светились окна. А от другого им вслед несколько раз тявкнула тонкоголосая шавка.

— З-зараза, как на проспекте, — прошипел Паша. — Ника, стой тут в тени. Погоди вылезать под фонарь. — Он снял с шеи венок и прислонил его к толстому стволу дерева. — Короче, так: замри здесь и не дергайся. И гони сюда мясо. Пойду прошвырнусь под фонариком. Посмотрю, как там наша собачка. И как там наш белый «фольксваген».

Болото достал из кармана примерно сто граммов говяжьего фарша, завернутого в обрывок газеты и приправленного доброй порцией фенобарбитала и еще какой-то отравы с труднопроизносимым названием.

— Держи. Через пару минут, как собака сожрет это мясо, она должна отрубиться и дрыхнуть как минимум час.

— Это точняк?

— Ну-у-у... Док мне сказал, что психам хватает и третьей части того, что он мне дал. После чего они спят, как младенцы...

— Сравнил! — недовольно фыркнул Паша и понюхал нагревшийся в ладони фарш. — То психи. А то овчарка. К тому же кавказская... А если она откажется жрать?

— Че она, дура? Ты б на ее месте от подобного хавчика...

— Я, слава Богу, не на ее месте, — перебил Паша Никиту и хлопнул толстяка по мягкой широкой спине. — Стой тут, никуда не высовывайся, — еще раз напомнил он и, выйдя на освещенное фонарем пространство, направился к зеленому дому, в котором сейчас беззаботно дрыхли двое обреченных на нескорую и нелегкую смерть петербуржцев.

Назад он вернулся довольно скоро, и присел на корточки, опершись спиной на ствол дерева.

— А ведь сожрала тварь твое мясо, — сообщил он вполголоса и извлек из кармана пачку «Парламента». Огонек зажигалки на мгновение осветил его узкую небритую физиономию. — Просила еще. Даже хвостом повиляла... Так чего говоришь? Пару минут, и должна спать как убитая?

— Во всяком случае, Док...

— Да оставь ты Дока в покое. Нашел, блин, авторитета в психушке. Короче, Болото, сейчас я докуриваю сигарету, после чего ты идешь возлагать венок. И береги свою задницу. Если окажется, что Док напарил, я тебе не завидую. Зверюга и правда что твой теленок. И, кстати, отвязана. Шастает возле машины совершенно свободно. Интересно, и чем они ее кормят?

— Если окажется, что Док напарил, — зловеще процедил сквозь зубы толстяк и, наклонившись, подхватил с земли венок, — и эта псина коснется меня хоть одним зубом, то его психи могут заказывать по нему панихиду. Вот будет им развлекуха. — Он проследил взглядом за тем, как Паша втоптал в грязь окурок, обреченно пробормотал: — Ну что же... пошел. — И тяжело шагнул из тени на освещенное фонарем пространство.

— Ни пуха, тореадор.

— Иди ты.

Возле калитки, через которую предстояло проникнуть во владения кавказской овчарки, Болото поскользнулся на скосе тропинки и, не устояв на ногах, плюхнулся откормленной задницей в неглубокую лужу, выбив из нее фейерверк грязных брызг и чуть не попортив драгоценный венок с черными лентами.

— Твою мать! — не сдержавшись, рявкнул он во весь голос.

— Толстый хрен! — прошипел наблюдавший за ним из-под дерева Паша.

«Тяв-тяв-тяв!» — от соседнего дома бдительно взлаяла тонкоголосая шавка.

Но кавказец молчал. Со двора, где стоял белый «пассат», не донеслось ни рыка, ни шороха, хотя любая уважающая себя сторожевая собака, случись подобный хипеж где-то поблизости от доверенного ей под охрану объекта, должна была для острастки хоть как-нибудь обозначить свое присутствие.

«Значит, спит, гадина, — облегченно подумал Болото, поднимаясь из лужи и ощупывая мокрые джинсы. — Не ошибся Док в дозировке лекарства».

Он решительно подошел к калитке и, перегнувшись через забор, откинул простенькую деревянную задвижку. Потом выждал какое-то время. Пробормотал полушепотом: «Тю-тю-тю, собаченька. Ты не спишь, милая? Иди скорей к дяденьке. Ах, чего дяденька тебе сейчас даст. Ах, чего у него такое в карманах».

Откровенно признаться, ничего, кроме пачки «Мальборо Лайтс», зажигалки «Крикет» и семизарядной «Эрмы 652» у Болота в карманах не было. Он откровенно врал, озирая настороженным взглядом чистый просторный дворик, в одном углу которого стояла большая собачья будка, а в другом примостился «фольксваген пассат». «Метров двадцать пять до него, —

прикинул Никита, — и двадцать пять назад до калитки. Всего ничего. А собака, конечно, нажравшись снотворного, залезла в свою конуру и давит на массу. Ну, смелее! Вперед! Чем дольше торчу у забора, тем больше шансов спалиться».

И он, на всякий пожарный сняв «Эрму» с предохранителя, распахнул калитку и уверенной походкой направился к «пассату».

Двадцать пять метров туда.

Двадцать пять метров обратно.

Всего ничего.

Туда он добрался без приключений. Возложил венок на капот. Даже потратил пару секунд на то, чтобы поправить черные ленты с золотистыми надписями.

Но обратно к калитке он крался, словно пьяный мимо пикета милиции. Медленно-медленно, на полусогнутых. Распространяя вокруг себя запах адреналина. Заботясь только о том, чтобы не совершить какого-нибудь резкого телодвижения. Затаив дыхание и с трудом сдерживая себя, чтобы не перейти на трусливую неуклюжую трусцу... И все потому, что следом за ним, увлеченно обнюхивая его грязные джинсы, тащился огромный кавказец, который, когда Никита уже разобрался с венком, вдруг огромной зловещей тенью вырос из-за машины и несколько раз приветливо вильнул мохнатым хвостом...

Возможно, кавказец был сонным после слоновьей дозы барбитурата и чего-то еще с труднопроизносимым названием.

Возможно, кавказец был сытым, и аппетитная филейка Болота, обтянутая грязными джинсами, его не прельстила.

Возможно, кавказец был старым, и ему было лень воевать.

Во всяком случае, никаких признаков агрессивности псина не проявляла. Спокойно проводила толстяка до забора и лишь только тогда, когда Никита попробовал затворить за собой снаружи калитку, проявила настойчивость и, коротко рыкнув, просочилась следом за Болотом на волю.

— Ты куда же, собаченька? — растерянно пробормотал толстяк, стоя возле распахнутой настежь калитки, как швейцар возле парадного входа в «Асторию». — Иди домой, милая. Ах, как хозяйка тебя сейчас вкусно покормит! Ах, каких сахарных косточек даст!

Кавказец смерил Никиту презрительным взглядом и, задрав заднюю лапу, обильно обрызгал створку ворот, после чего опять повилял хвостом. Загнать эту зверюгу обратно во двор определенно не представлялось возможным.

И толстяк сдался. «А какое мне, собственно, дело, — рассудил он, — до того, что собака порезвится немного на воле. Разомнется, трахнет кого-нибудь между делом. А захочет жрать и вернется домой... Кстати, и мне пора возвращаться». И он быстрым шагом направился к дереву, под которым уже запарился ждать его Паша.

— И какого же хрена ты выпустил этого монстра? — незамедлительно наехал он на Никиту, стоило тому подойти на расстояние слышимости громкого полушепота. — Потерял остатки мозгов, когда грохнулся в лужу?

— Интересно, а что я должен был делать? — огрызнулся Болото и извлек из пачки «Мальборо» сигарету. — Загонять эту тварь пинками обратно в калитку? Чтобы меня потом хоронили в закрытом гробу? Вот сука Док! — Он длинно и заковыристо выругался.

— Как там венок? Возложил?

— Все нормалек.

— Молодец. — Паша как-то уж больно внимательно пялился за спину толстяка. И тот, перехватив взгляд своего корефана, непроизвольно напрягся. — Ладно, пошли к машине. Скоро объявится Дачник. И Оглоед. Кстати... — Паша больше не смог удерживать в себе смех и громко прыснул. — Обернись-ка назад...

Выпущенный на волю кавказец приветливо повилял лохматым хвостом и, потянувшись всем телом вперед, понюхал грязные джинсы Болота. В его глазах светились любовь и безмерная преданность. А в его планы совсем не входило прерывать только что завязавшееся знакомство с загадочным толстяком, имеющим странное хобби возлагать на капоты «фольксвагенов» погребальные венки. И распространяющим вокруг себя такой сильный запах адреналина.

* * *

Спросонья Ангелина никак не могла понять, что нужно от нее бабе Марусе в такую рань. Правда, разобрать точно, сколько показывали часы с гирькой и ножницами, она не могла, но раз за окном было темно, значит, еще полагалось спать, и старуха, даже на правах хозяйки, не должна была мешать ее отдыху. Но ведь помешала. «Старая перечница!» — недовольно подумала Ангелина и, перевернувшись на бок, пробормотала:

— Ну чего еще там? Пожар? Или война? Сколько времени, баба Маруся?

— О-ой, внученька, — тихонечко проскрипела старуха и вместо того, чтобы сказать, сколько времени, шепотом запричитала: — Страсти... страсти-то, милая. Подымайся скорее. Иди... иди глянь, что у вас там с машиной. О-ой, кто же ответит, откуда взялося. То ли нечистый шуткует, то ли не знаю, что и подумать. Скока живу, не припомню такого... Може, ты что ответишь?

Дремотное состояние мигом слетело с Ангелины. А на его место с уверенностью завсегдатая сразу же заступило привычное чувство тревоги. Вызвало дрожь в руках и коленях.

— Так чего случилось-то, баба Маруся? Скажите! — почти взмолилась она, выбираясь из-под одеяла и нашаривая на стуле халат. — Что там у нас с машиной?

И, не дождавшись ни слова от замершей возле кровати старухи, сама же ответила на свой вопрос: «Ничего хорошего. И не надейся, что это окажется какой-нибудь мелочью. Скорее всего... — Ангелина почувствовала, как от этого предположения у нее перехватило дыхание. — О-о-о!!! Неужели это какой-то очередной сюрприз от Константина?! Неужели он как-то сумел отыскать нас и здесь?! Но ведь этого не может быть! Это просто немыслимо!»

Она всунула ноги в красные Нинкины сапоги, накинула поверх халатика куртку. Старуха уже стояла в дверях, шепотом поторапливала ее:

— Идем, идем, внученька. Идем, милая, поскорее... Мужика-то сваво разбуди. Може, он че поймет?

«Хрен чего он поймет с похмелюги, — раздраженно подумала Ангелина, с неприязнью глянув на мужа, распространяющего вокруг себя крепчайший дух перегара и отрывисто похрапывающего во сне. — Мог бы, алкаш, соблюсти вчера меру, не портить такой удачный, столь редкий за последнее время день». Все-таки для порядка она ткнула Леонида в бок кулачком и, не дождавшись никакой ответной реакции, поправила сбившееся одеяло и следом за бабой Марусей выскользнула из комнаты.

На улице продолжал моросить мелкий дождик, и Ангелина, выйдя из дому, машинально подумала, что забыла прихватить с собой зонтик.

— Ну чего там, баба Маруся?

Старуха только вздохнула у нее за спиной. Сперва ничего необычного она не заметила. Разве что старика-хозяина, который, попыхивая сигаретой, зачем-то топтался под дождем возле «пассата». Словно стоял в карауле. Ангелина бросила беглый взгляд на машину. Она ожидала увидеть разбитое лобовое стекло, расколоченные фары, помятый капот. Но «фольксваген», словно ничего и не произошло, целый и невредимый беззаботно блестел под дождем своей белой эмалью. Как всегда. Как обычно...

И все же не все было так, как обычно. Взгляд Ангелины приковал круглый предмет, который лежал на капоте.

Сначала ей показалось, что это колесо. Кто-то какого-то черта достал из багажника запаску? Идиотизм! Кому это нужно?

Нет, это была не запаска...

Она спустилась с крыльца, подошла к «пассату». И лишь тогда разглядела, что за круглую штуку кто-то подбросил им на машину. И это ей показалось смешным. Неудавшейся шуткой местных тинейджеров, которые в этой грязной глуши подыхают со скуки и безуспешно пытаются изобрести какое-нибудь развлечение. Правда, на что-то оригинальное мозгов им недостает. Вот и сейчас. Подумаешь, какой-то погребальный венок, который положили на капот их «фольксвагена». Странно, что это привело в такое возбуждение бабу Марусю.

— Доброе утро, — поздоровалась Ангелина с хозяином, рассматривая венок.

Он был совсем новеньким, и его пластиковые цветы и листья были изготовлены настолько искусно, что в темноте даже вблизи отличить их от натуральных было непросто. Поверх венка была расправлена мокрая черная лента с потускневшей надписью.

— И тебе доброе, внучка, — ответил хозяин на Ангелинино приветствие и безуспешно попробовал раскурить потухшую под дождем сигарету. — Дай Бог, чтобы и правда доброе. Вишь, какой сюрприз вам преподнесли? Старуха, дык тая вся аж перепужалась. Говорит, то знамение. От нечистого. — Дед скрипуче хихикнул и уверенно сграбастал венок под мышку. — Пошли, внуча, в избу. Неча тут мокнуть. — И он, чудом не теряя с ног огромные галоши, пошлепал к крыльцу.

— И кто же мог так пошутить? — пробормотала она.

— А бес их знает, бездельников. — Старик посторонился, пропуская Ангелину в избу. —

Малышня. Эн летом чучело смастерили, да на дубу и подвесили аккурат у тропинки, по которой утресь бабы ходят на ферму. И вот идут оне, значит, на дойку в четыре утра, а оно, чучело, и висит. Ну совсем, как покойник. Бабы, дуры, конечно же, в крик. Все село перебудили. Дык участковый тогда аж приезжал. А кто нафулюганил, так и не дознались. Вот и теперича. И Мухтарку ведь выпустили со двора, разгильдяи. Лови теперь его, блудника... А веночек-то новенькой, — заметил хозяин, занося в кухню свой мокрый трофей.

Венок лежал на столе. Мокрый. Блестящий. Какой-то торжественный... И зловещий!

— Не надо никуда возвращать, — дрожащим голосом еле выдавила из себя Ангелина.

Старик удивленно уставился на нее.

Она расправила черную ленту с некогда золотой, а теперь еле проступающей на мокрой ткани надписью.

— Это нам с Леонидом. О Господи! — Ее не держали ноги, и она тяжело опустилась на стул. — О Боже! И здесь ведь нас отыскал...

— Дык что там такое? Не пойму. — Хозяин взял с полки с посудой замотанные изолентой очки, нацепил их на нос. — «Ле-не от стар-шего бра-та, — принялся он по слогам разбирать надпись на ленте. — И Ли-не от быв-шего му-жа. Скор-блю, что все так случи-лось. Пусть зе-мля вам будет пу-хом». —

268

Старик снял очки и, прищурившись, вопросительно посмотрел на побледневшую Ангелину. — Это что же, — спросил он, — получается, вам с мужем послание? М-да... Получается... — покачал он головой. — Дела-а-а... И кто же мог так пошутить?

— Это не шутка.— Ангелина с трудом поднялась со стула и, будто пьяная, медленно поплелась из кухни.

Все вокруг было словно укрыто туманом. В голове гудело, как в трансформаторной будке. И словно издалека доносился суетливый говор старухи.

— О-ой, внученька! Что ж эта-а-а? Что ж? — причитала она.— Качает аж всю. Иди-кась ляж поскорее. Иди полежи, успокойся. О-ой, как знала, не к добру это все... Ой, не к добру! Ой, беда...

— Принеси-ка водички, — пробормотал сонным голосом Леонид, почувствовав, как жена опустилась на край кровати.— Куда лазала? В туалет?

Ангелина молчала.

— Так сходи за водой-то.

— Сам сходи,— устало проговорила она.— Заодно посмотри, что там на кухне. Подарок от Костика. Скорбит. И желает, чтоб земля нам была пухом.

Из всего, что сказала жена, Леонид не понял ни слова. «Что за подарок? При чем здесь Константин? Кому земля будет пухом? Или я еще не проснулся? — подумал он. — Или меня глючит с похмелья? Крыша поехала? Delirius tremens*? Не приведи Господи! Надо скорей похмелиться».

Он открыл глаза и правой рукой обхватил жену за бедро. Странно, но она отстранилась.

— Ли-и-ин, сходи за водичкой. Сушня-а-ак! Пожалуйста, лапка.

— Сходи сам, говорю! — с несвойственной ей агрессивностью отрезала Ангелина. — И глянь на подарочек от твоего старшего братца! Ночью положил нам на машину. «Лёне от старшего брата. И Лине от бывшего мужа, — процитировала она. — Скорблю... Пусть земля будет пухом».

— Что? — Нет, это были не глюки. Это ему не снилось. Наконец он осознал, что это серьезно. — Что?!!

— Иди на кухню. И посмотри, — повторила она.

И, не снимая ни сапог, ни намокшей под дождем куртки, прилегла на постель. Уперлась взглядом в низенький потолок, оклеенный пожелтевшей бумагой. В глазах ее была пустота. В этот момент она поняла, что бессильна что-либо предпринять для их спасения. И Леонид бессилен. И даже всемогущий Хопин им не поможет. Бежать бесполезно. Спрятаться нереально. Сопротивляться бес-

_____
* Белая горячка *(лат.)*.

270

смысленно. Константин достанет везде. Он сильнее. Быстрее. Хитрее. Он предугадывает каждый их шаг, ни на мгновение не выпускает их из своего поля зрения.

— Он убьет нас. Мы... обречены, — простонала она.

Леониду стало страшно!

Головная боль и похмельная помойка во рту тут же отошли на второй план. Их затмил страх. Настолько материальный, что, казалось, его можно потрогать руками. Страх, сковывающий движения и обволакивающий непробиваемым коконом и без того парализованные после вчерашнего возлияния мозги. Страх, с каждой секундой все больше и больше обретающий очертания паники. Страх!!!

А ведь каким безоблачным и беззаботным все казалось еще вчера! Как же быстро умеет жизнь поворачиваться к нам задом!

Когда Леонид, перебравшись через жену и сев на кровати, принялся натягивать джинсы, вошла баба Маруся с алюминиевым ковшиком, полным воды. Он чуть ли не вырвал ковш у старухи, сделал несколько жадных глотков... живительных глотков... очищающих мозги глотков. Вода была ледяной... Настолько, что от нее заломило зубы.

— На, попей. — Леонид поставил ковшик на постель рядом с женой и, даже не подумав обуться, пошлепал босиком по холодному полу из комнаты. — Ну чего там, баба Маруся?

Показывай,— как можно беспечнее, как можно бодрее попробовал сказать он. Но это у него вышло фальшиво. Слишком фальшиво...

«Слишком фальшиво. — Ангелина закрыла глаза. Ей хотелось раздеться, забраться под одеяло и хотя бы ненадолго заснуть. Пусть так, пусть даже на какие-то считанные минуты уйти от действительности, заслонить ее фальшивой декорацией сна. — Господи, скорее бы все закончилось. Пусть он скорее нас найдет...»

Ангелина сама удивилась тому, какие мысли блуждают у нее в голове: «Неужели я и правда хочу этого?! — И сразу сама себе безразлично ответила: — Да». Отпила из ковшика ледяной, ломящей зубы воды. Стянула сапоги. Скинула прямо на пол влажную после короткой прогулки под дождиком куртку. Забралась под одеяло и отвернулась к стене.

Сдалась. Смирилась с тем, что неотвратимо ожидает ее впереди.

И когда в комнату стремительно ворвался муж, тряхнул ее за плечо — «Лина, быстро подъем! Одевайся! Собирайся! Мы уезжаем!» — сказала:

— Не трогай меня. Если хочешь, езжай один. А я остаюсь. Где бы мы не пытались укрыться, он всегда будет знать, где нас найти. И всегда будет рядом. Пока не насытится игрой в догонялки. И не решит сменить ее на другую игру. Скажем, в палачей и преступников.

— Ты чего несешь, дура! — Леонид сдернул с жены одеяло.— Кому сказал, одевайся! Быстро! Ну!

Весь трясясь, он натягивал на нее узкие джинсы, застегивал лифчик. Будто на пьяную. Она не сопротивлялась. Но и не пыталась помочь.

«Рехнулась! — промелькнуло у него в голове. — Что это? Лучше? Хуже?.. А не все ли равно. Ей отмерено жизни на считанные часы. До тех пор, пока не куплю лопату. И не доберусь до первого подходящего места. И не буду уверен на все сто процентов, что у „пассата" не сидит на хвосте какой-нибудь Константин. Или кто-нибудь из его дружков... И все. Прощай, Ангелина. Никто никогда не принесет на твою могилу цветов».

А она думала совсем о другом: «Идиот! Паникер! Куда ты спешишь? Разве еще не понял, что мы обречены? Или все еще рассчитываешь уйти от судьбы? Бесполезно. Ее не обмануть. Так же как не обмануть Константина. Ведь он только и ждет, когда мы вскочим в машину и сломя голову помчимся куда глаза глядят. Вернее, туда, куда он спланировал. Туда, где он для нас уже приготовил плаху».

— Все, пошли! — Леонид сильно толкнул жену в спину. — Да очнись же ты, дура!

— Пошли, Ленчик. Конечно, пошли. Чем скорее мы окажемся там, тем лучше, — мне надоело метаться... Чем скорее мы встретимся с Константином... А знаешь, ведь я очень хочу увидеть его. Ведь я соскучилась по нему. И я хочу сказать ему, что тогда, когда убили Смирницкую, была не права. И готова понести наказание. Пускай он делает со мной все что угодно...

«Не выйдет, дуреха! — Леонид, взяв в одну руку сумку с вещами, а другой крепко обняв жену, вывел ее из комнаты. — Раньше, чем свидишься с этим ублюдком, ты сдохнешь».

— Ты даже не представляешь, как я хочу увидеть его. Порой мне кажется, что я продолжаю его любить...

Хозяин пошлепал отворять ворота. Баба Маруся, накинув на плечи пуховый платок, стояла на крыльце и сокрушалась, что «гостюшки так ничего и не перекусили в дорожку». А еще она, как ни старалась, так и не смогла придумать хоть какой-нибудь близкий к реальности ответ на вопрос: «И чем же так испугал внучат погребальный веночек? И какому же аспиду достало ума подбросить его на машину? И выпустить со двора балбеса Мухтарку?»

Лови теперича его по селу, блудника.

Часть третья
УЗНАЛИ!

Глава 1
ПРОБКИ НА ДОРОГАХ

— Ну что? — Дачник выжидательно уставился на меня. — Они созрели? Настало время собирать урожай? Пора брать твоих родственничков?

— Пора. Правда, насчет того, что созрели, я не уверен. Но надеюсь, что да. Хотя, если честно, — я рассмеялся, — было б не лишним дать им еще немножко побегать. Понять все до конца. Проникнуться. Только... — Я сокрушенно развел руки. — Не разрешают мне больше с ними играться. Говорят: «Занимайся делом, а не всякой херней». И требуют: «Отдавай нам брательника. Мы нашли ему применение. И если уж суждено ему сдохнуть, пусть сделает это с пользой».

— Это насчет того, чтобы заслать его к вашему питерскому барыге?

— Именно так. Хотя я считаю, что это чистой воды авантюра, но почему не попробовать. Может, действительно что-то и выгорит.

— А с девкой чего? — вмешался в наш разговор до сих пор молча исполнявший роль водителя Оглоед. — Брать-то сегодня будем обоих?

— А как же еще? Нет, брать будем обоих. И девку сразу отправлю в расход. Хотя и жаль, что с ней все так просто закончится.

Оглоед сбросил скорость, помигал фарами раскорячившемуся поперек шоссе трактору «Беларусь», обогнал его, прошипев: «Пьяный с утра пораньше, урод!», и невинно спросил:

— И чего эта твоя Ангелина? Ништяк баба? Не старая?

— Двадцать пять лет.

— Покатит. И не уродина?

— Четыре года назад была ничего. Как сейчас, не знаю. Видел мельком разок, да и то в темноте. Так что могу с уверенностью утверждать только то, что не растолстела, — ответил я и подумал: «А к чему все эти вопросы? Никак ты, красавчик, раскатал губу на мою бывшую женушку? Ну уж нет! Не отдам Ангелину, как бы ты ни просил! Слишком легким для нее будет подобное наказание. Если вообще окажется наказанием».

— А ты, Юра, чего вдруг проявил интерес? — гулко хохотнул Дачник. Оказалось, что его мысли текут в одном русле с моими. — Может, думаешь, тебе бабу подарим, чтобы не пропадала? Трахнешь, типа, ее, прежде чем шлепнуть? Так обломись...

— Нет, я не про это, — раздраженно перебил Оглоед. — Вспомни, о чем нас просил Араб.

— Ты думаешь? Ха! — Дачник на мгновение замер, а потом звонко шлепнул ладонью себя по колену. Эмоции он умел выражать очень шумно. — И как же я сам не допер?! В натуре, Денис, есть идея, куда твою бабу пристроить! Это будет почище того, что мы ее кончим! Ха-ха! — Он веселился. Его так и распирало от смеха.

Правда, я не мог понять, почему. Но очень надеялся, что мне объяснят, и тогда, может, повеселимся вместе.

И мне объяснили.

— Слушай, — сказал Оглоед, — есть тут у нас один человек. Крутим вместе кое-какие делишки. И вот у него тут на днях...

Я слушал его. Очень внимательно. Не перебивая. И при этом никак не мог отделаться от навязчивой мысли, что все вокруг меня дружно повредились умом. Одни разродились сумасбродной идеей насчет Леонида и Хопина. Другие и того чище: выдали на поток нечто уж вовсе несусветное относительно судьбы моей бывшей женушки.

— Нет, не покатит, — в конце концов прервал я Оглоеда, увлеченно расписывающего все «прелести» будущей Ангелининой жизни. — На словах это звучит, конечно, заманчиво, но только мечты и действительность — две совершенно разные вещи. Ты хоть представляешь, с какими проблемами мы столкнемся, попробовав провернуть эту акцию?

— Не с такими уж и большими, — беспечно махнул рукой Оглоед. — Кстати, если желаешь, все эти проблемы я могу взять на себя. Ты только оплатишь накладные расходы. А они, отвечаю, должны показаться тебе символическими. Потратив пару штук баксов, я думаю, не обнищаешь?

Нет, конечно, я бы не обнищал. И тот «подарочек» моей бывшей жене, что предлагал приобрести Оглоед, стоил бы этих денег. Вот только все эти заманчивые проекты, которыми меня соблазняли последнее время, — что с Леонидом, что с Ангелиной, — казались слишком уж ненадежными, притянутыми за уши, и я опасался, что, купившись на них, окажусь в результате ни с чем.

«Впрочем, — задумался я, — не я ли сам изначально даже не держал в голове и мысли о том, чтобы идти легким путем — подписать братву на то, чтобы переловили всех моих кровников, зачитать каждому из них приговор и, может быть, даже лично привести его в исполнение, а потом проследить за тем, чтобы трупы были тщательно захоронены в дремучем лесу или затоплены в Ладожском озере? Так нет же. Мне надо обставить все с помпой, что я и пробую неуклюже претворить в жизнь. И почему-то воображаю, будто все, что выдумал сам, должно выглядеть супер, а все, что мне предлагают другие, это туфта. Стандартное заблуждение под названием „самонадеянность". Которое очень мешает жить. И от которого очень непросто отделаться. А не мешало бы... Так почему бы и нет?»

«Почему бы действительно не попробовать? — подумал я. — Смелее. Кто не рискует, тот не выигрывает. А ты представь себе только, что если все вдруг срастется, какой выйдет классный финал. Будет, о чем рассказать в старости внукам».

Если только мне суждено иметь внуков. Если только мне суждено дожить до старости. И если все и правда срастется...

— В общем, так, Юра, — произнес я, еще минуту назад с уверенностью твердивший: «Нет, не покатит». — Давай-ка поступим вот так: пока я не отвечаю ни «да», ни «нет». Времени на раздумья у меня выше крыши. К тому же сначала надо не упустить брательника с женушкой. Потом решить все с Леонидом. А уже после этого выносить приговор Ангелине. Так что не будем спешить. Возможно, и правда устроим этой красавице веселую жизнь. По твоему сценарию. — Ах как же легко было меня убедить. — Кстати, объясни, а зачем тебе-то лезть в эту историю? Никакой выгоды...

— А, брось ты, Денис! — перебил меня Оглоед. — Не везде ж искать выгоду. К тому же мне самому интересно поучаствовать в таком представлении. Приелось однообразие — бани со шлюхами да пляжи в Анталии. А тут такой экстрим-тур. Классная заморочка. Не-е-ет, если будет возможность в нее вписаться, считай, я при делах. Будет, о чем написать в мемуарах.

«Кому внуки, а кому мемуары», — подумал я и ткнул кулаком дремавшего рядом со мной Серегу Гроба:

— Рота, подъем! Прибываем на место!

Джип уже свернул с Волоколамки и осторожно преодолевал ухабы на узеньком «автобане» Микулино—Нестерово. Пути нам оставалось минут на пять.

— Я не сплю, — соврал мне Сережа и, сладко зевнув, двумя пудовыми кулаками умильно протер глазки. — И я все слышал, что вы тут обсуждали. Ты, Знахарь, секи, чего братва говорит. Дурного не насоветуют. Соглашайся.

«И этот туда же, — усмехнулся я про себя. — „Соглаша-а-айся". И как тут не согласишься, когда на тебя со всех сторон давят советчики? Хочешь — не хочешь, а приходится слушаться. Да, Ангелина, похоже, все катит к тому, что твою участь, как и участь твоего муженька, снова решу не я, а доброжелатели. Так сказать, коллегиально».

Впрочем, я в этом не видел особых проблем. Был уверен, что, как только обнаружат на капоте «пассата» венок с моим прощальным напутствием, Леонид с Ангелиной сразу вскочат в машину и ломанутся подальше из этого засвеченного передо мной места. Из Нестерова, которое еще вчера казалось таким надежным убежищем, а сегодня превратилось в настоящую западню. Куда-нибудь назад, в Петербург. Или в Москву. Или... Короче, туда, где можно легко затеряться в толпе.

Вот только не суждено им добраться до этой толпы. Не суждено проехать и пяти километров. Потому что на выезде из деревни — там, где шансы на то, чтобы напороться на ненужных свидетелей практически сводятся к нулю — Леню и Лину будут поджидать две машины, «Нива» и «джип гранд чероки», с комитетом по торжественной встрече в лице шести человек. И разминуться с ними никак не получится.

* * *

После выпитого вчера самогона башка Леонида варила плохо. Венок на капоте «пассата», а значит, появление Константина там, где его никак уж не ожидал, оказалось мощнейшим ударом под дых. Да и сошедшая с ума

Ангелина, отрешенно взирающая в пустоту и несущая какую-то чепуху, не добавляла ни сил, ни изворотливости. Одним словом, все в это ненастное утро было против него.

«Фольксваген» задом выехал со двора, чуть не застрял в огромной, больше похожей на небольшой пруд луже и, мигнув на прощание фарами гостеприимной бабе Марусе, начал аккуратно пробираться к околице Нестерова. Леонид скосил глаза на застывшую справа от него Ангелину, отметил, что она даже и не подумала, как обычно, сунуть в гнездо магнитолы кассету со своим обожаемым «Апекс Твином» и ради интереса спросил:

— Как настроение? Ты, похоже, еще не проснулась?

Она промолчала.

— Лина. Ли-и-ина! Ау! Ответь мне, хорошая. Ты все еще жаждешь встретиться с Костиком? Покаяться в своих давних грехах? Попросить у него прощения?

— Мне наплевать. — На этот раз она хоть удостоила мужа ответом. — Мне уже все равно. — И опять замерла. Замолчала.

Леонид недовольно поморщился. Он привык к тому, что уж если жена сидит рядом в машине, то обязательно ее должно быть слышно. Молча ездить она не умела. Но вот вдруг что-то нарушилось в привычном порядке вещей. Значит ли это, что все уже катится в тартарары?

— Алло, подруга! — Леонид оторвал от руля правую руку и положил ее на колено жены. — Так не годится. Нельзя, чтобы было все равно. Что за упадническое настроение?

Ангелина лишь несколько раз медленно качнула головой.

И Леонид решил: «Черт с тобой, сонная муха. Скоро — уже очень скоро! — ты перестанешь доставать меня своей постной рожей. Я закопаю твой еще не остывший трупик в лесу и поеду в Москву. А может быть, даже в Сочи. А может, еще куда. Не все ли равно. Лишь бы там было спокойно. Лишь бы вокруг не роились головняки... Сниму номер в хорошей гостинице. Вызову на всю ночь проститутку. Или даже двоих. И напрочь забуду о Константине — об этом ублюдке брательнике, который буквально за несколько дней умудрился сжечь у меня столько нервных клеток, сколько обычно не сгорает и за год. Кстати о птичках, надо бы почаще поглядывать в зеркала, следить повнимательнее, чтобы этот паршивец снова не увязался следом».

Леонид вздохнул с облегчением, когда позади осталась поселковая улица, больше похожая на небольшое болотце. Не застрял. Не пришлось прибегать к помощи местных алкашей-трактористов. Уже слава Богу. День, начавшийся неприятностями, кажется, не спешил подкладывать по проблеме на каждом шагу. Леонид еще не предполагал, что это продлится не больше минуты. Проблемы — да еще какие огромные! — уже выстроились в длинную нетерпеливую очередь чуть впереди. До них оставалось всего ничего.

Он выехал на асфальт следом за грязной раздолбанной «Нивой» с тверскими номерами, которая почти перед самым носом «пассата» вывернула из-за избы, претенциозно украшенной российским триколором, и сразу же по-хозяйски расположилась посредине дороги. Медленно поползла прямо по осевой. Вернее, так можно бы было сказать — по осевой, — если бы эту осевую на звериной тропе, которую здесь называли «шоссе», хоть когда-нибудь кто-нибудь удосужился начертить. Переключившись на третью передачу, Леонид разогнал «фольксваген» и несколько раз мигнул дальним светом, предлагая впереди идущей машине предоставить простор для обгона. В результате «Нива» еще больше сбавила скорость. Леонид бросил взгляд на спидометр — 30 км/ч — и раздраженно прошипел:

— И что за паскуда! Хрен ли этот чайник творит? Пьяный? Или учится ездить? Или?.. — Он обрубил фразу на середине, добавил уже про себя: «Или?.. — и бросил взгляд в панорамное зеркало. Сзади к „пассату“ стремительно приближались две яркие фары. — А ведь не исключено и третье. Константин?!!»

«Нива» совсем сбросила скорость. Обогнать ее не представлялось возможным. А до задней машины оставалось меньше ста метров. «Фольксваген» брали в классическую коробочку — самый беспроигрышный вариант на узком шоссе.

Леонид ощутил внутри холодок. И нельзя сказать, чтобы он показался приятным.

Ангелина вдруг вышла из столбняка, обернулась и с необъяснимым торжеством в голосе объявила:

— А вот и он. Долго ждать себя не заставил. Ленчик, я же предупреждала: куда бы мы ни поехали, он везде нас достанет. Все дороги ведут к нему. Ха! Поздравляю!

Леонид бросил затравленный взгляд на жену. У нее на губах играла торжествующая улыбка. Она ликовала так, будто это было ее заслугой — совсем незамысловатая, но четко спланированная засада, в которую они угодили. Так, будто она, в отличие от супруга, была в стороне от того, что предстояло отведать в ближайшем будущем. Будто ей ничего не грозило.

Машина сзади врубила дальний свет, ослепив Леонида через зеркала дальнего вида, и он непроизвольно прикрыл глаза. Буквально на секунду, но этой секунды чуть было не оказалось достаточным для того, чтобы вмазаться в задницу окончательно остановившейся «Нивы». Когда Леонид вбил в пол педаль тормоза, «фольксваген», судорожно вздрогнув, замер в считаных сантиметрах от внедорожника. Движок заглох. Две мощные галогенки уперлись сзади яркими маяками прямо в багажник «пассата», залив салон зловещим неживым светом.

Был еще мизерный шанс попытаться свалить — выскочить из машины и рвануть за обочину. За пределы освещенного галогенками сектора. В поле. В грязь. В черную пропасть моросящей дождем темноты... Да не все ли равно, куда? Главное, не в объятия жаждущего встречи братишки. А из двух зол всегда принято выбирать меньшее. Так пускай он рискует переломать себе ноги. Пускай он, когда рассветет — если, конечно, удастся дожить до рассвета, — обнаружит себя Бог знает где. Пускай ему вслед палят из пистолетов... и даже из автоматов, если таковые у этих бандитов имеются. Конечно, имеются. Как же они без оружия? Как же они, не стрелявши. Но все же, а вдруг промахнутся. «Вдруг» — соломинка для утопающего. Прохлопал момент, не уцепился за нее, когда надо было попробовать обогнать «Ниву». Так нельзя не пытаться схватиться за последний шанс и сейчас.

Выживают обычно решительные.

— А, проклятие!!! — Леонид распахнул дверцу и выскочил из машины.

Споткнулся, с трудом устоял на ногах, сделал два неуклюжих шага вперед. И тут же как на скалу, как на несущийся на всех парах локомотив налетел грудью на что-то твердое. Он судорожно дернулся и перегнулся в пояснице, безрезультатно пытаясь втянуть в себя хотя бы немного воздуха.

Воздуха не было. Ничего вокруг больше не было. Даже дождя. Даже слепящего света двух галогенок. Осталась лишь боль.

Его покачнуло и повело, словно пьяного, в сторону. И в этот момент второй, не менее страшный удар пришелся по почкам. Поверг его окончательно утратившее способность слушаться тело на мокрый асфальт.

— Куда так спешишь? — Голос, негромкий и вкрадчивый, казалось, пришел из ниоткуда, с трудом пробившись сквозь плотный слой густого тумана. — Не надо. Не на-а-адо. А то убежишь, так придется стрелять. И еще, не дай Бог, и правда подстрелим. А ты нам нужен. Целый и невредимый.

Леониду наконец удалось сделать глоточек воздуха. Еще глоточек. Совсем ничтожный, но все же лучше, чем ничего. Удалось пошевелить рукой. Получилось приподнять голову. Попробовать оглядеться... Бесполезняк. Только слепящий свет фар. И более ничего.

Еще глоток воздуха. Еще. И еще. Так-то лучше.

— Поднимайся!

Ребра гудели. Поясница в том месте, куда пришелся второй удар, онемела так, словно ее обкололи новокаином. Почки стремились вырваться из тела наружу.

— Поднимайся, сказал!

Леонид скрипнул зубами. Собрал в кулак все свои силы. И ему удалось встать на карачки. Но дальше дело не шло. Подняться на ноги и сразу опять не войти в соприкосновение с асфальтом не представлялось возможным.

Во всяком случае, без посторонней помощи.

И помощь пришла. Словно подъемным краном его подцепили за пальто и поволокли навстречу двум фарам — на свет двух маяков. Леонид попытался двигать ногами. Не получилось. И тогда он застонал.

— Не ной. Не подохнешь, — обнадежил его тот же голос, который приказывал подниматься. — Полезай...

Он понял, что его заталкивают в машину.

— Полеза-а-ай, твою мать!

Леонид ощутил несильный, чисто символический пинок под зад и заставил себя сконцентрироваться, забраться на заднее сиденье довольно просторной внутри иномарки. Не «Нивы» — это уж точно — и не «фольксвагена». Скорее всего, той машины, что только что слепила его светом фар.

— Ах ты ж красавец! Ах ты ж непоседа! — над самым ухом прогудел уже другой голос.

Не тот, тихий и вкрадчивый, что обещал ему: «Не подохнешь», а другой, в противоположность первому напоминающий гудок теплохода. — И зачем же ты побежал? Неизвестно куда. Под дождь. В темноту. — «Теплоход» сокрушенно поцокал языком.

А Леонид постарался свести зрачки в кучу и разглядеть своего собеседника. Пустое. В машине было темно. А в глазах был туман.

— К-какого ч-черта? — сумел выдавить он из себя. — Где Константин?

— Какой Константин?

— Мой брат.

— Твой брат? — В «теплоходном гудке» послышались отзвуки удивления. — Не знаю такого. А ну, а ну, расскажи.

На то, чтобы что-то рассказывать, сил уже не осталось. Леонид снова прикрыл глаза.

На черном фоне ослепительными шаровыми молниями плыли огненные шары. Полыхали зарницы. Мириады ярких точек то собирались в плотные созвездия, то рассыпались в пространстве. И тут же сворачивались в стремительно вращающиеся воронки.

— Что, хреново? — с непритворным участием спросили его. — Хочешь водички?

В ответ Леонид молча покачал головой.

— Ты смотри, только в тачке нам не напачкай. — Дачник пошуршал целлофаном, распаковывая сигару. — Так что за брат Константин? Ты нам так и не ответил.

Какое ответить! Все мысли — если можно назвать мыслями подобный сумбур в голове — были о том, чтобы побороть приступы тошноты. И хоть немного ослабить головокружение. Может, снова попытаться открыть глаза? Может, станет немного полегче?.. Попробовал. Не получилось.

— Так что за Константин, тебя спрашиваю?

— Да оставь ты его. Пусть немного очухается. А про Константина потом тебе объясню. — Гроб, сидевший рядом с безвольно сжавшимся Леонидом на заднем сиденье, озабоченно коснулся рукой плеча своего пленника. — Как себя чувствуешь? — И, не дождавшись ответа, покаялся: — Перестарался я, братцы. Накернил ему, словно быку. — Он бросил взгляд на замерший впереди «пассат», недовольно заметил: — Ну и чего они не спешат? Стоим враскорячку посредине дороги. — И протянул руку Дачнику. — Угости-ка сигаркой, если не жалко.

— Не жалко, — прогудел «теплоход» и полез в «бардачок». — А в натуре, чего они там застряли? Погуди-ка им, Юра. Пускай пошевелятся.

Оглоед несколько раз мигнул галогенками. И, словно только того и дожидавшаяся, «Нива» тронулась с места. Следом за ней начал набирать ход «фольксваген». В хвост ему пристроился джип «гранд чероки».

Три машины взяли курс на Суховерково. Туда, где двоим пленникам была приготовлена плаха. И тяжелый топор. И палач в длинном черным плаще.

Глава 2
МУЖЧИНА И ЖЕНЩИНА

За четыре с небольшим года Ангелина ничуть не изменилась. Впрочем, это было лишь первое впечатление после беглого взгляда, который я бросил на сжавшуюся на переднем сиденье девушку, пока устраивался за рулем. В ответ она затравленно посмотрела на меня. Потом оглянулась на втиснувшегося назад толстяка, обладателя солнцеобразной и добродушной рожи дебила. Я даже не знал его имени.

— Здравствуй, красавица. — Я не боялся, что Ангелина сможет признать меня в лицо, но опасался, что голос покажется ей знакомым. Вызовет ненужные в данный момент ассоциации. И, как следствие, подозрения. К черту! Раскрываться раньше времени я не хотел. А потому, как сумел, изменил голос, добавил в него сипоты, говорил чуть ли не полушепотом. Не знаю, что из этого получилось. Со стороны виднее, а лучшим экспертом в данный момент была Ангелина. И она пока не спешила отождествлять меня со своим бывшим мужем. — Что, не желаешь со мной поздороваться? А зря.

— Доброе утро, — пискнула она срывающимся голосом.

— Ты считаешь, что оно доброе? Для кого как.

Признаться, еще больше того, что Ангелина признает мой голос, я опасался, как бы во мне, когда окажусь рядом с ней, не зашевелились остатки былых чувств к жене, не переросли бы в ненужные в данный момент эмоции. Но ничего не шевелилось, ничего ни во что не перерастало. Во всяком случае, пока. Мне была совершенно до фонаря испуганная девица, замершая рядом со мной.

— Чего молчишь-то? Расскажи что-нибудь, — попросил я.

Но ей сейчас было совсем не до рассказов.

— Что с моим мужем? — Ангелина повернулась ко мне, и я машинально отметил, что она не накрашена.

Раньше, насколько я помнил, первое, что делала моя жена поутру, так это накладывала на рожицу толстый слой всевозможной грунтовки.

— Тебе он так нужен, этот твой муж? — Я улыбнулся, постаравшись, так же как в голос, привнести в улыбку что-нибудь новое, не свойственное Константину Разину. — А чем тебе не подхожу я? Нету такого желания — поменять муженька на меня? Обещаю, не проиграешь.

— Нету такого желания, — устало произнесла она. — Где Леонид?

— Не беспокойся. С ним все в порядке. Он поедет в задней машине. А когда прибудем на место, сможешь с ним пообщаться.

— Куда прибудем? Что это за место? Там нас будет ждать Константин? Или он здесь? В другой машине?

Она меня не признала. Хотя а чего я еще ожидал? Ведь Соломоныч в Перми постарался на славу.

— Не так много вопросов сразу, красавица. — Стоявший сзади «чероки» помигал фарами, и «Нива» тронулась с места. Я повернул ключ зажигания и отпустил сцепление. «Фольксваген» начал мягко набирать ход. — Я же не успеваю на них отвечать. Башка пухнет. Как бы не случилось горячки. Давай по порядку. Итак, первое. Куда мы едем?

— Да.

Я рассмеялся.

— Представь, сам не знаю. Вроде в какую-то деревню. Одним словом, видишь вон ту грязную синюю рухлядь? Так мне сказано не отставать от нее. Глядишь, она куда-нибудь нас приведет. Теперь вопрос номер два. Где Константин? Кажется, так?

— Так.

Я постарался изобразить удивление. И вроде бы это у меня получилось неплохо.

— Какой Константин?

— Только, пожалуйста, не делайте вид, будто не знаете.

— Не знаю, — сделал вид я.

— Мой бывший муж.

В ответ я лишь пожал плечами. И подумал: «Что будет, если сказать Ангелине, что ее бывший муж умер? Не поверит? Поверит? А если поверит, то как отнесется к такому известию? Пустит слезу? Усмехнется злорадно? Вздохнет с облегчением? Как?»

Я не знал, что сказать. И стоит ли вообще что-нибудь говорить. Неожиданно оказалось, что я совсем не готов к встрече, которую ждал с таким нетерпением. Мечтал, строил грандиозные планы, создавал в голове красочные сценарии, один грандиознее другого. Представлял Ангелину, трясущуюся от страха, и себя — олицетворение неотвратимости праведного возмездия, этакого благородного рыцаря, воскресшего из мертвых, дабы восстановить справедливость, очистить свое некогда вымазанное в грязи имя. И вот столь желанное наконец обратилось в реальность. И, против моих ожиданий, оказалось чем-то совершенно обыденным, повседневным. Да в дешевеньких мыльных операх все на десяток порядков живее и ярче! А здесь... Сиди сейчас справа от меня другая девица, которую я видел бы первый раз в жизни, задавай мне те же вопросы, бросай на меня те же затравленные взгляды, и, я уверен, все было бы точно так же, как и сейчас. Пустота. Безразличие. Полнейшее разочарование в той роли, которую наконец получил. И в которой так жестоко ошибся.

— Так, значит, вам неизвестно, кто такой Константин. — Ангелина сидела, закрыв глаза, и бормотала себе под нос настолько тихо, что я с трудом мог разобрать, о чем она говорит. — Странно. Я думала... — Она замолчала.

И я молчал. На полном автопилоте тащился за «Нивой», не отрывая бездумного взгляда от двух ее «габаритов», тускло светящих сквозь толстый слой грязи, и чисто автоматически опасаясь, как бы меня не начало клонить в сон. А тем временем ночь постепенно сдавала позиции безрадостному дождливому утру. Из темноты проявились невзрачные, сжавшиеся от непогоды деревни. Слепо уставились на дорогу глазницами окон, заделанных на зиму ставнями. Ощетинились на нее неровными редкозубыми палисадами.

— Сколько мне еще жить? — вдруг произнесла Ангелина, повернувшись ко мне, и я даже вздрогнул от неожиданности.

— Что? — Ее голос вернул меня из холодного ноябрьского утра в теплый уютный салон «фольксвагена».

— Сколько мне еще жить? — повторила она. — Меня ведь убьют?

Я рассмеялся. Или попробовал сделать вид, что рассмеялся.

— С чего ты взяла?

— Я знаю... Я чувствую... Я заслужила... — У нее в голосе не отражалось ни единой эмоции. Так, будто ей было глубоко наплевать на то, что ее ждет впереди.

«А может, действительно наплевать?» — подумал я и, продолжая играть роль стороннего наблюдателя, безразлично спросил:

— И чем же ты заслужила такую ужасную участь?

Мне было интересно услышать ответ на этот вопрос. Но Ангелина пропустила его мимо ушей. Спросив вместо этого:

— Меня, наверное, сперва изнасилуют, прежде чем убивать?

Толстяк на заднем сиденье не удержался и хмыкнул. А я лишь вздохнул. Мне стало жалко эту недалекую дуру. Беспокоящуюся: «А меня изнасилуют, прежде чем убивать?» точно так же, как волновалась бы, сидя в кресле дантиста: «А мне сделают обезболивание, прежде чем сверлить этот зуб?»

Не беспокойся, малышка. Обязательно сделают.

— Не волнуйся, красавица. Изнасилуют точно. Каждый по несколько раз. Так что тебе хватит с избытком.

Толстяк хмыкнул еще раз. Ангелина отвернулась и принялась обкусывать ноготь. Я молча следил за дорогой. Разглядывал попадавшиеся по дороге серенькие уродливые деревушки. И беспокоился, как бы не уснуть за рулем. И так до самого Суховеркова, где почти за околицей стояла небольшая избушка, в которой с лета жили двое надежных людей. Муж и жена. Пили свежее молочко. Два раза в неделю парились в баньке. Получали на почте скромную пенсию. И всегда были готовы пристроить в мансарде кого-нибудь из братвы, кому срочно требовалось на время укрыться от наступающих на пятки ментов. Или подержать какое-то время — на этот раз уже не в мансарде, а в подполе — не желающих платить должников... или несговорчивых коммерсантов...

...Вроде Леонида и Ангелины, которым примерно за десять километров до Суховеркова заботливо заклеили глаза лейкопластырем. Обнадежив:

— Чтобы без выкрутасов. Помните: жизнь у вас все же одна.

Значит, еще не все потеряно, может быть. Ведь если бы их собирались пускать в расход в ближайшее время, то так бы не предостерегались. Не все ли равно, что доведется увидеть потенциальным покойникам?

Глава 3

В ПОДПОЛЬЕ

Подвал, в который его поместили, оказался в большей мере оборудован для хранения запасов провизии на зиму, чем для содержания заложников. Вдоль одной из обшитых досками стен были устроены стеллажи, заставленные стеклянными банками с вареньями и солеными огурцами, в углу была навалена большая куча картошки. К низкому потолку были подвешены связки лука и нитки с нанизанными на них сухими грибами. Правда, среди этого безобидного антуража, казалось бы, совершенно не к месту оказалась полутораспальная панцирная кровать, прикрытая старым бугристым матрасом.

К ней-то и приковал Леонида наручниками крепкий неразговорчивый тип. Содрал чуть ли не вместе с бровями с глаз лейкопластырь и буркнул:

— Лежи. Отдыхай. Ссать захочешь, ведро на полу. — И, выключив свет, погрузил подвал в кромешную темноту.

Правда, еще какое-то время глаз Леонида достигали отблески фонаря, которым тюремщик освещал себе путь наверх. Потом не осталось и этого. Ни единого огонька. Ни единого звука. Лишь иногда из темноты до ушей доносились какие-то скрипы и шорохи.

Хотя непонятно, действительно ли это были скрипы и шорохи или ему все просто послышалось.

«Вот так, наверное, и сходят с ума, — предположил Леонид, сворачиваясь калачиком на тонком матрасе. Было ужасно неудобно. Рука, прикованная к сетке кровати, оказалась вывернутой и должна была скоро затечь. К тому же очень хотелось пить, а попросить воды он забыл. — Впрочем, сойти сейчас с ума, не самый худший исход. Принимать смерть с помутненным рассудком, наверное, легче».

А в том, что ему уготована смерть, Леонид не сомневался. Правда, несколько удивляло, что его решили предварительно подержать в заточении, но он сразу же нашел этому объяснение:

«Казнь, конечно, отложена до прибытия из Питера Константина. Как же без него?! Ч-черт, вот ведь пес шелудивый, братишка! Добился-таки своего. И чего же тебя пожалели тогда, не замочили еще в девяносто шестом? Вот теперь и расхлебывай дерьмо за свою доброту».

Рука, прикованная к кровати, как он и ожидал, затекла, но Леонид, повозившись, сумел устроиться поудобнее. На какое-то время ему даже удалось задремать. Даже начал сниться какой-то сон, но надолго забыться не получилось. Мысли о том, что неотвратно ждет его впереди, не позволяли расслабиться, но, к удивлению, и не повергали в панический ужас. Ему даже доставляло удовольствие сознавать, что ему, угодившему в такой переплет, удается столь достойно держаться.

«Интересно, а как там моя ненаглядная женушка? — представлял он, закрыв глаза. — Как она там, раскрасавица? Впрочем, можно и не гадать. Все ясно и так. Ее-то не стали спускать в подвал вместе со мной. А зачем, если появилась возможность попользовать на халяву, пустив ее по-братски по кругу? Под водочку и соленые огурцы. Вот уж доставят кайф бандюки перед смертью похотливой уродине! Удовлетворят коллективно ненасытную тварь, быть может, впервые за всю ее куцую жизнь!»

Он опять не без гордости отметил, с каким хладнокровием воспринимает свою обреченность. Ожидает скорой расплаты. Плюет в рожи своим палачам. Да, точно так он и поступит, когда придет его смертный час. Когда ощутит рядом с собой ледяное дыхание ненасытной старухи с косой.

— Подыхать надо достойно, — прошептал он. — Достойно...

И, постаравшись расслабиться, попробовал все же заставить себя заснуть.

Самое лучшее при ожидании смерти — это крепкий здоровый сон.

Глава 4

МЫ С ВАМИ
ГДЕ-ТО ВСТРЕЧАЛИСЬ?

Ангелину отвели в небольшую комнатушку без окон, зато с массивным письменным столом и широкой кроватью возле стены. «Именно так должны выглядеть помещения для допросов», — решила она, когда смогла осмотреться. Хотя никогда раньше в таких помещениях ей бывать не доводилось.

Парень, что сидел за рулем «пассата», когда они ехали сюда, аккуратно отлепил у нее с глаз лейкопластырь, потом придвинул к столу грубый, кустарно сработанный стул.

— Присаживайся, — улыбнулся он. — Есть хочешь? Сейчас принесут. — И, небрежно опершись задом о стол и скрестив на груди руки, принялся изучать взглядом носки своих до блеска начищенных ботинок.

Ангелина отрицательно покачала головой. Есть не хотелось. Ничего не хотелось, кроме хотя бы какой-то определенности. Что ее ждет? Что хотят от нее эти тверские бандиты? Зачем привезли сюда, в этот дом, а не прикончили сразу? И не закопали в лесу?

Она опустилась на стул и оценивающим взглядом уставилась на своего надзирателя.

Теперь, при свете простенькой люстры, подвешенной над столом, появилась возможность рассмотреть его поподробнее. И первым впечатлением было то, что этот парень чем-то напоминал ей бывшего мужа. Чем именно, сразу определить она не бралась. Но не рожей — это наверняка. У Константина черты лица были помягче. Да и выглядел он даже четыре года назад старше, чем ее новый знакомый.

«Знакомый... — усмехнулась про себя Ангелина. — Век бы не видеть подобных знакомых. Интересно, как этого типа зовут? Саша? Сережа? Андрей? Впрочем, если он и соизволит представиться, то назовет какой-нибудь псевдоним. У каждого из подобных мерзавцев их обычно не меньше десятка. Это если не считать кличек».

— Как вас зовут? — спросила она.

Бандит поднял на нее взгляд. И в этом взгляде она вновь признала нечто знакомое. До боли знакомое. Так на нее иногда смотрел Константин. Что же за наваждение!

— Я Денис. — Он опять улыбнулся. Одними губами.

Когда-то так улыбался ее бывший муж!

«Никак у меня уже поехала крыша? Последнее время Константин столько раз напоминал о себе, что теперь готов пригрезиться мне во всем, что движется. Во всем, что шевелится». — Лина прикрыла глаза, попыта-

302

лась стряхнуть с себя глюки, отвлечься мыслями на что-то другое.

— А я Ангелина, — сказала она.

— Я знаю.

Этот Денис вполне мог бы сойти за младшего брата ее бывшего мужа. И возможно, поэтому, а может быть, потому, что пленницам нередко свойственно влюбляться в своих надзирателей, она ощутила, что начинает испытывать к этому парню симпатию. К тому же Денис совершенно не соответствовал тому образу закоренелого уголовника, похитителя беспомощных женщин, который сложился у нее в воображении. Совсем не походил на этакого узколобого громилу с колючим взглядом и единственной мозговой извилиной в голове, не способного нормально связать воедино двух слов и не прочитавшего за всю свою жизнь ни одной, даже самой тоненькой книги. Наряженного в спортивный костюм, кроссовки и дорогую дубленку, пропитанную туалетной водой «Факонейбл».

Вообще-то под этот стандарт не подходил и второй бандюган — тот толстый, что сидел на заднем сиденье «фольксвагена», молчал всю дорогу и лишь иногда дебильно хихикал. Ему скорее подошла бы роль Деда Мороза, чем воровского боевика.

Стоило Ангелине вспомнить о толстяке, как он, словно только того и ждал, распахнул дверь и нарисовался на пороге, держа в одной руке пачку писчей бумаги, а в другой — небольшой поднос с дымящейся чашкой и блюдцем, на которой были аккуратно разложены несколько бутербродов. Следом за толстяком вошел еще один парень, невысокий светловолосый красавчик в ослепительно белой рубашке и тщательно отглаженных брюках. Он поздоровался с Ангелиной кивком головы, дождался, когда толстяк составит с подноса на стол тарелку и чашку, и вместе с ним вышел из комнаты, так и не произнеся ни единого слова.

«Заглянул поглазеть на меня, — решила Ангелина. — Оценить и решить, стоит ли меня изнасиловать, прежде чем кокнуть».

— Перекуси, не стесняйся. — Денис достал из кармана пальто ручку и положил ее рядом с блюдцем. — А потом я попрошу тебя об одном одолжении.

— Каком одолжении? — Ангелина взяла чашку и отхлебнула глоток крепкого несладкого чая — именно такого, какой она любила. «Интересно, — подумала она. — Это что, совпадение? Или эти бандиты, прежде чем меня похищать, навели справки о моих вкусах». — Что мне предстоит делать?

— Ничего сложного. — Денис отошел от стола и, заложив руки за спину, прогулялся по комнате. — Всего лишь написать подробно о том, что произошло в августе девяносто шестого. Об убийстве Смирницкой твоим нынешним мужем. О наговоре на Константина. О снотворном, которое ты подсыпала ему в чай. О роли во всем этом деле адвоката Живицкого и прокурора Мухи. И, наконец, о заказчике — Хопине.

— Вы же говорили, что не знаете, кто такой Константин, — с еле уловимым оттенком упрека произнесла Ангелина. — Вы же...

— Не всему верь, что тебе говорят. — Денис подошел сзади и наклонился над ней, опершись руками на спинку стула. До Ангелины донесся чуть ощутимый запах хорошей туалетной воды. — И имей в виду, девочка: порой мужики бывают коварнее женщин. Во всяком случае, наврать с три короба, не моргнув глазом, им так же легко.

— Спасибо за добрый совет. Только навряд ли мне это уже пригодится.

— А почему бы и нет? — Денис оставил в покое стул и снова пустился в неторопливый обход маленькой комнаты. — Так вот, напиши все-все-все. Постарайся ничего не наврать. Все будет проверено. И в зависимости от того, насколько искренна ты будешь, мы решим, что с тобой делать в дальнейшем.

— А если я откажусь что-то писать?

— Тебе не приходится выбирать, Ангелина. Конечно, если не хочешь, чтоб завтра тебя закопали в лесу. Или ты хочешь?

— Нет, не хочу. — Она поставила чашку обратно на стол и обернулась к Денису. — Хорошо, Предположим, я сделаю все, что вы хотите. Что дальше?

— Ты не умрешь. За это я отвечаю.

— И меня вместе с этими бумагами передадут милиции? Посадят в тюрьму?

— Не думаю. Даже если твои показания попадут к мусорам и против тебя возбудят уголовное дело, то что смогут тебе инкриминировать? Недонесение о преступлении? Дачу ложных показаний? И все. А это с учетом явки с повинной потянет не больше, чем на условный срок. Да к тому же еще угодишь под амнистию. — Денис подошел к столу и взял с блюдечка бутерброд. — Позволишь?

— Конечно.

— Спасибо. — Денис отделил от бутерброда тоненький ломтик сыра, свернул его в трубочку. Откусил по очереди сперва от него, потом от булки...

Ангелина замерла. В этот момент из ее головы напрочь выветрилось все, что происходило вокруг. Бандиты, похищение, угроза смерти, необходимость признаться в своем преступлении — все отошло на второй план. Остался только Денис. Вернее, то, как он ел бутерброд. Точно так, как это всегда делал ее бывший муж!!! Только он имел такую привычку: скручивать в трубочку сыр, после чего откусывать сперва от него, а потом от булки. Чтобы так делал кто-то еще, ей никогда видеть не доводилось. И вот... Опять совпадение? Но ведь подобные совпадения бывают лишь в книжках. Но не в обыденной жизни.

— Так все же, где Константин? — прошептала она.

И подумала: «Может быть, он сейчас стоит передо мной?» И сразу отбросила эту мысль: «Нет, это бред. Это глюки. Просто я сама себя нахлобучиваю в ожидании встречи с бывшим супругом. Сама себя принуждаю замечать в Денисе черты, присущие Константину. А ведь при огромном желании их можно легко найти в любом мужике».

— Константин? — переспросил Денис, дожевав бутерброд, и снова прошелся по комнате. — Ты что, хочешь с ним встретиться?

— Да. — Ангелина не знала, правда ли это. Но шестое чувство подсказывало ей, что этой встречи не избежать. «А чем раньше она состоится, — считала она, — тем лучше».

— Разве ты не боишься? Разве тебе будет не стыдно смотреть в глаза человеку, которого ты предала?

— Боюсь, — призналась она. — И мне будет стыдно. Но если так надо...

— Не обязательно, — перебил Ангелину Денис. — И постарайся пока не думать об этом. На данный момент у тебя есть дела поважнее. Вот бумага, вот ручка. Садись и пиши то, о чем я тебя попросил. Не торопись — времени у тебя предостаточно. Не ври — еще раз напоминаю, что мы все проверим. И постарайся ничего не забыть. Я уйду, чтобы не торчать у тебя над душой. Дверь будет заперта. Когда закончишь или если тебе что-то понадобится, стукни в нее. Договорились?

— Да. — Она все никак не могла выкинуть из головы тот ломтик сыра, свернутый в трубочку. И тот взгляд, которым Денис смотрел на нее. И улыбку. И крепкий без сахара чай... — Я все напишу.

— Что ж, успеха. — Денис опять улыбнулся — так, как когда-то улыбался ее бывший муж — и вышел из комнаты.

Щелкнул дверной замок. У потолка прожужжала чудом не уснувшая на зиму муха.

Ангелина осталась одна. Она допила чай, отставила в сторону чашку и блюдечко с бутербродами. Придвинула к себе лист бумаги и долго не могла придумать, с чего начинать, беспомощно мусоля колпачок дешевенькой ручки, пока наконец не разродилась первым, обычно дающимся труднее всего, предложением:

«Я, Разина Ангелина Ивановна (в девичестве Кротова) познакомилась с Разиным Леонидом, братом моего бывшего мужа и настоящим супругом, накануне моей первой свадьбы...»

Глава 5

РЕПОРТАЖ С ПЕТЛЕЙ НА ШЕЕ

«...в чем искренне раскаиваюсь и готова искупить вину любым доступным мне способом».

— Ну, поэтесса! — Я отложил в сторону несколько исписанных убористым Ангелининым почерком листов.

— Все написала? — Гроб, терпеливо дожидавшийся, когда я дочитаю, сграбастал последний листок и усмехнулся, наткнувшись на заключительную фразу. — Раскаивается она... Искупить готова, змеюка... Так все написала-то?

— Все. И даже больше. Кое о чем я раньше не знал. Представляешь, эти скоты крутили любовь уже за год до того, как я оказался в «Крестах». Я, как последний дурак, сутками ломался на «скорой», а они в это время...— Я сокрушенно покачал головой. — Эх, руки чешутся оттяпать этому Лене кое-какой инструмент.

— В чем же вопрос? Погоди, пока смотается к Хопину, и — получится там чего у него или нет — режь на здоровье. И приколачивай свой трофей в гостиной на стенку. Заспиртовывай в банке. Набивай чучело... Можешь даже сварить из него бульон и скормить это своей бывшей жене. И правда, Денис,— оживился Серега. — Это идея!

— Да ну, — лениво махнул я рукой. — Отвяжись со своими идеями. Лучше скажи, вы все подготовили?

— Для торжественной речи?

— Для торжественной речи.

— Хм... — изобразил удивление Гроб. — Установить камеру, усадить перед ней двух докладчиков... И делов-то. Можно начинать хоть сейчас. Или сперва перекусим?

— Перекусим, — решил я.

Спешить было некуда. Толстяк Болото и еще один из тверских — хозяин синенькой «Нивы» — укатили домой еще днем. Дачник спал. Оглоед помогал по хозяйству — таскал в баню воду. Ангелина, измученная творческими трудами, прилегла в своей комнатке на кровать и тупо пялилась в потолок. Леонид, как мне доложил полчаса назад Гроб, пребывал в подполе в полной прострации и лишь клянчил воды. Признаться, я опасался, как бы у братца не съехала крыша раньше, чем он толкнет покаянную речь перед камерой.

Но Леня оказался крепким орешком. Когда Гроб освободил его из заточения, он поднялся наверх с совершенно ясным рассудком и тем выражением на лице, с каким, наверное, шли на расстрел герои-подпольщики. Впрочем, мой брат и мог называться подпольщиком — как-никак просидел в подполе почти десять часов.

— Шевелись, твою мать! — Гроб основательно приложился ступней к его заднице, и

Леонид с трудом устоял на ногах. — Двигай ляжками, падла!

— Куда мне?..

— Вперед! На очняк с любимой супругой.

Леонид процедил сквозь зубы длинное ругательство, без каких-либо признаков интереса посмотрел на меня и прошествовал мимо — в комнату, где в качестве зрителя устроился в уголке Дачник, а перед видеокамерой покорно сидела на стульчике Ангелина, готовая вслух повторить все то, что недавно закончила излагать на бумаге.

— Леня! Как ты? — Она даже привстала при виде мужа, но он не удостоил ее и мимолетного взгляда.

Молча устроился на соседнем стуле, на который указал ему Гроб, запахнул поплотнее пальто, успевшее за последнее время лишиться нескольких пуговиц, и, закинув ногу на ногу, всем своим видом начал демонстрировать полнейшее безразличие к тому, что происходит вокруг.

— Ты бы пальцы не гнул. Ага? — Дачник, до появления Леонида не отрывавший похотливого взгляда от Ангелины, переключил внимание на моего брата. — Сядь нормально. Пятки вместе, носки врозь. Вот так.

Ослушаться Леонид не посмел. Маска смертника, которому на все глубоко наплевать, постепенно сходила с его лица.

— А теперь слушай сюда. — Эстафету ведущего шоу принял от Дачника Гроб. — Сейчас вот на этой кровати мы в три ствола будем драть твою бабу. До тех пор, пока она не подохнет или пока ты не начнешь рассказывать в камеру о том, как четыре года назад убивал Эллу Смирницкую. Итак, что выбираешь, герой? Рассказываешь? Или мы пользуем Лину?

В ответ мой братец состроил на роже презрительную улыбку.

— Не слышу! — Гроб подошел к Леониду и тыльной стороной ладони несильно ударил его по губам. — Ты, пентюх! Отвечай, когда спрашивают. Что выбираешь?

— Ангелину, — облизал губы брат. — Можете дрючить ее сколько влезет. Дерьма мне не жалко. А эта макака будет только довольна.

Дачник с Гробом обменялись удивленными взглядами. Подобного поворота событий они явно не ожидали. Не представляли, с кем им предстоит иметь дело. Не знали, что порой может являть собой мой младший братец. А он тем временем продолжал играть роль этакого безбашенного пофигиста, который, разодрав на груди грязный тельник, беспечно прет на верную гибель и тащит следом за собой остальных.

— Так что? Начинайте. А я посмотрю. Но только имейте в виду, эта грязная эскимоска не подмывалась уже больше недели.

— Что-о-о?!! — Оторопело пялившаяся на мужа Лина с превеликим трудом смогла выдавить из себя этот короткий вопрос. — Что ты сказал?!!

Мне показалось, что сейчас она вскочит со стула и вцепится в рожу своего муженька. И я поторопился вмешаться — прохрипел:

— Ша! Отставить базары! — и подошел к счастливой семейной парочке, готовый в любую секунду развести супругов по разным углам ринга. — Ну? Успокоились?

Ангелина отвернулась от мужа и ошарашенно покачала головой. А Леонид опять разродился ехидной улыбкой. Я еле сдержался, чтобы не добавить ему еще раз по губам. Но на видеопленке этот отброс должен был выглядеть фотогенично — без фингалов и ссадин.

— Неужто тебе не жалко жену? — Я уперся взглядом в брательника, и тот в ответ с вызовом посмотрел на меня. — Мы будем мучить ее у тебя на глазах, а ты готов наблюдать за всем этим концертом без каких-то эмоций?

— Мне это даже понравится. — Кажется, этот мерзавец любовался собой со стороны и явно сам себе нравился. Впрочем, только себе одному. Остальные, какими бы по жизни отморозками не были, сейчас взирали на него с отвращением. — Всегда мечтал посмотреть, как кто-нибудь вдует этой корове.

Ангелина дернулась, но я успел опустить ладонь ей на плечо.

— Спокойно, малышка. Не уделяй внимания тем, кто этого недостоин. — И повернулся к младшему братцу. — А теперь, тварь, послушай меня. Никто твою бабу трогать не будет. — Я бросил пренебрежительный взгляд на Ангелину. — Неинтересно. Другое дело ты, Маня. По очереди прямо на этой кроватке будем драть тебя в задницу, пока не устанем. А твоя женушка в это время подержит нам свечку. А после сеанса отрежет все, что болтается у тебя между ног. Это в том случае, если ты сейчас перед камерой не расскажешь все про убийство Смирницкой. Со всеми...

— А не пошел бы ты! — перебил меня Леонид и в тот же момент согнулся после болезненного тычка под дых.

— ...Со всеми подробностями, — продолжил я, разминая пальцы на правой руке. — Со всеми нюансами. Ты меня понял, урод?

Братец молчал. И тогда я обратился к Гробу:

— «Браслеты» с собой?

Сережа извлек из кармана наручники и, хищно блеснув глазами, спросил:

— Что, будем чушкарить?

— Придется, — вздохнул я, сознавая, что как бы мне ни было это противно, опущу сейчас брата по полной программе.

— Подымайся, ты, урод! — Гроб защелкнул на запястьях Леонида наручники и сильно дернул его за шкварник.

Дорогое пальто жалобно затрещало по шву. Братец не устоял на ногах и ткнулся физиономией в дощатый пол.

— Осторожнее,— недовольно произнес я.— Не попорти портрет. И снял бы сначала пальто с петушка. А потом цеплял бы «браслеты». Неудобняк одетого-то...

— Ништя-а-ак! — прогудел из своей «зрительской ложи» Дачник и радостно потер руки. Явно он не жалел о том, что не поленился приехать на этот спектакль. — Задерете пальтишко, и все... На видео будем снимать?

— Конечно.

— Только так, чтоб со всеми подробностями. И чтоб рожу, рожу было видать! Чтоб братва потом сразу же въехала, кого опускали. Эх, мать твою! — азартно ухнул Витек.

И только тут до Леонида дошло, что шутки шутить с ним никто не намерен. Его не просто берут на понт. Его не просто пугают, затем, чтобы в самый последний момент все же остановиться. Все, что сейчас происходит, — это на полном серьезе, и буквально через минуту может случиться непоправимое. И тогда он взвыл. Попробовал рыпаться. И сразу его голова оказалась в стальном захвате Сережиной лапищи.

— Нишкни!!!

Гроб подтащил Леонида к кровати и уткнул его рожей в старое драное покрывало так, чтобы он занял самую подходящую для подобного случая позу: голова зажата мощной клешней; грудь и живот опираются на кровать; колени чуть-чуть не достают до пола.

Я задрал пальто брательника вверх и в тот момент, когда на меня уставился обтянутый добротной джинсой откормленный зад, не удержался и засадил носком ботинка точно под копчик. Леонида дугой изогнуло от боли. Он дернулся так, что в какой-то момент мне показалось, что у него получится вырваться, но объятия Гроба были надежны, как «Нью-Йорк Сити Банк». Сережа смог бы удержать и слона.

— Тащи штаны с него на хрен! — прохрипел он мне, и тут же из-за спины донесся трубный глас:

— Не спеши! Сейчас... Сейчас...

Я оглянулся. Дачник суетился около видеокамеры.

— Сейчас. Во! Готово! Снимаю!

Я перевел взгляд на Ангелину. Она испуганно сжалась на стуле и, округлив глаза, наблюдала за невиданным доселе шоу.

«Смотри, смотри, девочка, — злорадно подумал я. — Впитывай в себя прозу жизни. А то ведь привыкла, парниковый цветочек, взирать на нее из партера, никогда не стремясь заглянуть за кулисы. Так вот тебе...»

— Да тащи ты с него штаны! — заорал Гроб, и тут Леониду удалось прошипеть:

— Погодите... Нет... Стойте... Я... все расскажу...

— Снимаю, братва, — еще раз увлеченно прогудел у меня за спиной Витя Дачник.

— Все скажу... что... хотите... Не надо...

— Подожди, — приказал я Гробу, и он с явной неохотой ослабил захват. — Эй, камера! Стоп мотор! — крикнул через плечо Вите Дачнику и расслышал у себя за спиной его недовольное бухтение. — Что ты сказал? Повтори. — Я несильно ткнул брата по почкам. — Повтори!

— Все скажу. Отпустите.

— Отпусти, — произнес я, и Гроб разжал свои стальные объятия.

Леонид неуклюже скатился с кровати, передернул плечами, пытаясь поправить пальто, и попросил:

— Снимите наручники. — Но добился лишь еще одного пинка под зад. И еще раз чуть не ткнулся мордой в пол.

Ангелина смотрела на него с нескрываемым отвращением. Дачник — с явным разочарованием. Как же — не удалось заснять на видео такие редкие кадры!

Братец снова уселся на стул — пятки вместе, носки врозь. Ручки, правда, на этот раз не на коленях — скованы «браслетами» за спиной. Взгляд уперт в пол. В отличие от того — наглого и циничного — Леонида, что сидел на этом же месте пять минут назад, этот казался уже полностью сломленным, готовым выполнить все, что ему прикажут. И он был мне противен.

— Сюда смотри. — Я смотал пленку в начало, снова нацелил видеокамеру на супружескую чету. Ткнул пальцем в сторону Леонида. — Ты, чмошник. Сейчас по моей команде начнешь рассказывать все, начиная с того момента, когда снюхался с Ангелиной, и заканчивая тем, как ты, исполняя заказ Хопина, прикончил Смирницкую. И, конечно, как подставили Константина. И будь внимателен. Хоть одно слово неправды, хоть какая-нибудь забытая подробность, и опять окажешься на кроватке. И на этот раз все, что тебе обещали, мы доведем до конца. Третьей попытки ты не получишь. Все понял?

— Все.

— Не заставишь меня делать по несколько дублей?

— Нет, не заставлю.

— Вот молодец. А я тебе даже буду иногда помогать, чтобы не сбился. Задавать наводящие вопросы. Да и жена поправит тебя, если что. Как, Ангелина? — Я перевел взгляд на бывшую женушку. Она молча кивнула. — Отлично. Тогда не будем тратить попусту время. Итак... Приготовились. Внимание! Мотор!

И я нажал на кнопку запуска записи.

— ...познакомился с ней совершенно случайно. Не прошло и нескольких часов с того момента, как нас представили друг другу, как Элла затащила меня в постель. Бли-и-н! По-моему, перед этим у нее не было мужика больше года! Она...

— Подробности можешь опустить, — перебил я. — Говори о деле.

— Ладно. О деле. — Леонид опять упер взгляд в пол. О деле ему говорить не хотелось. Но выбора не было. — Уже через неделю я понял, что Элла повелась на меня довольно серьезно. Что, в общем, и требовалось от этой дурехи. Она даже предложила мне перебраться жить к ней. Конечно, я отказался. Но зато удалось убедить ее снять мне квартирку. К тому же она неплохо подпитывала меня деньгами. И на полном серьезе надеялась женить меня на себе, строила грандиозные планы, как оплатит мое обучение в каком-нибудь универе, как найдет мне какое-нибудь тепленькое местечко, когда получу образование. Как от меня нарожает кучу детей. Короче, имела такую дурную привычку — загадывать слишком далеко и строить воздушные замки. А я их не разрушал. Зачем, пока все в этой бабе меня устраивало? Переночевать у нее пару ночек в неделю, посидеть иногда рядом с ней на какой-нибудь дурацкой презентации или на скучнейшем концерте — вот и вся работа, которая очень даже неплохо оплачивалась.

— И чем же ты, ошметок дерьма, смог купить такую серьезную бабу? — спросил я. — Могла бы найти себе кого и получше.

— Наверное, могла бы. Но только, насколько я понял, эта дура умела все, кроме одного — у нее совсем не получалось сближаться с людьми. Имея кучу хороших знакомых, целую толпу тех, кто был ей чем-то обязан, кому она помогла безвозмездно в какой-нибудь мелочи или даже в чем-нибудь более крупном, Элла так и не обзавелась ни одним близким другом. Как-то так у нее происходило по жизни, что все, к кому она прикипала душой, к кому успевала привязаться, в конце концов ее предавали. Прямо какой-то злой рок преследовал эту дамочку, — вздохнул Леонид. Типа, сочувствовал несчастной покойнице Элле, за тридцать пять лет жизни так и не изведавшей толком теплоты человеческих чувств, зато отлично узнавшей, что такое предательство. — Насколько я знаю, до меня у нее был какой-то типчик, который сперва опустил ее на приличные бабки, а после женился на какой-то иностранке, и свалил то ли в Бундес, то ли в Америку. Так эта дура Смирницкая заочно отпустила ему все грехи. И продолжала по нему сохнуть, когда ей вдруг подвернулся я. И чем-то сильно напомнил его. Короче, она вообразила, будто я смогу заменить того парня. А я не стал ее в этом разубеждать.

— Благо уже имел опыт парить мозги дряхлеющим дурам, — заметил я.

— И немалый, — похвастался братец. У этого негодяя доставало цинизма этим гордиться.

— Ладно, довольно мелодрам. Захотим, так посмотрим это по телеку. Аргентинских мыльных опер хватает. Давай о деле. Как тебе удалось убедить Смирницкую купить эту рухлядь в Лисьем Носу?

— Вы о доме? — уточнил Леонид. — Да элементарно! Все здесь срослось как по заказу. Мы с Эллой были вместе уже полгода, когда однажды она заикнулась о том, что давно собирается приобрести где-нибудь недалеко от Питера дом или дачу. Мол, совьем там гнездышко сначала на лето, а потом, глядишь, переселимся туда напостоянку. И она попросила меня подыскать что-нибудь подходящее. Сказала: «У тебя навалом свободного времени, а я слишком занята, чтобы заниматься этим вопросом. Вот и подсуетись». Я и подсуетился. — Леонид ухмыльнулся. — К этому времени мы с Ангелиной наставляли рога ее муженьку уже почти год. И она мне, признаться, тогда здорово нравилась. Не так, как другие. Я к ней относился очень даже серьезно. Да и она ко мне тоже... Не правда ль, малышка? — Мой братец повернулся к моей бывшей жене, но она отвернулась и презрительно фыркнула. — Ишь, говорит, что неправда. Ну и хрен с ней. Так вот, в Лисьем Носу, где эта дешевка обитала тогда со своим муженьком, совсем рядом с ними, буквально напротив, одна семейка продавала коттедж. Развалина, но главное там не дом, а участок, и соблазнить им Смирницкую труда не составило. В общем, домик был куплен, мы с Эллой иногда стали туда наезжать. А порой я бывал там без нее. Это затем, чтобы провести времечко с Ангелиной.

— И как же тебе удалось за все это время... — я быстренько подсчитал в уме, — почти за четыре месяца с момента покупки коттеджа и до убийства Смирницкой ни разу не засветиться перед своим старшим братом?

— Ну, я все-таки там появлялся нечасто. Лишь когда Константин был на дежурстве. Но все равно не попасться ему на глаза было непросто. Хотя, как видите, я сумел.

— А вообще-то, какой смысл был в том, чтобы скрываться от брата? — никак не мог понять я.

— Смысла не было никакого. Во всяком случае, тогда, когда мы только туда перебрались. Но... Назовите это предчувствием. Я прямо как знал, что в дальнейшем случится что-то вроде того, что и случилось.

— А что случилось?

— Насколько я понимаю, вы сами все знаете, — заметил Леонид.

— Знаем. Но послушаем еще раз. Так что рассказывай, — подбодрил я братца. — Рассказывай, не стесняйся.

— Хорошо. Однажды в начале июня со мной захотел встретиться Хопин. Я удивился, когда мне позвонила мамаша и сообщила об этом. До этого момента я считал, что ему даже не известно о моем существовании. И вот ведь... — Леонид сделал выразительную физиономию: мол, обитаем мы тихо-мирно в своей келье и даже не представляем, что кто-то следит за каждым нашим движением. — Оказалось, что он знает не только обо мне, но и о том, что я довольно тесно связан с Эллой Смирницкой. Одним словом, Хопин предложил мне одну хорошо оплачиваемую работенку.

— Ликвидировать Эллу, — поспешил я продолжить за брата, но он отрицательно покачал головой.

— Нет. Пока нет. Хопин надеялся, что мне удастся использовать положение, которое я в тот момент занимал, и собрать для него кое-какие сведения о Смирницкой. Я не могу сказать сейчас точно, что именно. Прошло четыре с половиной года. Успел все забыть. Да и тогда, в девяносто шестом, я особо не старался напрягать мозги, вникать в подробности. Просто попробовал проникнуть в кое-какие Эллины секреты.

— И что, хорошо эта работенка оплачивалась? — не утерпел и проявил любопытство Серега.

— Неплохо, — неопределенно ответил мой братец.

Вдаваться в финансовые нюансы у него желания не было. А я не стал его напрягать. Просто спросил:

— И раздобыл эти сведения?

— Нет, — покачал Леонид головой. И еще раз добавил: — Естественно, нет. Добился только того, что насторожил Эллу. Дура дурой в житейских вопросах, она порой умела быть проницательной, и после пары моих попыток вызвать ее на разговор о ее делах начала бросать на меня косые взгляды. И тогда я решил, что лучше синица в руках. Так и сказал тогда Хопину. Вот тогда-то впервые и зашел разговор о том, что Смирницкую надо убить. Притом срочно. И сделать все так, чтобы ни у кого не возникло и мысли о том, что это заказ. Чтобы менты были уверены в том, что это обычная бытовуха. Хопин почему-то очень боялся, что смерть Смирницкой при сомнительных обстоятельствах сразу могут связать с его именем.

— Так в чем же пересеклись их дорожки? — задумчиво пробормотал я. — Смирницкой и Хопина?

— Не знаю. Да и не пытался узнать. Не мое это дело.

— Твоим делом было убить?

— Я сначала отказывался. Но Хопин нажал. Предложил приличные деньги. И наконец рассказал мне сценарий...

— Тот, в котором должен был быть подставлен твой брат?

— И задействована Ангелина, — добавил Леонид.

— Как же вы убедили ее принять участие в этом кошмаре? Такую законопослушную. И совсем не способную на какие-то решительные поступки.

Братец повернулся к жене, легонько стукнул ногой по ножке ее стула.

— Лин, а Ли-ин. И как же действительно удалось соблазнить тебя всей этой авантюрой? «Такую законопослушную», — передразнил он меня. — Кстати, она подписалась на все это без особых раздумий. Ее больше беспокоило то, что мы со всего этого будем иметь. И не угодим ли в результате на нары. А вовсе не то, что будет убит человек и окажется в тюрьме ее муж.

— Лин, как же так? — Я посмотрел на нервно покусывающую губу Ангелину. — Неужели и правда согласилась так сразу? Или твой муженек нам все врет?

Нет, он не врал. А Ангелина молчала. Сказать ей было нечего.

— Отвечай, когда спрашиваю! — повысил я голос.

— Я не знаю, — еле слышно пробормотала она. Изложить на бумаге все подробности убийства Смирницкой далось ей не в пример легче, чем рассказывать об этом вслух. Перед видеокамерой. И перед аудиторией, какой бы она ни была. — Я и правда не знаю. Какое-то наваждение. Какое-то помутнение рассудка... Нет, я не знаю.

— Все она знает, — уверенно заявил Леонид. — Этой сучке просто надоел ее муженек. Вот она и решила поменять его на меня. Вообразила, что я обеспечу ей царскую жизнь.

— Неужели вам с Хопиным было не страшно, — спросил я у брата, — что это дуреха элементарно проболтается на допросе у следователя? Или на суде? Ведь язык у нее, как помело.

— Да нет. Когда надо, она умеет молчать. Да и следак был своим. Так же, как адвокат. С их стороны осложнений быть не могло. А на суде... Ее там допрашивали, как свидетеля, минут десять, не больше, — сообщил мне Леонид то, о чем я знал лучше него. — Да и какие вопросы ей там зададут, и что на них отвечать, она знала наперед. Все вызубрила заранее.

— Спектакль был отрепетирован так, что провала быть не могло, — подвел я итог. — Никакого риска. Да, Леня? Все везде схвачено?

— Все везде.

— А ты не боялся, что после того, как вы с Ангелиной выполните все, что от вас требуется, то станете больше не нужны доброму дяденьке Хопину? Более того, превратитесь в людей, которые знают чересчур много и могут доставить ему неприятности. Скажем, попробовать шантажировать. Или проговориться. А поэтому вас надо убрать.

— Я это полностью исключал. Если бы, скажем, погиб или пропал я или Лина, то какой-нибудь дотошный опер мог бы связать это с недавней гибелью Эллы и посадкой моего брата. И в результате новый виток этого дела. А Хопин, я повторяю, боялся, как смерти, что может оказаться засвеченным его имя. Даже пусть у кого-то возникнут обычные подозрения, не подкрепленные фактами, — этого ему уже было достаточно. Кстати, поэтому, насколько я понял, он не заказывал Эллу обычному профи.

— М-да, странный мужик, — задумчиво пробормотал я.

И тут в разговор вновь вмешался Серега:

— И сколько же фишек ты на этом поднял? — Его, похоже, интересовали только финансы.

— Мне хватило, — снова не стал вдаваться в подробности Леонид. — К тому же Хопин обещал мне поддержку в дальнейших делах.

— И оказал? — спросил я.

— А-а-а... — разочарованно махнул рукой мой брательник. — Не в той мере, что я рассчитывал. Кто я ему? Не брат и не сват. Так какого же рожна ему на меня тратить время?

— Действительно, — усмехнулся я. — Какого рожна? Должны быть благодарны уже за то, что вас не замочили, как Эллу, после того, как вы стали никому не нужны. И даже дали вам какие-то деньги.

— Хм-м... — неопределенно мотнул головой Леонид. Похоже, он был со мной совершенно согласен.

— «Хм-м», — передразнил я его. — Давайте-ка рассказывайте теперь о самом главном. О том, как мочили Смирницкую. И как подставили Константина. Со всеми подробностями. Кто начинает?

Желания начинать ни у кого не было. Сидели оба скромно потупив взоры.

— Ну, — подстегнул их я. — Ангелина.

— Но я же все написала.

— А теперь расскажи. Кому принадлежала идея подставить твоего бывшего мужа? Кто выдумал номер с тропинкой, ведущей к проему в заборе, и двумя нитками от одежды, которые там нашел прокурорский следак? Кому пришло в голову подсыпать Константину снотворное и снять с него, спящего, отпечатки на нож и побрякушки, которые выкопали на участке? Ангели-ина! Кому?!

— Прокурору, — проныла она.

— Точно? Не Хопину? И не Леониду? И не тебе?

— Я не знаю. Я точно не знаю. — У Ангелины на лбу выступили капельки пота. — Прокурор приезжал в Лисий Нос накануне, когда Константин был на смене. Осмотрел участок, показал, где надо закопать нож и золото, где сделать дырку в заборе и куда нацепить две нитки. Осмотрел аптечку. Выбрал снотворное. И, наконец, рассказал мне, что отвечать на допросе.

— Итак, прокурор, — сказал я.

— Да.

— Его имя? Фамилия?

— Вы разве не знаете? — наивно похлопала ресничками Ангелина.

— Знаю. Но я хочу, чтобы его назвала ты. Перед этой видеокамерой. Я жду!

Ангелина беспомощно сморщила рожицу. Наверное, эта гримаска должна была отражать напряжение, с которым сейчас трудились мозги у несчастной девицы. Безрезультатно трудились.

— Не помню, — качнула она головой. — Прошло столько времени...

— Так. Ясно. Леонид, подскажи своей женушке.

— Фамилию следака? — безразлично переспросил мой брательник. И без затруднений припомнил: — Муха.

— А адвоката?

— Не знаю. Я с ним не встречался. Ни я, ни вот эта вот, — Леонид кивнул на жену, — курица. А зачем? Нам хватило общения с прокурором за день до того, как все и произошло. Этот нудный мудак запарил меня своими ЦУ. Прокапал все мозги так, будто я собирался мочить президента, а не обычную бабу. Но все оказалось гораздо проще, чем он воображал...

— Как оказалось? — подстегнул я Леонида. — Рассказывай. Я хочу знать все про это убийство.

Про убийство Смирницкой я знал все и без признаний своего братца. Не надо было быть семи пядей во лбу, чтобы еще четыре года назад воссоздать у себя в воображении весь ход событий, что произошли той ненастной августовской ночью.

Ангелина наболтала мне в чай диморфазола, дождалась, когда я доберусь до спальни и отрублюсь, а потом спокойно отправилась на веранду чистить грибы. В соседнем доме в это время улеглись пораньше в постель Леонид и Смирницкая.

— Как сейчас помню, — смаковал мой младший брат перед камерой, — что эта овца не могла успокоиться больше часа. Приставала ко мне так, словно нажралась возбудителя. И плевать ей было на то, что я ныл, будто у меня болит голова. Ей нужен был трах. А я боялся, что судмедэксперты, когда труп окажется у них на столе, определят, что покойная незадолго до смерти занималась сексом. Сопоставят группу спермы моего брата с той, которую обнаружат у нее во влагалище. А когда они не совпадут, то призадумаются. И из-за этого могут возникнуть проблемы. Ну, в общем, от Эллы я кое-как отбился, дождался, когда она покрепче заснет, и отправился к Ангелине...

...И Леонид отправился на соседнюю дачу — убедился, что старший брат спит так, что его не разбудить, даже стреляя над ухом из пушки. А тем паче, снимая с него отпечатки пальцев на нож и побрякушки из золота.

Итак, все было готово. Смирницкой оставалось жить меньше часа.

Правда, возникло одно маленькое осложнение. Хотя и осложнением-то его назвать было нельзя. Скорее — небольшим изменением в сценарии...

— ...Какого-то черта Элла проснулась, пока я ходил к Ангелине, — фыркнул Леонид, — и принялась лазать по дому — искать, куда же я делся. Совсем голая, дура. Как амазонка. И в результате голой и умерла. К тому же не тихо-мирно в постельке, а в гостиной, где как раз на столе и лежал нож, которым я собирался ее замочить. Впрочем, ни все ли равно, где умирать. И в каком виде. Мертвякам наплевать, одеты они или нет.

— А дальше?

— А дальше я прошелся по дому, постарался везде стереть свои отпечатки. Прибрался в машине. А потом прихватил Эллино золотишко и ножик и снова отправился к Ангелине. Смирницкая к тому времени уже начала коченеть.

— Между прочим, — задал я вопрос, который не давал мне покоя больше четырех лет, — насколько я знаю, Элла была убита одним-единственным очень профессиональным ударом. Где ты набрался подобного опыта?

Леонид пожал плечами.

— Нигде. Никого раньше не резал и заранее не тренировался даже на манекенах. Знал чисто теоретически, что бить ножом надо под левую грудь. А еще был наслышан о том, что с одного удара в область сердца сразу убить человека очень непросто. И я заранее подготовил себя к тому, что Эллу придется нашинковать. И основательно перемазаться в крови. Короче, настроил себя на то, что работенка окажется грязной. И был весьма удивлен, когда все получилось так, с первого раза. Я ткнул Эллу ножом, и она сразу осела на пол. Даже не застонала, даже не пискнула. И, по-моему, не успела сообразить, что же произошло. Я попробовал найти у нее пульс. Пульса не было. Дыхания тоже.

— Так. Все ясно. Ты с первого же удара прикончил Смирницкую, убедился в том, что она мертва, стер свои отпечатки в машине и в доме, прихватил вещдоки и пошел к Ангелине. Дальше вы поднялись в спальню, где спал Константин, — продолжил я за Леонида, — и сняли с него отпечатки на нож, часы и рыжевье. Я верно все говорю?

— Все верно, — кивнул братец. — Потом я напялил Костины кроссовки, вышел в сад и выкопал там две ямки. Как раз в тех местах, где мне указывал Муха. В одной спрятал нож. В другой — золотишко. Потом вернулся в дом, кинул палочку Ангелине...

— Чего-о-о?! — Я выпучил глаза. — Что, только-только прикончив одну любовницу, ты тут же принялся заниматься любовью с другой? И тебе было плевать?

— У меня крепкие нервы, — хмыкнул мой братец.

— А тебе, Ангелина, — посмотрел я на бывшую женушку, — тоже все было до фени?

Она пожала плечами и ничего не ответила. А я не стал ее напрягать на ответ. Если честно, то я уже пресытился откровениями этой парочки. Так, что тянуло блевать. И хотелось поскорее закончить с допросом.

— Леонид, у тебя есть, что добавить? — спросил я у братца.

— Нет.

— У тебя, Ангелина?

— Нету. Что, мы закончили? — Она с надеждой посмотрела на меня.

Этот допрос достал ее еще больше, чем меня. Что ж, я ее мог понять. И не хотел бы оказаться на ее месте. Так же как и не пожелал бы ей оказаться на моем месте четыре года назад.

— Да. — Я выключил камеру. — Можешь отдыхать. А с тобой, дружок, — я подошел к Леониду и хлопнул его плечу, — разговор еще не окончен. Сейчас возьмешь ручку, бумажку и все, что рассказывал перед камерой, изложишь в письменном виде.

— А потом вы отвезете меня в лес и заставите вырыть могилу, — спокойно продолжил за меня младший братец. Надо отдать ему должное, держать себя в руках он умел. — Или закопаете мой труп где-нибудь здесь? Не отходя далеко?

— А с чего ты взял, что вообще кто-то собрался тебя убивать? — улыбнулся я. — Нам не нужен твой труп. Нам нужен ты. Живой.

— Чтобы отдать ментам? В комплекте с этой кассетой, — Леонид кивнул на видеокамеру, — и теми бумажками, что я сейчас испишу показаниями?

— Нет, — заверил я братца. — Ментам тебя отдавать тоже никто не намерен. А кассету и бумажки с вашими откровениями недолго и уничтожить. И отправишься ты, Леонид, на все четыре стороны. А мы про тебя забудем. Вот только для этого придется тебе расстараться — выполнить для нас небольшую работу.

— Так я и знал, — хмыкнул мой брат. — Вы уверены, что я подпишусь?

— Куда же ты денешься? Или забыл, как валялся недавно на этой кроватке? Мы можем и повторить. Все по полной программе. А потом действительно передадим тебя мусорским. А они, в свою очередь, отправят тебя в «Кресты» или на «Лебедевку». Ах как там будут рады свежему петушку. Так что мой тебе добрый совет: соглашайся, Леня, не думай. Работенка, кстати, несложная. И даже негрязная.

Эта работенка заключалась в том, чтобы замочить Хопина. То, что казалось мне бредом и авантюрой, заведомо обреченной на бесславный провал. Против которой я так упорно возражал еще накануне на толковище. И на которой все-таки настояли Гроб, Комаль и компания.

— Ну и как? — равнодушно поинтересовался я у Леонида. — Соглашаешься? Или идешь на кроватку? Выбор, согласись, небольшой.

— Действительно небольшой, — вздохнул Леонид. Поднялся со стула, бросил взгляд на кровать. — Нет уж, спасибо. Пяльте на ней лучше эту буренку, — кивнул он на Ангелину. — А я уж как-нибудь... Рассказывайте, что надо делать.

Глава 6

УВИДЕТЬ ХОПИНА —
И УМЕРЕТЬ
(Если у вас нету брата...)

— А делать тебе предстоит следующее. — Гроб отложил в сторону несколько листов, на которых Леонид четким каллиграфическим почерком продублировал то, о чем недавно говорил перед камерой. — Завтра утром ты должен созвониться с Аркадий Андреичем Хопиным и договориться о встрече. Скажем, на вечер.

— Он не примет меня, — сказал Леонид, но его заявление не произвело на Гроба совершенно никакого эффекта.

— Должен принять, — произнес он тоном, исключающим какие-либо возражения. — Ведь от этого зависит все твое будущее. А тут у тебя лишь три дорожки: налево пойдешь — могилу себе обретешь; направо пойдешь — опущенным будешь, отправишься по этапу по мокрой статье и ближайшие лет пятнадцать проведешь в бараке для петухов; и, наконец, прямо пойдешь, расстараешься так, чтобы все, о чем я тебя сейчас попрошу, срослось, — останешься цел-невредим, и больше никто не будет иметь к тебе никаких претензий. Я так думаю, ты выберешь третий путь?

— Да. Только не представляю, как добиться аудиенции с Хопиным.

— До завтра есть время. Вот и потрать его с пользой. Подумай. А дальше вот что тебе предстоит. — Гроб достал из пластмассового футляра массивные часы на тоненьком кожаном ремешке и продемонстрировал их Леониду. — После того, как ты договоришься с Хопиным о встрече, мы на твоем «пассате» поедем к нему в Александровскую. И там я дам тебе поносить эти нарядные часики. Непростые часики, а с секретом. — Серега нажал на какую-то кнопку, и циферблат часов откинулся в сторону, обнажив небольшую полость, заполненную сероватым порошком. — Щепотки этого зелья достаточно для того, чтобы угробить стадо слонов, не говоря уже о такой старой развалине, как наш Аркадий Андреевич. Вот в твою задачу и входит скормить ему чуть-чуть этой отравы.

— И как вы себе представляете, я смогу это сделать? — Леонид с интересом разглядывал часики. Нечто подобное он видел в кино про агентов разведки, читал про это в шпионских романах. И вот ведь оказалось, что такие игрушки существуют в реальности. — Думаете, я просто возьму стаканчик с водой, разболтаю в ней ваш порошок, потом разожму Хопину челюсти и волью ему в рот это пойло?

— Думать должен ты, а не я, — заметил Серега. — Твоя жизнь на карте. Не моя. Так что сам изобретай вариант, как, встретившись с Хопиным, подсунуть ему этот яд. В принципе, я вижу один вариант — отвлечь чем-то его внимание и незаметно сыпануть зелье в кофе или в коктейль. Придумаешь другой способ — так и ништяк. Флаг тебе в руки. Мне надо,— поднял Гроб вверх указательный палец,— чтоб Хопин сожрал эту отраву. И совершенно до фонаря, выпьет ли он это с кофе или ты всыплешь ее ему в рот, насильно разжав зубы ножиком.

— Ладно. Предположим, я сумел скормить ему эту гадость. Он помер. Все хорошо. Ваше задание выполнено. Вот только уже через пять минут после Хопина сдохну и я. Уж об этом его охранники позаботятся — можно не сомневаться. Так какой же мне смысл...

— Есть смысл,— перебил Леонида Гроб. — Дело в том, что сразу от этой отравы он не загнется. Сам я этой штуковиной, правда, ни разу не пользовался, но в инструкции читал, что человек, которому она попадает внутрь, лишь часов через шесть начинает ощущать легкое недомогание. Потом появляются тошнота, резь в желудке, слабость, потливость. Потом судороги. Потом паралич. Ну а потом пациент мечтает уже не о том, чтобы выжить, а о том, чтобы сдохнуть. И поскорее. Не знаю, скоро или не очень, но это ему гарантировано наверняка. Еще не было никого, кто сумел бы сожрать эту гадость и не отправиться к праотцам.

— Шесть часов... Итак, у меня будет полным-полно времени на то, чтобы свалить.

— И не только на это, — заметил Серега, осторожно кладя часы-убийцу на стол. — Чем хороша эта отрава, так это тем, что обнаружить ее в крови мертвяка невозможно. Я не спец и не знаю, что в трупешнике успевает произойти к тому времени, пока он не окажется на столе судмедэксперта, но только яд то ли распадается на какие-то безобидные составляющие, то ли вообще выводится из организма. Короче, ни у одного трупореза, скольки пядей во лбу он бы ни был и какой бы аппаратурой ни располагал, нет ни единого шанса на то, чтобы что-то понять. В своем заключении он, чтоб не лажаться, объявит причиной смерти что-нибудь вроде обширного инсульта или отравления пищевыми продуктами. А ты в результате будешь чист, как Папа Римский. А если у кого в голове вдруг и забрезжат какие-то смутные подозрения, то никаких конкретных предъяв тебе все равно никто подогнать не сумеет.

— Хм, недурственно. — Леонид взял со стола часы и аккуратно застегнул тонкий кожаный ремешок у себя на запястье. — Мечта террориста или маньяка. Насколько я знаю, подобные штучки держат в неприступных хранилищах за сотней замков, и какой-нибудь Усама бен Ладен готов отдать за них половину своего состояния.

Серега Гроб еле сдержался, чтобы не рассмеяться.

— Да с какого ты дерева слез? Отстал лет на пятнадцать от жизни! Сейчас такие часы может купить по дешевке любой лох на любой барахолке. И это ничуть не сложнее, чем добыть чек героина. Были б хрусты, и тебе за них найдут хоть обогащенный плутоний... Верни-ка мне эту игрушку. — Серега протянул руку, и Леонид осторожно вложил ему в ладонь часы. — Рано пока ее тебе доверять. Еще учудишь чего.— Упаковав часы в футляр, Гроб извлек шприц и две ампулы — одну, на два кубика, с бледно-розовой жидкостью, по цвету напоминающей раствор марганцовки; другую, пятикубовую, с чем-то бесцветным. — Вот, — похвастался он. — Еще одна шпионская штучка.— Серега щелкнул ногтем по розовой ампуле и похвалился: — Аминоритин. Сразу предупреждаю, чтобы потом у нас не было споров. Я введу тебе этот яд перед тем, как мы отправимся в Питер. И прикончит он тебя через двадцать часов. Это в том случае, если ты не получишь противоядие. — На этот раз Гроб щелкнул ногтем по другой ампуле. — Вот оно. Ни в одной больнице, ни в одной самой крутой лаборатории замены ему найти не сумеют. Так что твоя жалкая жизнь, Леонид, все то время, что мы будем ехать до Питера, и то время, что пробудешь у Хопина, будет в моих руках.

— Затем, чтобы я не вздумал выкинуть что-нибудь по дороге? Или не переметнулся бы на сторону Аркадия Андреевича?

— Верно соображаешь. Это моя страховка. И довольно действенная. Я, поверь, этим пользуюсь уже не в первый раз. Да и не только я. Подобные штуки использовал Абвер еще во времена второй мировой войны.

— А где гарантии, что я получу антидот, как только вернусь от Хопина? Что вы дождетесь меня?

— Дождусь, — улыбнулся Серега. — Будь уверен. Потом мы поедем с тобой в одно место. Там ты получишь противоядие. И пробудешь у нас в гостях, пока мы не получим доказательств гибели Хопина. После этого можешь убираться на все четыре стороны.

— Я вам не верю.

— Придется поверить. Или выбирать из двух оставшихся вариантов — выкопать для себя могилу в лесу или отправиться петухом на зону. Решай. Я не тороплю. До утра время есть на раздумья. А сейчас я тебя провожу обратно в подвал. Ляг, поспи. — Гроб поднялся со стула. Вопросительно посмотрел на Леонида. — Или, может быть, все-таки сейчас дашь ответ?

— Во сколько завтра мне звонить Хопину?

Физиономия Сергея расплылась в довольной улыбке.

— Значит, решился? Молодец. Одобряю. Я на твоем месте бы тоже...

«Ты на моем месте давно бы свихнулся, герой, — подумал Леонид, направляясь под конвоем Гроба к гостеприимно открытому проему в полу. — А я вот пока не спешу. И если и доведется мне сдохнуть, то сделаю это в здравом уме. А может, подкинет судьба мне еще какой-нибудь вариант для спасения? Как-никак времени впереди предостаточно. Вот ведь черт! И напридумывали ведь фармацевты, мерзавцы, всяческих хитрых ядов».

— Руку. — Гроб опять приковал Леонида наручниками к кровати. — Ложись, отдыхай. Завтра день непростой.

— Свет оставьте.

— Обойдешься без света. Спи давай. — И, освещая себе дорогу тусклым фонариком, Серега стал пробираться к лесенке, ведущей наверх, размышляя: «Интересно, а есть ли на самом деле яды вроде того, про который сегодня я парил этому лопуху?»

«Ха! Аминоритин... — усмехнулся себе под нос Гроб, опуская тяжелую крышку на проем, ведущий в подпол. — Чем незамысловатей вранье, тем легче на него покупаются. Аминоритин. Кажется, прошлый раз эта красная гадость называлась хлоноро... хломидо... Как-то на „х“. А теперь это амино... Черт! Аминоритин. Аминоритин. Не забыть бы до завтра это название. Аминоритин. А то получится лажа».

Глава 7

9 1/2 ЧАСОВ
(Если у вас нет жены...)

Вечером Оглоед с Дачником уехали в Тверь. Первый — затем, чтобы вернуться уже на следующий день на моем «мерседесе» и вплотную заняться судьбой Ангелины, претворением в жизнь той акции, что обрисовал мне еще ночью по пути в Нестерово, и на которую я в конце концов дал добро. Ну а Дачника ждал целый ворох больших и маленьких воровских дел. Домашние заботы. И три симпатичные нимфы...

— ...Будь они прокляты. И дела, и девицы. Кому бы сплавить хотя бы одну? — вздыхал Витек, пожимая мне на прощание руку, но было заметно, что он просто рисуется. — Сколько фишек вытягивают, сколько времени отнимают! Эх, Знахарь, мой тебе добрый совет: не заводи никогда постоянную лярву. А тем более трех. Намаешься. Впрочем, наверное, ты это знаешь и без меня. Хватило этой чмошницы Ангелины? А? Признавайся.

— Да уж, — промямлил я. — Хватило с избытком.

— И что решил-то? Будешь перед ней открываться, называть себя? Или так и останешься обычным Денисом?

Я неопределенно пожал плечами.

— По-моему, этого не потребуется. Меня не покидает чувство, что Ангелина и так уже начинает о чем-то догадываться. Во всяком случае, кидает на меня странные взгляды. Дура дурой, конечно, но не забывай, что она баба. А баб в определенных вопросах провести невозможно. Уж больно они проницательны, твари.

— Это уж точно, — согласился Дачник, усаживаясь в машину. — Ну, все. Удачи, братишка. Окажешься в наших краях, так заглядывай. Всегда будем рады. И привет там всем в Питере.

Джип «гранд чероки» обдал меня на прощание бензиновым перегаром и, расплескав глубокую лужу, отправился в недальний путь до Твери. Я же вернулся в дом. Перечитал еще раз исповеди своего брата и бывшей жены, поболтал с хозяйкой о народных средствах лечения радикулита и невралгии, сыграл с хозяином пару конов в дурака. Потом Гроб соблазнил меня баней, которая оказалась тесной и не протопленной, и в которой мы больше бухали, нежели парились.

— Тащи сюда Линку! — веселился разогретый за неимением нормального пара водочкой Гроб. — Вымоем, а потом поделим по-братски. Слышь, Знахарь, в натуре. Давай сюда ее, курву! А то ведь так можно и сдохнуть со скуки.

Я отмахивался.

— Отвяжись. Это мое. И ни с кем я ее сейчас делить не намерен. — И разливал по стаканам остатки водяры с длинным названием «Борис Николаевич». — Сейчас допиваем и возвращаемся в дом. Спать. У тебя, я так понимаю, завтра насыщенный день?..

— Да.

— Вот и... Твое здоровье. — Я приподнял свой стакан. — И за удачу.

Одним словом, времяпрепровождение в деревенских гостях оказалось однообразным и скучным. Баня холодной. Погода паршивой. Настроение — еще хуже погоды. Наверное, потому, что встреча с братом и бывшей женой совершенно не оправдала моих ожиданий. Напоминала скорее рядовой допрос в кабинете ментовского следака, чем красиво обставленную ответку.

На часах уже было за полночь, когда хозяева, постелив мне в горнице на узком диване, а Гробу соорудив на полу скромное ложе из набитого сеном матрасика и тонкого одеяла, отправились спать. Серега рассказал мне пару стареньких анекдотов, не поленился спуститься в подпол посмотреть, не готовится ли к побегу мой брат. Доложил результаты проверки: «Спит, аки ангел» и, бормоча под нос матерщину, стал обустраивать поудобнее свою собачью подстилку.

— Все бока отлежу, мать твою так! — жаловался он мне. — Могли бы под задницу найти что потолще, а не эту циновку. И подушку... Подушку...

— Не майся, — сказал я ему. — Ложись на диване.

Гроб удивленно посмотрел на меня.

— Ты чего, на полу хочешь спать? Сдурел? Или, может, ты йог? Или... Ха! — До Сереги дошло наконец. — Попрешься сейчас к Ангелине?

— И какой же ты проницательный! — заметил я. — Ну прямо провидец... — И хлопнул Серегу по широкой спине. — Дрыхать ложись. Спокойной ночи.

— Угу, — пробурчал он мне вслед. — Если устанешь, зови. Помогу.

— Иди ты, — усмехнулся я. И подумал о том, что действительно, с Ангелиной в постельных делах без помощи обойтись почти невозможно.

В комнату к бывшей жене я пробрался почти неслышно. Не скрипнул дверью, не споткнулся ни обо что в темноте. Подкрался к кровати и, стоя на одной ноге, словно аист, начал стягивать с себя джинсы, беспокоясь о том, как бы не потерять равновесие и не опрокинуться на спящую Ангелину. Не сделать заикой и без того забитую девушку.

Не в пример мне и Гробу, не говоря уж о запертом в подполе Леониде, нашей затворнице хозяева соорудили прямо-таки королевское ложе. Двуспальное. Мягкое. Со свежим постельным бельем. Или они предполагали заранее, что Ангелине предстоит спать не одной?

«Скорее всего, им просто ее стало жалко», — решил я и, оставшись в одних трусах, просочился под одеяло. Ангелина пробормотала что-то несвязное и чуть пододвинулась к стенке, освобождая мне место. Как обычно, она спала на спине. Иногда постанывая. Изредка причмокивая губами во сне. Спящую Ангелину от Ангелины, пытающейся притвориться, что спит, я всегда мог отличить безошибочно.

Она спала.

А я лежал рядом...

Бревном. Как последний придурок. Как импотент.

...и совершенно не представлял, что делать дальше.

И не мог ответить сам себе на вопрос: «А какого, собственно, черта я здесь оказался? Мне что, недостаточно женщин, что приспичило лезть в постель к бывшей женушке?»

Я мечтаю найти в ней что-то особенное? Я надеюсь, что Леонид обучил ее новым любовным премудростям, и мне не терпится выяснить, каким же именно? Или я просто решил провести эксперимент над собой: что же я испытаю, занимаясь любовью с женщиной, которую ненавижу и которой приготовил страшную месть? А может, эксперимент над Ангелиной: сумеет ли она по истечении четырех с лишним лет опознать бывшего мужа в мужчине, нахально залезшим в темноте к ней в кровать? И вообще, не пошлет ли его сейчас на три буквы?

Нет, в том, что не пошлет, я не сомневался. «Слишком запугана, — подумал я. — И слишком обижена своим мужем. Мечтает хоть как-нибудь отомстить ему, и уже одно это, не считая ее постоянного сексуального голода, не позволит ей произнести: „Убирайся!"».

Лина снова что-то пробормотала во сне и закинула на меня ногу. Так, как делала это всегда. Так, как ей раньше нравилось. А еще она любила, чтобы ее голова покоилась у меня на плече.

Я осторожно, сантиметр за сантиметром, стараясь не зацепить Лине волосы, не сделать ей больно, не разбудить, просунул ей под голову руку. Она доверчиво прижалась ко мне...

И в этот момент я вспомнил!

Я вспомнил все. Время сместилось на несколько лет назад, и из прошлого возник легкий, казалось, давно забытый аромат тела моей жены, вернулись те ощущения, что я испытывал раньше, лежа с ней рядом. Я, как и когда-то — давным-давно, в той, прошлой, жизни, — почувствовал легкое возбуждение. Ощутил приятную тяжесть внизу живота. И испугался: «А должно ли быть так? Ни наделаю ли я сейчас глупостей?»

Я чуть развернулся и коснулся губами ее щеки. Моя ладонь скользнула по ее телу поверх легкой шелковой блузочки. Спать Лина легла только в ней и в тоненьких трусиках, и сквозь невесомую ткань я отчетливо ощущал все изгибы ее стройного тела. Крепкие груди. Спелые виноградинки сосков. Плоский животик.

Я расстегнул нижнюю пуговицу на блузке. Еще одну, чуть повыше. И еще... Провел, чуть касаясь, тыльной стороной ладони по нежной горячей коже. От груди до резинки трусов. И опять вверх. И снова вниз.

Ангелина вздохнула. Ее дыхание участилось. Сделалось резче, прерывистее. Но она еще не проснулась. Она продолжала смотреть какие-то сны. Раньше мне очень нравилось будить ее таким образом. И раньше мне очень хотелось узнать, что ей снится, когда я так... Но сколько об этом ни спрашивал, она никогда мне не говорила.

Я слегка оттянул широкую резинку ее трусов, ощутил под ладонью выпуклую округлость лобка, нежный пушок покрывавших его волос. Чуть сдвинул руку подальше...

Ангелина еще раз вздохнула, шире раздвинула ноги. Ее левая рука протиснулась мне под мышку. А правой она распахнула на себе блузку и, повернувшись набок, крепко прижалась ко мне пылающей грудью. Ее мягкие волосы, смешавшись с горячим дыханием, щекотали мое лицо. Ее ладошка круговыми движениями яростно массировала мне спину.

«Проснулась, любимая женушка? — подумал я. — С добрым утром. Или что сейчас?.. Ах, сейчас ночь? А ни все ли равно, когда заниматься любовью? Тебе-то уж все равно — это точно. Всегда готова, как пионерка. Хоть ночью, хоть днем. Хоть в уютной постели, хоть на приеме у президента. Хоть с законным супругом, хоть с негром с Кокосовых островов... Нет, под потного негра ты, пожалуй, и не полезла бы. Но уж под меня — без вопросов».

Я вытащил руку у Ангелины из трусиков, провел скользкими пальцами ей по ноге.

— Ну-у-у...— недовольно простонала она.— Поласкай там... еще...— И решительно развернувшись, навалилась сверху, крепко вжалась в меня всем телом.

«Естественно, — ехидно заметил я про себя. — Первая фраза: „Поласкай там“. А кроме нее с того момента, как пробудилась и обнаружила рядом с собой мужика, ни единого слова возражения или удивления. Ни одного движения против — все только за. Ну, похотливая кошка! Интересно, догадаешься

ли ты все-таки, кто я такой? А если догадаешься, что же произойдет?»

Ангелина обмусолила мне мочку уха, лиз-
нула меня в шею... в нос... Нашла мои губы
и просунула между них язычок. Я осторожно
ответил, заботясь о том, как бы мой поцелуй
не напомнил бывшей жене ее бывшего мужа.
Пусть у нее будет поменьше шансов определить, кто же на самом деле скрывается под
маской бандита Дениса.

Не отрываясь от Лининых губ, я нашел ее
руку, расстегнул пуговку на рукаве... и на другом рукаве... Потянул на себя блузку, и она
легко соскользнула с плеч моей бывшей жены.

— И трусы...

— Что?

— И трусы... — простонала она. — Сними
с меня...

— Погоди. — Я перевернул Ангелину на
спину. Провел губами по ее плечу, нашел
глубокую ямку около шеи, которая всякий
раз появлялась, когда жена напрягалась в лю-
бовной истоме. И которая мне когда-то так
нравилась. Слегка куснул Лину в шейку, обхватил ладонью ее левую грудь. Чуть сжал
двумя пальцами затвердевший сосок.

— Продолжай... поцелуй... хорошо...

В темноте я не видел, лишь ощущал, как
Ангелина откинула назад голову, как раскинула в стороны руки, широко раздвинула ноги. И замерла на спине.

— Хорошо...

Я лизнул ее в грудь, чуть царапнул сосок жесткой щетиной, за сутки образовавшейся у меня на щеке. И сместил лицо еще ниже к напряженному до каменной твердости животу. Лина выдавила из себя негромкий стон, всем телом подалась мне навстречу, выгнулась, чуть ли не встав на гимнастический мостик. Ее ладонь надавила мне на затылок...

— Ниже... Ну...

...Ее пальцы судорожно вцепились мне в волосы.

— Еще... Да...

Мой язык проник в глубокую впадинку ее пупка. Моя щетина царапала ее живот. Мое дыхание разбивалась об ее гладкую кожу. Ниже... И ниже... Я зацепил зубами резинку трусов. Оттянул ее вниз. Отпустил. Она с легким щелчком вернулась на место. А я уже целовал Лину в ногу, ощущая у себя под щекой мягкий бугорок лобка, пока еще прикрытого уже насквозь промокшими трусиками. Пока еще... Я подцепил их — на этот раз рукой, не зубами — и стянул до колен. И снова потерся щекой о лобок. И несильно дернул за волоски, ухватив их губами.

Она опять застонала. И снова выгнула гимнастическим мостиком тело. Испуганно затрещали трусы, снять которые до конца у Лины просто не было времени. Хотя были силы на то, чтобы разодрать их на клочья, раздвигая ноги пошире.

Я снова поцеловал ее в окаменевший живот. Попытался продвинуться выше, к груди, но Ангелинина рука неколебимым буфером уперлась мне в голову, не пустила меня обратно.

— Поласкай... меня... там... язычком... Милый, пожалуйста...

«Ишь чего захотела! — усмехнулся я про себя. — „Милый". „Пожалуйста". Фигу! Не заслужила!» И убрал ее руку в сторону. И опять отыскал языком свою любимую ямку. Ту, что около шейки.

Она вновь впилась в мои губы. Ее пальцы скользили мне по груди... Ниже — по животу... Еще ниже... еще... Ее ладонь проникла в мои трусы, потянула их вниз. Скользнула по напряженному члену. Коснулась яичек.

«Итак, — подумал я, лаская Лину, — сумеешь ли, милая, теперь узнать своего бывшего мужа? Ведь у него изменилось только лицо. Ну и фигурой, пожалуй, он стал чуть-чуть сухощавей и крепче. А все остальное-то то же. Или тебе нужны еще дополнительные подсказки? Неужели нужны? Что ж, получи. Мне, в общем, не жалко».

И я, не прекращая целовать Ангелину, перебрался наверх, на нее. И первым же резким толчком легко вошел внутрь нее. Глубоко-глубоко...

Лина вскрикнула.

Еще толчок... еще... и еще...

Она вскрикнула еще раз и закинула мне на плечи ноги. Так, как обычно делала раньше.

А я продолжал работать. Резче... глубже... чаще... Безуспешно пытаясь вызвать в памяти воспоминания о чем-нибудь гнусном — перехитрить себя, отсрочить хоть ненадолго момент, когда больше уже не смогу сдержаться. И кончу — как всегда, слишком рано...

...И я кончил, не прошло и минуты. Но эрекция не прекратилась. Она никогда не прекращалась после первого раза, и я продолжал трудиться и дальше. Как ни в чем не бывало. Разве что несколько снизив частоту колебаний. И резкость движений.

К тому моменту, когда я извергнулся в нее во второй раз, все мышцы гудели от напряжения. Тело покрылось по́том. Дыхание сбилось. Я замер, расслабился, продолжая лежать на Ангелине. Прижав ухо к ее тяжело вздымающейся груди. Отчетливо слыша, как работают на форсаже ее легкие. И бу́хает в учащенном ритме сердце.

И она замерла подо мной. Лишь ее пальцы продолжали оставаться в движении, перебирая мои волосы. Ее старая-старая привычка — копошиться у меня в голове, — над которой я вечно смеялся: «И что ты там ищешь?» А она всегда отвечала: «Я так отдыхаю. И жду, когда будет еще».

Мы сейчас отдыхали.

И нам было супер!

Долго-долго лежали в темноте без движения. Крепко прижавшись друг к другу. Не произнося ни единого слова.

Ангелина первой нарушила молчание.

— Тебе понравилось?

— Да.

— Мне тоже. Очень-очень. Давно уже не было так... хорошо.

Она помолчала. Коснулась губами моей небритой щеки. И призналась:

— Мне нравятся небритые мужики.

Ей раньше действительно нравилось, когда у меня была такая щетина.

— Серьезно? — разыграл я удивление. — Вот уж никогда не подумал бы, что кому-то...

— Я, наверное, извращенка, — вздохнула она. И прошептала: — А знаешь, Денис. Я ведь знала, что ты сегодня придешь ко мне. И ждала.

Я не сдержался и хмыкнул.

— Нет, правда. Я долго ждала. И срубилась, наверное, в самый последний момент. Просто потому, что вчера ночью почти не спала. А потом был еще целый день нервотрепки.

— И ты хотела, чтоб я пришел к тебе?

— Очень. Даже не просто хотела. Я боялась, что ты не придешь... Костя!

Я сумел не откликнуться, когда она позвала меня так. Не вздрогнул от неожиданности и не напряг непроизвольно ни одной мышцы. Ничем не выдал себя, наверное, потому, что подсознательно ждал, когда Ангелина, измучив себя подозрениями и не решаясь задать этот вопрос напрямую, попытается подловить меня таким незатейливым способом. И.я был готов к провокации. И воспринял ее совершенно спокойно — хладнокровно подумал: «Какая ж ты хитрая стерва!», ухмыльнулся и как можно более безразлично спросил:

— Эй, милая. Я Денис. Ты меня спутала со своим бывшим мужем.

— Да, — сказала она, и я различил в ее голосе нотки разочарования.— Извини. Просто ты чем-то напоминаешь мне Константина.

— Нас часто принимают за двух родных братьев,— без тени смущения соврал я.— Его за старшего, а меня за младшего.

— Я имею в виду не одну только внешность. Меня больше всего поразило то, что у вас у двоих одни и те же привычки.

— Например? — спросил я.

— Например, ты сегодня ел бутерброд совсем так, как их всегда ест Константин...

«Да, это прокол, — поморщился я. — Попался на такой мелочевке. Меня не возьмут работать в разведку. А тебе, Ангелина, пять с плюсом за наблюдательность».

— А еще у тебя та же улыбка. И иногда тот же взгляд, те же движения, — продолжала перечислять мои недочеты бывшая женушка. — Ты так же, как Константин, скрещиваешь на груди руки.

«Вот так и пытайся обвести вокруг пальца вроде бы недалекую бабу», — подумал я. А вслух произнес:

— Попробуй не перенять себе привычки лучшего кореша, проведя на соседних нарах больше трех лет.

— Да, это так, — согласилась со мной Ангелина. — А скажи, где сейчас Константин?

— Ха! — воскликнул я. — О чем ты спросила!

— Да и действительно, о чем я спросила. Ты ведь не можешь ответить. Денис... — Моя бывшая женушка поцеловала меня в плечо. Обдала мне жарким дыханием шею. Раньше мне это нравилось. Это даже меня возбуждало. Раньше... но не сейчас. — Денис, а скажи, что будет со мной? Что дальше? Я ведь должна умереть?

Я сосредоточился. Ангелина наконец задала мне вопрос, который не могла не задать. И мы в разговоре подошли к самому важному. Сейчас я должен был ее убедить.

— Да. Мне поручено получить с тебя показания. А потом, — вздохнул я, — списать тебя, Лина.

— Списать — это убить?

Я почувствовал, как она напряглась.

— Да. Но ведь я обещал, что ты останешься жить. И ты останешься...

— Правда?!

— Правда. — Я погладил ее по голове. — Только ты должна делать все так, как я скажу тебе. Слушаться меня во всех мелочах. Договорились?

— Конечно, — доверчиво прошептала она.

И мне на миг стало стыдно. Но я переборол себя.

— Хорошо. У тебя есть с собой загранпаспорт?

— В машине. В «бардачке». Там все документы. И мои, и Леонида. А что, мне надо будет выехать за границу?

— Да. И притом в ближайшее время.

— Затем, чтобы спрятаться? — спросила она.

— Ну... спрятаться от бывшего мужа ты легко бы могла и в России. И не надо было бы городить огород. Но дело в том, Лина, что, не выполнив решения сходняка, на котором мне поручили тебя ликвидировать, я здорово рискую. И рискую вдвойне, потому что мне придется соврать, что я сделал все, как мне было приказано, ты мертва, твое тело утоплено в речке. Представляешь, что со мной будет, если вдруг обнаружится, что все не так. Если где-то ты по случайности или по глупости проявишь себя. Живая и невредимая. А? Представляешь?

— Тебя убьют...

— ...в назидание остальным, — продолжил я за Ангелину. — А поэтому я хочу застраховаться от глупых случайностей. И мне надо, чтобы хотя бы ближайшее время, пока про тебя не забудут, ты постоянно была под присмотром. Рядом со мной.

— И мы вдвоем уедем куда-нибудь за границу?

— Ты уедешь. Но не со мной. Дело в том, что в ближайшее время я должен вернуться в Питер. И не могу тащить тебя следом. Туда дорога тебе пока что заказана. А поэтому ты останешься с Юрой. Этот тот моленький парень в белой рубашке, который заходил в эту комнату, когда толстяк приносил тебе чай. Он единственный, кому я могу доверять, как себе. Кому я могу поручить быть какое-то время рядом с тобой. Но проблема в том, что у Юры сейчас дела за границей. В Египте. Ему надо быть там. И ты поедешь с ним.

— В Египет?! — растерянно пробормотала Ангелина.

— А чего это ты испугалась? Там тепло. Будешь жить в хорошем отеле. Искупаешься в Красном море и посмотришь на пирамиды. Юра станет заниматься делами, а ты в это время будешь туристкой. Членом российской туристической группы. Потому что в Египет вы поедете по обычной путевке. Все понятно?

Я сомневался, что Ангелина ответит мне: «Да». Ведь наврал слишком сложно. Напридумывал столько, что, похоже, запутался сам. Но Лина лаконично сказала:

— Понятно. — И следом за этим спросила: — А когда мы поедем?

— Думаю, что послезавтра вы с Юрой переберетесь в Москву. А оттуда уже полетите в Египет.

— И надолго туда?

«Ты — навсегда», — подумал я и ответил:

— Недели на две.

— Я буду скучать по тебе. — Ангелина опять поцеловала меня в плечо. Ее дыхание беспокоило меня, и я не мог определить, приятно это мне или нет.

— Да ты же знаешь меня меньше суток... — начал я, но Лина перебила:

— А кажется, что знакома с тобой уже долгие годы...

«Ты, девочка, даже не представляешь, как же сейчас права. Действительно долгие годы».

— ...И давным-давно уже люблю тебя, милый.

— Любишь?

— Да, — выдохнула она. — Представь себе, такое случается, чтоб с первого взгляда.

Я никогда не думала, что это может произойти со мной. И... видишь, произошло.

— Ты в этом точно уверена? — Мне было больно выдавливать из себя слова.

— Точно. Уверена.

— А как же муж?

— Муж? — переспросила Лина. — Муж?!! Ты разве не понял, какое это дерьмо?!

Я понял это еще четыре года назад — то, что он дерьмо не меньшее, чем его старший брат. Чем я. Одним словом, брат брата стоит.

— Любимый! Я хочу быть с тобой. Очень хочу... Скажи, у нас может что-нибудь получиться?

— Да. — Я крепко обнимал ее худенькие плечи. Я слушал ее нежный лепет. Я ненавидел себя. Я в этот момент был готов пойти на попятную, объявить Ангелине амнистию, и лишь невероятным усилием сумел перебороть чувство жалости. — Да, я думаю, что у нас все получится.

«Я думаю, что уж если решил быть негодяем, нужно быть им на все сто процентов. А если начал мстить, нужно мстить до конца. Наполовину плохих людей не бывает. Так же, как и наполовину хороших. Как и наполовину свершенной вендетты».

— Денис. А, Денис? Слышишь?

— Что, Ангелинка?

— Знаешь, я еще не успела уехать в этот Египет, а уже думаю: скорей бы оттуда вернуться. К тебе. Потому, что очень люблю тебя. Веришь?

— Да. Верю.

— Я тебе тоже. Любимый...

Я крепко зажмурил глаза. И скривился от боли. И подумал о том, что месть удалась. На славу — будет, о чем рассказывать внукам. О том, какой негодяй их дед.

— Денис. Я люблю тебя, милый...

* * *

А утром Гробу на сотовый дозвонился Комаль и сообщил, что в Веселом Поселке нашли трупы Электроника и Взрывника.

Мы только молча скрипнули зубами. С этого момента для нас не существовало ничего, кроме Хопина.

Эпилог

НАС ИЗВЛЕКУТ
ИЗ-ПОД ОБЛОМКОВ

— Здравствуй, Аркадий. Хотя неуместно, пожалуй, желать тебе здравствовать, предваряя то, что сейчас собираюсь сказать. И то, что собираюсь после этого сделать...

«Ну, словоблуд. Как был словоблудом, так и остался, — недовольно поморщился Хопин и поудобнее устроился в кресле перед плазменным экраном „Флэтрона". — Так словоблудом и сдохнет».

...Пять минут назад начальник охраны принес в кабинет видеокассету.

— Доставил курьер из «Федекса»[*], — доложил он.

— От кого? — удивленно вскинул брови Хопин. Никаких доставок по «Федексу» он не ждал.

— Неизвестно.

— Что на ней? Ты просмотрел?

— Просмотрел. Только я. Больше никто. — Охранник сделал ударение на последнем предложении.

---

[*] Fedex — служба экспресс-доставки.

— Я, кажется, задал вопрос, — повысил голос Хопин. — Что на ней?

— Какой-то мужчина. Похоже, что перед съемкой его напичкали наркотой. Или даже каким-нибудь омнопоном.

— Омнопоном? Что такое?

— «Сыворотка правды». А это серьезно.

— «Серьезно», — усмехнувшись, передразнил Хопин. — И что же он говорил, этот твой незнакомый мужчина, после этого... как его там... омнопона?

— Он говорил... — Охранник замялся. — Будет лучше, Аркадий Андреевич, если вы все посмотрите сами. — Он многозначительно посмотрел на хозяина, потом перевел взгляд на видеоплеер. — Поставить кассету?

— Поставь. И дай сюда пульт. И выйди. — Хопин дождался, когда охранник притворит за собой дверь, и нажал на кнопочку «play».

«Незнакомым мужчиной, напичканным омнопоном» оказался не кто иной, как адвокат Живицкий.

— Угадай, у кого я сейчас нахожусь в гостях? — С экрана «Флэтрона» на Хопина смотрело лицо адвоката Живицкого. Заметно постаревшего за четыре последние года. Еще больше обрюзгшего. Столь же неряшливого, как и тогда, когда они виделись в последний раз. И, кажется, даже в том же единственном на все времена и все случаи жизни мятом костюме. — Кто сейчас снимает меня на видеокамеру, чтобы потом послать пленку тебе? Угадал? Я думаю, без проблем. Правильно, это наш общий знакомый, которого ты, правда, видел только на фотографиях. Но мне-то уж с ним довелось пообщаться и с глазу на глаз. С Константином Разиным, который вернулся оттуда, откуда, как мы наивно надеялись, вернуться уже невозможно...

«А ведь прав оказался охранник, — подумал Хопин, изучая взглядом безвольное, испуганное лицо Живицкого, его растерянный, затравленный взгляд загнанной в угол жертвы. — Этого дурака-адвоката накачали какой-то отравой. Взгляд, как у покойника. Да и говорит еле-еле, словно сонная муха. Тьфу, противно! И как с подобным дерьмом можно было когда-то проворачивать серьезные акции? Даже не верится, что это было».

— Но он здесь, Хопин. Он рядом со мной. Он мне предоставляет возможность искупить свою вину перед ним. Смотри. — Адвокат наклонился, его физиономия на секунду исчезла с экрана... Лишь на секунду. Но вот Живицкий уже снова бессмысленно пялится в камеру. Его губы беззвучно шевелятся. У него на лбу выступили многочисленные капельки пота. Он снял и опять нацепил на нос очки. И у него в руке зловеще блестит опасная бритва. — Смотри, Хопин. И внимательно слушай мои последние слова, что я произнесу в этой жизни. Потом я уйду. А ты останешься. Но ненадолго. Следующий в очереди за мной — это ты. Уже скоро... Скоро... Смотри! — Живицкий выставил перед собой левую руку с предусмотрительно закатанным рукавом. — Смотри! — еще раз почти выкрикнул он и, зажмурившись, широким движением полоснул бритвой себя по запястью. И еще раз... Еще, с таким злобным остервенением, словно стремился не просто вскрыть себе вены, а отхватить руку пониже локтя.

— Идиот, — пробормотал Хопин и брезгливо поморщился. — Слабак. — Он взял пульт и уже собирался нажать на «stop», но в последний момент передумал, решил досмотреть до конца. Дослушать, что еще, подыхая, успеет изречь этот дурак-адвокатишка.

— Смотри! — Живицкий поднял вверх руку, по которой стекали ручейки крови. — Думаешь, ты умрешь так же легко, как я? Нет! Не-е-ет!!! Ты умрешь по-собачьи! Ты сдохнешь так, что твой труп не примут ни на одну свалку! И я жалею сейчас лишь об одном — о том, что не увижу, как тебя казнит Разин. За все те мерзости, что ты натворил в своей жизни. За то, что ты сломал ему жизнь. За то, что ты сломал жизнь и мне. За то, что ты втянул меня во все свои игрища... Будь ты проклят, Аркадий!.. Будь проклят!!!

Было заметно, как силы быстро покидают Живицкого. И без того с трудом ворочавший языком адвокат теперь выдаивал из себя слова еле-еле.

— Он уже идет к тебе... Разин... Он рядом... Скоро... Уже скоро... В пятницу... В эту... В четыре утра... Он приедет...

Голова Живицкого поникла на грудь. Дыхание участилось. Очки не удержались на носу и свалились вниз. Но глаза адвоката были закрыты.

* * *

Старший прапор был пьян.

Кроме него пьяны были:

подполковник Близнюк в расстегнутой на все пуговицы форме танкиста;

дембель Валера — старшина роты, отличник боевой и какой-то там еще подготовки. Он до нынешнего пьяного вечера не пил больше месяца, так как лечился бициллином от триппера, но зато теперь отрывался по полной программе;

Крокодил, заведовавший огромной спортивной сумкой, в которой была сложена водка и закусь;

и, наконец, я — единственный трезвый среди этого пьяного экипажа Т-80.

Да таких экипажей, наверное, не знавала история танковых войск!

Таких боевых операций, как эта, история танковых войск не знавала тоже!

Пятнадцать минут назад Т-80 к ужасу караульного солдатика-первогодка, дежурившего на КПП, с лязгом и скрежетом покинул пределы Пушкинской военной рембазы й взял курс на Александровскую. Разогнав несколько припозднившихся легковушек на ночном Красносельском шоссе, танк преодолел по нему чуть меньше пяти километров, проехал по узенькому мосту над веткой железной дороги, ведущей из Петербурга на Псков, и, свернув с асфальта на бездорожье, весело погремел по целине. Отсюда до выбранной мною накануне огневой позиции оставалось меньше двух километров.

— Куда дальше? — повернулся ко мне старший прапорщик, занимавший место механика-водителя.

— Немного правее! Через кусты! — скомандовал я, и Близнюк сварливо проскрипел себе под нос:

— Конечно, через кусты. Как же еще? Дорог здесь для нас никто не прокладывал... — Он обреченно вздохнул: — Эх, мужики! И достанется все-таки завтра нам звездюлей за подобные выходки.

О том, что кроме ожидаемых «...лей» им «за подобные выходки» досталось еще три штуки баксов, подполковник скромно молчал. А ведь именно до такого предела — три тысячи долларов, ящик «Посольской» и приличная закусь — я сумел накануне сбить цену за парочку выстрелов по хопинской крепости.

— Право руля. Та-а-ак. Хорошо. — Я не отрывал взгляда от зеленого экрана прибора ночного видения. — Отли-и-ичненько! Выходим на цель. Слав, глянь-ка, не этот ли дом?

Крокодил шумно задышал перегаром мне в ухо, уставившись в экран монитора, на котором в обрамлении куцых силуэтов недостроенных коттеджей выделялся готический замок товарища Хопина.

...доживал свой последний час готический замок...

...безмятежно дремал готический замок...

...товарища Хопина, который, похоже, так и не поверил тому, о чем предупреждал его по видеопочте Живицкий, царство ему небесное.

— Дистанция выстрела прямой наводкой, — пробормотал дембель Валера. Для бравого старшины, наводящего ужас на духов и молодых*, голос его был уж больно каким-то растерянным. Не командирским. Если не сказать большего: испуганным. Все ж таки не каждый день доводится палить боевыми по

---

* Духи и молодые — солдаты первого года службы.

мирным строениям. — Девятьсот метров до цели.

— Сто-о-ой! Приехали! — подал голос у меня из-за спины Крокодил. — Огневая позиция! Целься, подпол, во-о-от в этот вот домик. Попадешь?

— Попадешь? — продублировал я.

— А то... — Подполковник Близнюк, должно быть, для храбрости приложился к бутылке водки, процедил сквозь зубы длинную матерщину и вручную, не прибегая к услугам компьютера, навел пушку на цель.

Хопинские охранники, удосужься они сейчас глянуть на нас хотя бы в какой-нибудь дерьмовенький ПНВ*, наверное, наложили б в штаны. Впрочем, возможно, и глянули. Возможно, и наложили. Но все же скорее всего бдительная хопинская охрана сладко спала. Или попивала пивко. Или играла в картишки. Хотя не все ли равно, кто чем в этот момент занимался. Главное то, что жерло орудия жадно уставилось на выбранную цель. И то, что подполковник Близнюк дожидался только моей команды, чтобы нажать на гашетку. Или на педаль? Я так и не успел разобраться, на что они нажимают, эти танкисты, чтобы Т-80 начал стрелять.

— Ну чего там, огонь? — безразлично спросил меня старший прапорщик.

_____
* ПНВ — прибор ночного видения.

Я бросил взгляд на часы. Три пятьдесят. Еще десять минут до назначенного Хопину часа. Хотя...

— А собственно, хрен ли тянуть? — пожал я плечами и, набрав в легкие воздуха, в полный голос решительно рявкнул: — Огонь!

— Не ори. Не на плацу, — сделал мне замечание подполковник и толкнул в плечо старшего прапора: — Огонь.

— Огонь, — зачем-то повторил Крокодил.

А пушка гавкнула так, что у меня заложило уши.

Кусок неприступной бетонной ограды, окружавшей участок противника, окутался густым облаком пыли и осел вниз. Охранники, наверное, проснулись. Или расплескали с испугу свое пивко.

— По дому, мать твою! — проорал я. — Не по ограде! Огонь!

— Огонь! — опять повторил за мной Крокодил.

Второй снаряд влепил точно по центру готического замка. Часть фасада сложилась, словно карточный домик.

«Хана, наверное, Хопину», — подумал я и в последний раз скомандовал:

— Пли!

— Огонь!

Что натворил третий снаряд, я разглядеть не сумел даже с помощью ПНВ. Весь хопинский особняк — а точнее, его руины — заволокли непроглядные клубы пыли и дыма. Похоже, что там сейчас царил сущий ад. И где-нибудь под обломками покоился труп Аркадия Андреевича Хопина. То, чего мы и добивались.

— Хорошо отстрелялись, — хладнокровно заметил Близнюк, еще раз отхлебнул из бутылки и передал ее прапору. — Чего дальше? — вопросительно посмотрел он на меня.

— А ничего, — пожал я плечами. — Все сделали как нельзя лучше. Теперь возвращайтесь на базу.

— А ты?

— А мы со Славой пройдемся пешком, — сказал я, решив, что так у нас больше шансов не угодить в лапы ментов, которых скоро здесь будет целое столпотворение. — Спасибо вам, мужики. И удачной вам службы. — А про себя добавил: «Коротких вам сроков за то, что учудили сегодня. Всего за какие-то сраные три тысячи баксов». И, не затягивая прощальную церемонию, поспешил выкарабкаться из люка.

...А впереди оставалось лишь два нерешенных вопроса.

Первый — извлекут ли в конце концов из-под обломков хопинский труп? Или этот ублюдок все же сумеет остаться в живых? Оно ведь не тонет.

И вопрос номер два: как бы все-таки изловчиться сделать ноги из Александровской, не попавшись ментам. Я не хочу опять на кичу!

АНГЕЛИНА В БЕРБЕРИИ
(написано без А. и С. Голон)

Старенькая «тойота», съехав с асфальта, уже больше часа тряслась по какой-то еле проторенной через пустыню козьей тропе. Или вернее для этих мест было сказать: верблюжьей дорожке. Хотя ни верблюдов, ни коз, ни вообще какой-либо живности вокруг видно не было. Лишь камни, песок, иногда какие-то сухие колючки. Лазурное небо без единого облачка. Палящее солнце. И одуряющая духота внутри джипа, в котором никаким кондиционером, естественно, и не пахло. А как хорошо бы было сидеть сейчас в «Шератоне»* возле бассейна, лениво потягивая из запотевшего бокала джин с тоником и ловя на себе похотливые взоры местных аборигенов и стареющих итальяшек и бюргеров. Так нет же! Потянуло проклятого Юру с визитом к каким-то там бедуинам. И как она ни отнекивалась, он настоял: «Ты что? Съездить в Египет и не вкусить сполна всей экзотики? Не сфотографироваться с местными дикарями? Не попить их вонючего чая? Не покормить их дурацких верблюдов? Да это же все равно, что не побывать в долине Нила, не посмотреть на пирамиды, не окунуться в Красное море!»

Плевать ей было и на пирамиды, и на Нил, и на экзотику. И на Красное море, и на вер-

---

* «Шератон» — пятизвездочный отель в Шарм-аль-Шейхе.

блюдов. И на фотографии в компании дикарей. Но все же позволила уговорить себя, согласилась на эту поездку с громким названием «Джип-сафари в гости к бедуинам». На эти мучения в пыльной душной «тойоте»...

— Далеко еще? — Ангелина коснулась плеча Ибрагима, местного гида и переводчика, с которым они совершали уже третью по счету поездку. Сперва была гора Моисея. Потом Каир. А теперь бедуины, будь они прокляты. — Скоро приедем?

— Скоро, — на секунду оторвался от руля Ибрагим. По-русски он говорил совершенно свободно, правда, с сильным акцентом. — Еще полчаса.

Ангелина посмотрела в окно: камни, песок, иногда колючки. Ни одного ориентира, в который можно бы было упереть взгляд. Она удивленно пожала плечами. И как только этот араб Ибрагим может определить, когда они прибудут на место? И вообще, знает, куда надо рулить? Окажись она в этой пустыне, заблудилась бы уже через три километра. И померла бы от жажды и солнечного удара.

И какого же дьявола Юра потащил ее к бедуинам?

Их стоянка (Или как это верно назвать? Стойбище? Лагерь?) неожиданно открылась перед глазами, действительно, как и обещал Ибрагим, ровно через полчаса. Стоило джипу обогнуть небольшой холм, как он почти уперся капотом в несколько странных сооружений,

374

каждое из которых представляло собой четыре вкопанных в грунт столба, между которыми, образуя три стены, были натянуты три одеяла. Еще одно, четвертое, представляло собой крышу. Вернее, тент, укрывающий обитателей хижин от прямых лучей солнца.

— Вот так они и живут, — заметил промолчавший всю дорогу от Шарм-аль-Шейха Юра. — Как тебе? — Он вопросительно посмотрел на Ангелину.

— Кошмар! — округлила она глаза. — Не представляю, как вообще можно... — Ангелина не договорила, с интересом разглядывая стайку детишек, окруживших машину и с нетерпением дожидавшихся появления из нее гостей, заранее протянув приготовленные на продажу камушки и другие незамысловатые сувениры.

— Ничего, представишь. Привыкнешь. Везде можно жить, — пробурчал Оглоед и вылез из джипа. — Пошли, Ибрагим, Ангелина.

Она удивленно похлопала своими большими глазами, безуспешно пытаясь понять, что сейчас хотел сказать ее спутник. Что значит «привыкнешь»? Не собираются же они здесь оставаться надолго? Час, полтора от силы, и поедут обратно. В «Шератон». Поближе к бассейну, запотевшему бокалу с «джин-тоником» и туристам с Аппенин и из Бундеса.

— Ю-юр! — позвала она. — Что значит «привыкнешь»? Мы что, здесь надолго? Не до завтра же?

— Нет, не до завтра, — буркнул Юра и принялся раздавать ребятишкам монетки. — Вылезай, сказал, из машины. Пошевеливайся. И пошли, представлю народу.

Она растерялась — впервые за десять дней, что они провели вместе, всегда обходительный и любезный спутник вдруг позволил себе разговаривать с ней в таком тоне — приказном, даже более того, хамском — «вылезай, сказал», «пошевеливайся»... Ни с того, ни с сего. Она даже не давала для этого повода. Или и сама не заметила?

— Юра, что произошло?

Но он больше не обращал на нее никакого внимания. Вдвоем с Ибрагимом они подошли к группе мужчин, сидевших в рядок метрах в тридцати от «тойоты», и завели разговор с одним из них, выделявшимся среди остальных большим животом и густой бородой непередаваемого каштанового оттенка.

Ребятишки тем временем переключили внимание на нее. Тянули ладошки с зажатыми в них разноцветными камушками, что-то по-своему лопотали нестройным хором. У чернявого мальчугана лет десяти свисала из носа длинная зеленая сопля. Мальчуган регулярно морщил физиономию и громко шмыгал, втягивая соплю внутрь, но уже через секунду она упорно вылезала обратно. Туда-сюда... туда-сюда... Ангелина брезгливо поморщилась и захлопнула дверцу. Вылезать из машины ей расхотелось. И вообще, она мечтала скорее вернуться в отель. Поближе к родным европейским туристам, поближе к цивилизации. А то здесь, посреди этой дикой пустыни, в окружении непонятных кочевников, у которых неизвестно, что может быть на уме, она ощущала себя неспокойно, никак не могла отделаться от какого-то внутреннего напряжения. И неясно было, можно ли это назвать недобрым предчувствием?

Оказалось, что можно.

Минут через пять Оглоед вернулся к машине, распахнул дверцу и выжидательно уставился на Ангелину. Она испуганно пялилась на него.

— Ну че ты, не поняла? — Перед ней стоял другой, совсем незнакомый Юра, которого она никогда раньше не знала. И не желала бы знать, такого чужого, такого враждебного. Даже Леонид никогда не разговаривал с ней в таком тоне. Даже бандиты, когда захватили ее в плен в Твери. — Тебе вылезать велели? А? Ну и чего ты сидишь? За шкварник тебя тащить?..

От растерянности Лина даже приоткрыла ротик. И с трудом смогла выдавить из себя:

— Не пойму. А чего ты так со мной разговариваешь? Я ведь все могу рассказать Денису.

Оглоед в ответ нехорошо усмехнулся. Очень нехорошо.

— Не можешь. И забудь про Дениса. Пошли, тебя ждут.

— Кто меня ждет?

— Они.

Это «они», непонятное, а поэтому страшное, напугало ее даже больше, чем резкая перемена в поведении Юры. Сильнее, чем любопытные и, как ей казалось, хищные взгляды, которые не сводили с нее сидевшие поодаль дикари...

— Ну чего, тварь, тебя силой тащить? Пошли, сказал!

Она не могла. У нее дрожали колени. На лбу выступили капельки пота. Лицо побледнело настолько, что стал незаметен покрывший его за последнее время загар. То состояние, в котором она пребывала сейчас, уместнее было назвать даже не страхом, а ужасом. И этот ужас не шел ни в какое сравнение с тем, что она испытала недавно, когда обнаружила на капоте «фольксвагена» погребальный венок. Тогда это был лишь несерьезный детский ужастик. Сейчас все случилось по-настоящему.

До нее вдруг дошло, что обратно в Шарм-аль-Шейх Ибрагим с Юрой поедут вдвоем. Без нее.

А она останется здесь. Среди этих кочевников. Она им продана. Или передана просто так. На вечную — самую страшную из всего, что только можно вообразить — ссылку, которой ей заменили смертную казнь. А она, глупая девочка, еще наивно надеялась, что сумела чудом избежать наказания за то, что натворила в 96-м. Нет, в подобных делах чудес не бывает. И не бывает счастливых случайностей вроде готовых прийти на помощь Денисов. Да и Денис ли это был, на самом-то деле?

— Юра, я сейчас вылезаю. Да... Только дай мне немного прийти в себя... Не торопи... А то свалюсь по дороге... Не доползу до твоих бедуинов... — Слова Ангелине давались с огромным трудом. Губы тряслись. В голове стоял плотный туман. Она была готова хлопнуться в обморок. — Скажи, я ведь останусь у них? Здесь? В этих хижинах?

Оглоед молча кивнул. И так же молча достал из кармана плотно сложенный лист бумаги, протянул Ангелине.

— Это мне? — спросила она, трясущимися руками расправляя листок и пытаясь сфокусировать взгляд на мелком тексте, заполнявшим страницу.

— Тебе, — донесся до нее голос Юры. — Узнаешь почерк?

— Да. Это писал Константин, — пробормотала она. И окончательно утвердилась в прошлых своих подозрениях: «Он же Денис...»

«Здравствуй, красавица. Как тебе бедуины? Пустыня? Сафари? Экзотика? (Обещаю, теперь тебе ее хватит с избытком.)

И наконец, как тебе я? Здорово изменился за последние годы, не правда ли? Впрочем, это не помешало тебе заподозрить в Денисе своего бывшего мужа... Да, ты правильно догадалась. Денис и Константин — одно и то же лицо. Вернее, как раз лица и разные после пластической операции. А вот привычки, как ты верно подметила, те же. Да и все остальное. Даже неуемная жажда мести, которую я все-таки утолил. Признаюсь, я сначала планировал отправить тебя на тот свет. Но пожалел. Или наоборот, решил, что это будет чересчур простым искуплением твоих прошлых грехов. Сдохнешь, и все. У тебя не будет даже достаточно времени поразмыслить над тем, какая же ты продажная тварь. Или испытать то, что довелось испытать мне. Хотя и теперь у тебя не получится в полной мере прочувствовать, что же это такое: вдруг резко переместиться из нормальной спокойной жизни, к которой привык и кроме которой другого существования не представляешь, неизвестно куда, где все тебе незнакомо, все кажется чужим и враждебным. Где приходится подстраиваться под неведомые тебе законы. В моем случае — воровские; в твоем они будут арабскими. Или бедуинскими. Это уж как тебе больше нравится.

Итак, обживайся, девочка. Корми верблюдов и привыкай к новому быту. К новой семье. К другому укладу жизни. А я, глядишь, через годик, если все будет нормально, загляну к тебе в гости, проведаю. Надеюсь, что к тому времени у тебя все будет о'кей.

Кстати, вот, что еще хочу тебе сообщить. Даже не знаю, огорчит тебя это? Или тебе будет на это плевать? А может, даже порадует? Ну, в общем, твой муженек приказал долго жить. Я не стал тебе говорить об этом, когда провожал вас с Оглоедом в Шереметьево. Боялся, испорчу еще таким сообщением Лине весь отпуск. Дай-ка лучше напишу ей об этом в записке. Короче, накануне вашего отлета в Египет мне позвонили из Питера и сообщили, что Леонида нашли на Киевском шоссе недалеко от Александровской. (Кстати, где живет Хопин. Это не кажется тебе подозрительным?) Он сидел за рулем „пассата" и к тому моменту, как к машине прибыли менты, был мертв уже часа три-четыре. Врачи установили, что скончался он от обширного инсульта. Почувствовал себя плохо, в последний момент успел остановить „пассат" на обочине, и это было последним, что он сделал в своей никчемной жизни. Мир его праху.

Вот на такой пессимистической ноте и кончаю послание. Удачи тебе, Ангелина. Веди себя хорошо. Слушайся нового мужа. Не дерись с его женами и учись скакать на верблюде. И помни, что жить можно везде. Хоть в колонии, хоть в пустыне. Главное — не то, какие вокруг условия; главное — какой ты человек.

Еще раз удачи.

Целую.

Костя или Денис (это как тебе больше нравится)».

* * *

Для нее начиналась новая жизнь.

Оглавление

Б. К. Седов

ЗНАХАРЬ
МЕСТЬ ВОРА

Роман

Ответственные за выпуск
  Е. Г. Измайлова, Я. Ю. Матвеева
Корректоры
  Е. В. Ампелогова, О. П. Васильева
Верстка
  А. Н. Соколова

Подписано в печать 01.04.03.
Гарнитура «Таймс». Формат 84×108¹/₃₂. Бумага газетная.
Печать офсетная. Уч.-изд. л. 11,53. Усл. печ. л. 20,16.
Изд. № 02-4023. Доп. тираж 15 000 экз. Заказ № 3892.

«Издательский Дом „Нева"»
199155, Санкт-Петербург, ул. Одоевского, 29

Отпечатано с готовых диапозитивов
в полиграфической фирме «КРАСНЫЙ ПРОЛЕТАРИЙ»
127473, Москва, Краснопролетарская, 16